Jörg Braunert • Wolfram Schlenker

AUFBAUKURS LEHRBUCH

UNTERNEHMEN DEUTSCH

Ernst Klett Sprachen
Stuttgart

Unterrichtssymbol in **Unternehmen Deutsch**:

 Hörtexte

Unternehmen Deutsch Aufbaukurs
von Jörg Braunert und Wolfram Schlenker

Wir danken Herrn Bernd Zabel vom Goethe-Institut für seine kompetente Beratung.

12 11 10 9
1. Auflage 1 | 2014 2013 2012

Alle Drucke dieser Auflage können nebeneinander benutzt werden,
sie sind untereinander unverändert. Die letzte Zahl bezeichnet das Jahr des Druckes.

Internet: www.klett.de

Nach der neuen Rechtschreibung (Stand: August 2006)

Redaktion: Angela Fitz; Cordula Schurig, Hamburg (Journalseiten, Wörterliste)
Layout und Herstellung: Katja Schüch
Zeichnungen: Hannes Rall, Stuttgart
Satz: Jürgen Rothfuß, Neckarwestheim
Druck: Drukarnia Interak, Poland • Printed in Poland

ISBN: 978-3-12-675745-4

Vorwort

Liebe Lernerinnen und Lerner,

Unternehmen Deutsch Aufbaukurs ist geeignet für Deutschlerner mit sehr guten Vorkenntnissen, die zielgerichtet berufsorientiertes Deutsch lernen wollen. Sie erreichen mit dem Aufbaukurs das Niveau B2 des „Gemeinsamen europäischen Referenzrahmens".

Unternehmen Deutsch Aufbaukurs vermittelt eine umfassende Handlungsfähigkeit am Arbeitsplatz. Eine Vielzahl an Szenarien aus unterschiedlichen Berufsfeldern und Arbeitsbereichen bereitet Sie auf den Berufsalltag vor und vermittelt berufssprachliche und interkulturelle Kompetenz.

Unternehmen Deutsch Aufbaukurs umfasst 10 Kapitel à 16 Seiten. Je sechs Unterkapitel bieten verschiedene Facetten des Kapitelthemas. Je zwei Journalseiten bieten zusätzliche Texte und Schaubilder sowie Leseverstehensaufgaben und geben so die Möglichkeit, das Erlernte zu vertiefen. Die Grammatikseite am Ende jedes Kapitels fasst den Grammatikstoff übersichtlich zusammen.

Unternehmen Deutsch Aufbaukurs enthält im Anhang Datenblätter mit einem spielerischen Angebot zur Partnerarbeit und eine alphabetische Wörterliste.

Unternehmen Deutsch Aufbaukurs bietet Ihnen zusätzlich ein reichhaltiges Übungsangebot in einem separaten Arbeitsbuch. Eine Audio-CD mit allen Hörtexten aus dem Lehrbuch, ein einsprachiges Wörterheft und ein Lehrerhandbuch mit methodisch-didaktischen Hinweisen, den Lösungen zu den Aufgaben im Lehrbuch und den Transkriptionen der Hörtexte komplettiert unser Angebot.

Viel Spaß und Erfolg mit **Unternehmen Deutsch Aufbaukurs** wünschen Ihnen
Autoren und Verlag.

Inhalt

Syllabus

Kapitel	Thema / Sprechhandlung	Grammatik / Lexik
1	Gäste, Besucher begrüßen und Fragen nach Reise, Befinden stellen Einen Begrüßungsbrief schreiben	Redemittel der Begrüßung n-Deklination
	Anliegen, Bitten im Hotel vortragen und auf Anliegen, Bitten reagieren	Lexik zur Hotelbeschreibung: *Zimmer mit Bad, ruhig gelegen, komfortabel, ...* Reflexivpronomen, reflexive Verben
	Über Besuchsprogramme sprechen Besuchs- und Besichtigungsprogramme planen	Themenbezogene Lexik: *Theaterbesuch, Besichtigung, Altstadtrundgang, ...* Genitiv-Attribut Possessivartikel (Wiederholung zu *Unternehmen Deutsch Grundkurs*, Kap. 1, 3)
	Informationen bei einer Betriebsbesichtigung geben und erhalten Gäste und Besucher verabschieden Sich vom Gastgeber verabschieden	Dank, Verabschiedung, gute Wünsche Demonstrativpronomen (Wiederholung zu *Unternehmen Deutsch Grundkurs*, Kap. 4) *erfolgen/geschehen* + Infinitiv-Nomen + Genitiv
	Sich nach Veranstaltungen erkundigen Veranstaltungen empfehlen	Zeitangaben: *einmal / gelegentlich / regelmäßig* Verben mit Präpositionen
	Speisen und Getränke empfehlen und bestellen	Redemittel im Restaurant: *Die Speisekarte bitte. / Ich empfehle ... / Getrennt oder zusammen? / ...* Gerichte Satzbau: Dativ- und Akkusativobjekt
2	Über Branchen und Produkte sprechen	Lexik zu Branchen, Unternehmen, Produkten: *Chemieindustrie, Maschinenbau, Kunststoffe, ...* Identifizieren, Zuordnen
	Wirtschaftsbereiche benennen Unternehmenstypen und Rechtsformen unterscheiden	Lexik zu Wirtschaftsbereichen: *Handwerk, Dienstleistungen, Konsumgüterindustrie, ...* Artikel bei Firmennamen
	Schaubilder und Diagramme beschreiben Über Umsätze und Kursentwicklungen sprechen	Adverbien: *circa, ungefähr, knapp, fast, ...* Verben der Veränderung: *steigen, sinken, fallen* Indirekte Frage mit Fragewort
	Unternehmens- und Beteiligungsstrukturen erläutern Über Besitzverhältnisse sprechen	Zuordnung und Unternehmensbeteiligung: *gehört zu, ist beteiligt an, hält einen Anteil von, ...* Adjektivendungen nach bestimmten und unbestimmten Artikel sowie ohne Artikel (Wiederholung zu *Unternehmen Deutsch Grundkurs*, Kap. 6, 7)
	Die Geschichte einer Firma darstellen	Präteritum von *haben / sein*, Modalverben (Wiederholung zu *Unternehmen Deutsch Grundkurs*, Kap. 2, 5, 8) Präteritum der regelmäßigen Verben
	Ein Unternehmen vorstellen Einen Vortrag halten	

Kapitel	Thema / Sprechhandlung	Grammatik / Lexik
3	Abteilungen im Betrieb und ihre Aufgaben darstellen	Lexik zu Abteilungen, Funktionen, Aufgaben: *Entwicklungsingenieur, Fertigung, Kundendienst, Anlagen warten, ...* Nebensatz mit *dass* (Wiederholung zu *Unternehmen Deutsch Grundkurs*, Kap. 9) Passiv: Präsens
	Zuständigkeiten und Tätigkeiten benennen Neue Mitarbeiter vorstellen, sich neuen Kollegen vorstellen	Fragen und Antworten bei Verben mit Präpositionalobjekt
	Über Risiken beim Arbeitsplatz und Maßnahmen zum Arbeitsschutz sprechen Auf Anweisungen Übungen machen	Themenbezogene Lexik: *Ohrenschutz, Arbeitspause, Rückenbeschwerden, ...*
	Einzelteile einer Maschine erklären Mitarbeiter unterweisen Über Sicherheitsmaßnahmen sprechen	Bestandteile und Verwendungszweck von Geräten und Motoren Sicherheitszeichen: *Schutzhelm, -handschuhe, -brille, ...* Nebensatz mit *indem*
	Über Krankheiten, Schmerzen, Beschwerden sprechen Einen Termin beim Arzt vereinbaren Fragen beim Arzt beantworten	Körperteile Äußerungen der Befindlichkeit: *Mir geht es ... / Ich habe ...schmerzen. / Mir tut ... weh.*
	Das deutsche, österreichische und Schweizer Krankenversicherungssystem vergleichen	Redemittel des Vergleichs: *stimmen überein, unterscheiden sich in ...* (Wiederholung zu *Unternehmen Deutsch Grundkurs*, Kap. 7)
4	Liefertouren planen und organisieren Über Termine, Frachtmengen, Entfernungen, Lenk- und Ruhezeiten sprechen	Themenbezogene Lexik: *Auftragsübersicht, Streckenplan, Ausladezeit, ...* Bedingungssätze: Nebensatz mit *wenn*, Hauptsatz mit *dann*
	Fahrer disponieren Aufträge erteilen und auf Aufträge reagieren	Redemittel der Ablehnung, Zustimmung Relativsatz / Relativpronomen im Nominativ
	Am Telefon Anliegen vortragen und Aufträge erteilen Aufträge (mit Bedingungen) annehmen, begründet ablehnen	Aufforderungen, Anweisungen, Bitten (Erweiterung zu *Unternehmen Deutsch, Grundkurs*, Kap. 3, 4, 6) Redemittel der Begründung, Einschränkung Demonstrativpronomen (Wiederholung zu *Unternehmen Deutsch Grundkurs*, Kap. 4) Relativsatz / Relativpronomen im Nominativ, Akkusativ und Dativ
	Telefongespräche führen: sich verbinden lassen, Nachricht hinterlassen, nach der Durchwahl fragen, sich Zeitpunkt für neuen Anruf sagen lassen Anliegen präzise benennen	Redewendungen am Telefon Redemittel, um Anliegen zu benennen: *Es handelt sich um ... / Ich rufe wegen ... an. / ...* Das Verb *lassen*
	Passende Mittel in der Geschäftskommunikation wählen Probleme in der Geschäftskommunikation erläutern, Vorschläge machen	*An Stelle von ... würde / hätte ich ...* Konjunktiv II der Gegenwart mit *würde* Konjunktiv II der Vergangenheit
	Automatische Ansagen am Telefon notieren Auf automatische Ansagen reagieren Bedienungsanweisung eines Telefons lesen	Gleichzeitigkeit: *während* (Präposition, Konjunktion)

Kapitel	Thema / Sprechhandlung	Grammatik / Lexik
5	Abläufe beschreiben: Was wird von wem gemacht?	Passiv: Agens benennen Komparativ (Wiederholung zu *Unternehmen Deutsch Grundkurs*, Kap. 7)
	Ein Leasingangebot besprechen Verbesserungen planen und durchführen Eine Mitarbeiterbefragung durchführen	Themenbezogene Lexik: *Wirtschaftlichkeit, Rabatt, Zusatzleistungen, ...* Indirekte Frage mit Fragewort und *ob* Superlativ (Wiederholung zu *Unternehmen Deutsch Grundkurs*, Kap. 7)
	Einen Leasingvertrag lesen Über Vereinbarungen und Verpflichtungen informieren Den Weg von der Anfrage zum Auftrag beschreiben	Verben der Entscheidung: *beschließen, entscheiden, vereinbaren, ...* Nebensatz mit *dass* Infinitivsatz mit *zu*
	Ursachen für Störungen im geschäftlichen Ablauf ermitteln und beheben	Themenbezogene Lexik: *mahnen, reklamieren, korrigieren, ...* Nebensatz mit *damit* *um ... zu ...* + Infinitiv
	Verschiedene Zahlungsweisen unterscheiden und benutzen Eine Einzugsermächtigung und einen Überweisungsauftrag ausfüllen	Satzstellung von *um ... zu ...* + Infinitiv
	Früher und heute vergleichen Bilanz ziehen, Ergebnisse vortragen	Präteritum der unregelmäßigen und gemischten Verben
6	Über den Ablauf einer Mitarbeiterbeurteilung sprechen	Themenbezogene Lexik: *Vorgesetzter, Beurteilungsbogen, Zwischenzeugnis, ...* Der Gebrauch von *werden* als Vollverb (Wiederholung zu *Unternehmen Deutsch Grundkurs*, Kap. 10) Futur mit *werden*
	Über Beurteilungssysteme sprechen Ein Beurteilungsreform präsentieren	Themenbezogene Lexik: *Gerechtigkeit, Leistung, Abhängigkeit, ...* Passiv mit Modalverben
	Wünsche, Vorsätze, Ziele ausdrücken Einen Zielvereinbarungsprozess und Zielkriterien präsentieren	Redemittel des Wünschens / Planens: *wünschen, planen, vorhaben, zum Ziel setzen, ...* Adjektive mit *-bar*
	Mitarbeiter und Vorgesetzte beurteilen Gegensätze und Widersprüche ausdrücken Über die Eigenschaften von Führungskräften diskutieren	Hauptsatz mit *trotzdem* Nebensatz mit *obwohl*
	Einen Personalbeurteilungsbogen lesen und ausfüllen Ein Mitarbeitergespräch führen und Zielvereinbarungen treffen Bewertungen vornehmen, annehmen, vorsichtige Gegenvorschläge machen	Redemittel des vorsichtigen Gegenvorschlags: *Könnten wir uns nicht auf ... einigen? / Wissen Sie, ... / Ich dachte an ... / ...*
	Arbeitszeiten und Gehälter vergleichen Schaubilder lesen	Begriffe aus dem Bereich Einkommen / Sozialabgaben: *Gehalt, Abgaben, Tarifvertrag, ...*

Kapitel	Thema / Sprechhandlung	Grammatik / Lexik
7	Eine Tagungsordnung besprechen Über Umsatzziele sprechen	Bildung von Verben aus Adjektiven mit: *er/ver/...ern, er/ver/...en, ...isieren* Relativsatz / Relativpronomen mit Präpositionen
	Umsatzziele und Maßnahmen vorschlagen Über Marketingstrategien diskutieren	Themenbezogene Lexik: *Rabatt-/Mailing-Aktion,* *Verkaufsförderung, ...* Präpositionalobjekt + *dass*-Satz oder Infinitiv mit *zu: da(r)- + dass .../zu ...*
	Marketingstrategien besprechen: Vorschläge machen, zustimmen, widersprechen, Bedingungen nennen	Themenbezogene Lexik: *Marktposition,* *Wettbewerbsposition, Unternehmensimage, ...* Redemittel der Ablehnung, Zustimmung, Einschränkung Konjunktiv II
	Aufträge abwickeln Verkaufsverhandlungen führen Ein Angebot schreiben	Themenbezogene Lexik: *Lizenzierung,* *Montageanleitung, Schulung, ...* Konditionalsätze mit *wenn*
	Ein Seminar planen, organisieren, evaluieren Aufträge erteilen	Vorzeitigkeit: Nebensatz mit *bevor* + Präsens Gleichzeitigkeit: Nebensatz mit *während* Nachzeitigkeit: Nebensatz mit *nachdem* + Perfekt + Hauptsatz im Präsens
	Kundentypen einschätzen Sich auf ein Verkaufsgespräch vorbereiten Verkaufsgespräche führen: Argumente vorbringen und auf Einwände reagieren	Relativsatz mit *was*
8	Messen vergleichen Über den Messestandort Deutschland sprechen	Themenbezogene Lexik: *Fachmesse,* *Verbrauchermesse, Messewesen, ...*
	Gründe für eine Messebeteiligung nennen Begrüßungsgespräche auf der Messe führen Interviews mit Firmenvertretern führen	Themenbezogene Lexik: *Geschäftsverbindung,* *Verkaufsabschluss, Konkurrenzprodukt, ...*
	Messegespräche führen Kontaktaufnahme: Kunden ansprechen, als Kunde das Gespräch beginnen Vorschläge machen, Produktinformationen überreichen	Redemittel der Kontaktaufnahme: *Kann ich* *Ihnen helfen ... / Ich interessiere mich für ... /...* Redemittel des Gesprächabschlusses: *Es hat* *mich gefreut, ... /Ich würde mich freuen, ... /Darf* *ich Ihnen unseren Prospekt mitgeben? /Für weitere* *Fragen stehe ich Ihnen gern zur Verfügung. /...*
	Fragen zu Produkten stellen Produkte vergleichen Produkte vorstellen	Partizip Perfekt mit *sein* Doppelkonjunktionen: *sowohl – als auch,* *entweder – oder, weder – noch, zwar – aber*
	Eine Messe nachbereiten Eine Messenotiz ausfüllen Aufgaben im Team verteilen	Partizip Perfekt und Partizip Präsens als Adjektive Redemittel der Aufforderung, Ablehnung, Einschränkung,
	Pro und contra diskutieren Schaubilder zur Argumentation heranziehen	Folge: *sodass* Nicht-Folge: *ohne dass/ohne ... zu*

Kapitel	Thema / Sprechhandlung	Grammatik / Lexik
9	Über ein Unternehmen sprechen Die Herstellung einer Creme beschreiben	Themenbezogene Lexik: *natürliche Rohstoffe, synthetische Farbstoffe, Verantwortung, ...* Passiv Perfekt
	Eine Auftragsabwicklung erläutern Versandklauseln / INCOTERMS vergleichen	Themenbezogene Lexik: *Empfänger, Spedition, Luftfracht, Zoll, ...* Voraussetzungen / Bedingungen: *bei* + Nomen, Nebensatz mit *wenn*
	Lieferwege nachverfolgen Vermutungen anstellen, was mit der Lieferung passiert ist	Passiv Präteritum Modalverben der Vermutung: *könnte, dürfte, müsste*
	Über die Allgemeinen Geschäftsbedingungen sprechen Fälle anhand von Liefer- und Geschäftsbedingungen entscheiden	Redemittel der Graduierung von Sicherheit: *... hat Recht, könnte / dürfte / müsste Recht haben, ...*
	Auftragsänderungen durchgeben	Redemittel der Änderung: *statt, zusätzlich, nicht nur – sondern auch, weder – noch, ...* Präpositionen mit Genitiv: *statt, wegen, trotz, während*
	Reaktionen auf Beschwerden vergleichen und beurteilen Sich beschweren und auf Beschwerden reagieren	Redemittel des Bedauerns: *Das tut mir leid. / Ich verstehe, dass Sie ... / ...* Redemittel zur Lösungsfindung: *Ich schlage vor ... / Ich biete Ihnen an ... / ...* *nicht / nur brauchen* + Infinitiv mit *zu*
10	Informationen aus Stellenanzeigen herausziehen Um Informationen zu Stellenanzeigen bitten	Redemittel der Nachfrage: *Mich würde noch interessieren, ... / Darf ich noch fragen, ob ... / ...*
	Die Bildungssysteme in Deutschland, Österreich und in der Schweiz vergleichen	Themenbezogene Lexik: *Sekundarstufe, Hauptschule, Maturität, ...*
	Einen Lebenslauf schreiben	Vorzeitigkeit: Nebensatz mit *bevor* und Präteritum Gleichzeitigkeit: Nebensatz mit *als* + Präteritum Nachzeitigkeit: Nebensatz mit *nachdem* + Plusquamperfekt + Hauptsatz im Präteritum
	Elemente eines formellen Briefs zuordnen Über einen Bewerbungsbrief sprechen Einen Bewerbungsbrief schreiben	Themenbezogene Lexik: *Betreff, Anrede, Grußformel, Anlagen, ...*
	Fragen den Phasen eines Vorstellungs-gesprächs zuordnen Ein Vorstellungsgespräch beurteilen Vorstellungsgespräche führen	Themenbezogene Lexik: *sehr gehemmt, branchenfremd, redegewandt, ...* Relativsatz mit *was* und *wo*
	Sich über den Arbeitsmarkt in einem deutschsprachigen Land erkundigen Über seine beruflichen Pläne berichten und seine Meinung zu den Plänen anderer sagen	Redemittel der Meinungsäußerung: *Das würde ich auch so machen. / Das kann ich nicht verstehen. / An seiner Stelle ... / ...*

- Sind Sie Herr ...?
- Wir haben für Sie reserviert ...
- Das Programm ist wie folgt.
- Eine Betriebsbesichtigung
- Was kann man hier machen?
- Darf ich Sie einladen?

KAPITEL 1

HERZLICH WILLKOMMEN!

Das lernen Sie hier:
- Gäste, Besucher begrüßen
- Gäste und Besucher verabschieden
- sich vom Gastgeber verabschieden
- Wünsche, Anliegen, Bitten im Hotel vortragen
- über Besuchsprogramme sprechen
- Besuchs- und Besichtigungsprogramme planen
- sich nach Veranstaltungen erkundigen
- Speisen und Getränke empfehlen und bestellen

Sind Sie Herr ...?

INTERNATIONALER KONGRESS FÜR PHARMAKOLOGIE BEGRÜSST DIE TEILNEHMER AUS SHANGHAI

A Herzlich willkommen!

Begrüßen Sie Gäste.

Beispiel:
- ▶ Herzlich willkommen in Wien. Wir freuen uns, dass Sie unsere Gäste sind.
- ▶ Danke. Wir freuen uns, dass wir heute hier sein dürfen.
- ▶ Wie war die Fahrt hierher?
- ▶ Danke, gut. Nur die Autobahn war etwas voll.
- ▶ Hat es mit der Wegbeschreibung geklappt? Haben Sie unser Büro leicht gefunden?
- ▶ Ja, alles in Ordnung. Kein Problem.

B In der Ankunftshalle A

1 Hören Sie das Gespräch und antworten Sie.

1. Was passiert hier?
2. Wer sind die Leute?
3. Ist alles in Ordnung?
4. Hat alles geklappt?

2 Hören Sie das Gespräch noch einmal und schreiben Sie.

1. Herr Körber empfängt
   a) die Gruppe allein.
   b) die Gruppe mit zwei Kollegen.
   c) die Gruppe mit einem Assistenten und einem Fotografen.
2. Wer fehlt?
3. Wie buchstabiert man den Namen?
4. Wie spricht man den Namen aus?

Herzlich willkommen in ... Wir freuen uns, dass Sie da sind / wir Sie hier begrüßen dürfen / ...

▼

Danke. / Vielen Dank. / Guten Tag. Wir freuen uns, dass ...

▼

Wie war die Reise / der Flug / die Fahrt / ...?

▼

Gut / anstrengend / lang / angenehm / ...

▼

Hat es mit dem Abflug / der Abfahrt / dem Gepäck / der Zollkontrolle / der Wegbeschreibung ... geklappt?

▼

Ja, alles in Ordnung. / Nein, ... / ...

▼

Wie geht es Ihnen? Sind Sie müde / gesund / ausgeruht / frisch ...?

▼

Danke, gut. / Danke gut, ich bin nur etwas müde / habe nur etwas Kopfschmerzen.

Wie geht es Ihnen? [T]

Wie geht es Ihnen? – das ist weniger eine Frage als eine Begrüßungsformel. Man sagt im Allgemeinen nur *Danke, gut.* Man spricht nicht ausführlich über seine Sorgen und Probleme. Manchmal kann man etwas einschränken: *Danke, gut. Ich bin nur etwas müde.* oder *Danke, gut. Ich habe nur etwas Kopfschmerzen.*

Deklination von Nomen im Maskulin

	Deklination von Nomen im Maskulin			n-Deklination (einige Nomen im Maskulin)		
Nom.	der Flug	der Mann	der Koffer	der Kunde	der Herr	der Tourist
Dat.	dem Flug	dem Mann	dem Koffer	dem Kunden	dem Herrn	dem Touristen
Akk.	den Flug	den Mann	den Koffer	den Kunden	den Herrn	den Touristen
				der Fotograf, der Kollege, der Mensch, der Nachbar, der Name, der Praktikant, der Pharmakologe, ...		

C ...(e)n oder kein ...(e)n? Ergänzen Sie.

Herr__ Körber empfängt mit seinem Kollege__, Herr__ Sauter, die Besucher__ aus China. Die Gruppe__ hat auch einen Fotograf__ bestellt. Er soll bei der Ankunft__ ein Foto__ machen. Am Flughafen__ kontrollieren sie die Teilnehmerliste__. Sie finden den Name__ von Herrn Xu nicht auf der Liste. Frau__ Zhao buchstabiert den Name__. Sein Koffer__ fehlt noch. Das ist kein Problem__. Herr__ Körber informiert seinen Assistent__, Herr__ Sauter. Der erledigt das für den Kunde__. In ein paar Stunde__ ist das Gepäck__ im Hotel__.

D Die Begrüßungs-Mappe von B&T

1 Suchen Sie die Antworten im Brief.

1 Welche guten Wünsche kommen vor?
2 Wer hat das Programm organisiert?
3 Welche Schwerpunkte hat das Programm?
4 Was enthält die Begrüßungs-Mappe?

2 Sie erwarten Gäste. Schreiben Sie einen Begrüßungs-Brief.
Der Brief an Frau Zhao rechts hilft Ihnen.

- Anrede: *Sehr geehrt-* ...
- Begrüßung und gute Wünsche
- Was haben Sie vorbereitet?
- Welche Pläne haben Sie für die Gäste?
- Besonderheiten, kleine Überraschung, kleines Geschenk
- Ende: *Viel Erfolg und ... Ihr-* ...

Frankfurt Inform

Online Hotel Reservation www.fran

Business&Tours

Sehr geehrte Frau Zhao,

herzlich willkommen in Frankfurt, dem Herzen der Rhein-Main-Region. Business&Tours und seine Partner wünschen Ihnen und Ihren Kollegen einen angenehmen Aufenthalt und einen guten Verlauf Ihres Kongresses.

In Zusammenarbeit mit der Tourismus+Congress GmbH haben wir ein attraktives Fach- und Freizeitprogramm für Sie entwickelt. Das Programm und umfangreiches Informationsmaterial finden Sie in Ihrer persönlichen Info-Mappe.

In den nächsten Tagen zeigen wir Ihnen die verschiedenen Gesichter der Region: das Finanz- und Wirtschaftszentrum Frankfurt, die Burgen und Weinberge der romantischen Weinstraße und natürlich das kulturelle Leben, die Theater und Museen der Goethe-Stadt Frankfurt.

Wollen Sie eigene Wege gehen? Ein Stadtplan und der Fahrplan des Rhein-Main-Verkehrsverbundes helfen Ihnen. Und: Mit dem Kongress-Ticket (ein kleines Gastgeschenk von B&T / Tourismus+Congress GmbH) haben Sie einen Tag lang freie Fahrt im gesamten Stadtgebiet.

Viel Erfolg und viel Spaß
Ihre Partner von B&T

E Begrüßung

Begrüßen Sie ...

- einen Kunden
- eine Kundin
- einen Kollegen
- eine Kollegin
- Mitarbeiter
- Gäste
- einen alten Bekannten
- ...

+

- am Flughafen
- am Arbeitsplatz
- auf einem Kongress
- in der Firma
- ...

+

und fragen Sie nach ...

- nach dem Urlaub
- nach einer Dienstreise
- nach langer Zeit
- ...

- seinem / ihrem
- seiner / ihrer
- seinen / ihren

Befinden
Kollegen
Wünschen
Gepäck
Reise
Flug
...

Wir haben für Sie reserviert ...

Landhotel Mainpark

in ruhiger Lage zwischen Stadt und Land

40 komfortable Zimmer mit Dusche und WC

Einzelzimmer 60,– bis 80,– EUR
Doppelzimmer 38,– bis 44,– EUR (pro Person)

Hotel Am Palmengarten

Komfortable Zimmer mit Bad, TV und Minibar
EZ: 80,– bis 120,– EUR
DZ: 100,– bis 180,– EUR

Wir organisieren Ihre Konferenz, Räume für bis zu 80 Pers.
– Sauna
– Schwimmbad
– Fitnessraum

– 5 Fußminuten zur U-Bahn
– 10 Min. zum Hauptbahnhof (U-Bahn)
– eigener Flughafentransfer

A Entscheiden Sie sich.

❶ In welchem Hotel möchten Sie Ihr Zimmer reservieren?

❷ Fragen Sie die anderen: Für welches Hotel haben Sie sich entschieden?

> Für welches Hotel hast du dich/haben Sie sich entschieden?

> Ich habe mich für ... entschieden,
> – denn es ist/hat/kümmert sich um ...
> – weil es sich ... hat/... ist/um ... kümmert.

hat	ist	kümmert sich um
Freizeiteinrichtungen • Zimmer mit Bad • einen Garten • Kinderbetreuung • Konferenzräume • ...	ruhig gelegen • zentral gelegen • verkehrsgünstig gelegen • familienfreundlich • billiger als • komfortabel • ...	die Freizeit • die Kinder • die Fahrt zum Flughafen • die Konferenz • ...

❸ Berichten Sie.

Herr/Frau ... Pedro und Anja	hat haben	sich für ... entschieden,	weil ... denn ...

B Gespräch im Hotel: Haben Sie gut geschlafen?

❶ Hören Sie: Wohnt die Gruppe im Hotel Mainpark oder im Hotel am Palmengarten?

❷ Ordnen Sie zu.

1 Die Teilnehmer wundern sich.
2 Frau Hu beschwert sich.
3 Herr Li entschuldigt sich.
4 Herr Körber freut sich.
5 Herr Feng und Herr Li haben sich verlaufen.
6 B&T kümmert sich um das Gepäck.

a) Die Koffer sind noch nicht da.
b) Die Teilnehmer haben gut geschlafen.
c) Die Zimmer sind sehr ruhig.
d) Sie hat kein warmes Wasser im Bad.
e) Sie haben den U-Bahnhof nicht gefunden.
f) Er hat seinen Schlüssel im Zimmer vergessen.

Reflexive Verben

ich	mich	
du	dich	freuen, wundern
Sie		informieren, erkundigen, interessieren, entscheiden
er / es / sie		entschuldigen, bedanken, beschweren, kümmern
wir	uns	verabreden, begrüßen, vorstellen, verabschieden
ihr	euch	verlaufen, verspäten
Sie		...
sie		

C Vier Dialoge an der Rezeption

Was ist los? Lesen Sie die Dialoge 1 bis 4 und antworten Sie.

1 Ist das Ehepaar Winter pünktlich?
2 Was muss Herr Winter machen?
3 Ist der Gast von Nr. 29 zufrieden?
4 Was ist defekt?

5 Hat Frau Hansen viel Zeit?
6 Wie hilft die Rezeption Frau Hansen?
7 Erwartet Herr Kolb einen Besucher?
8 Warum meldet sich der Bekannte von Herrn Kolb bei der Rezeption?

1 ▶ Guten Abend. Haben Sie reserviert?
  ▶ Ja, aber wir haben uns sehr verspätet. Mein Name ist Winter.
  ▶ Moment ... , richtig, ein Doppelzimmer mit Bad für zwei Nächte. Würden Sie sich bitte anmelden? Hier ist das Formular.

2 ▶ Hausmeisterei, Meissner.
  ▶ Hier ist die Rezeption. Der Gast von Nummer 29 hat sich beschwert. Seine Klimaanlage funktioniert nicht. Können Sie das bitte gleich in Ordnung bringen?
  ▶ Ja klar, wir bemühen uns. Ich schicke gleich jemanden hin.

3 ▶ Ich muss um 14.00 Uhr am Flughafen sein.
  ▶ Oh, Frau Hansen, da müssen Sie sich aber beeilen. Schon Viertel nach eins! Ich kümmere mich sofort um ein Taxi für Sie.

4 ▶ Entschuldigung, hat Herr Kolb Zimmer Nummer 42? Ich habe dort angerufen, aber da meldet sich eine Frau Kaiser.
  ▶ Herr Kolb? Warten Sie ... Der hat Nummer 43. Sie haben sich in der Zimmernummer geirrt.
  ▶ Nummer 43, danke sehr.

D PARTNER Ⓐ benutzt Datenblatt A1, S. 171. PARTNER Ⓑ benutzt Datenblatt B1, S. 181.

E Wünsche, Anliegen, Bitten

Spielen Sie Dialoge an der Rezeption, am Arbeitsplatz, auf der Straße, ... Tragen Sie Ihren Wunsch, Ihr Anliegen, Ihre Bitte vor. Ihr Partner hilft Ihnen.

- Jemand hat sich verlaufen, hat sich geirrt / hat etwas verwechselt / hat etwas vergessen.
- Jemand hat sich verspätet / muss sich beeilen.
- Jemand beschwert sich / braucht etwas.

Nicht vergessen: sich am Anfang entschuldigen, sich am Ende bedanken, sich eventuell vorstellen.

Das Programm ist wie folgt

Business&Tours

So,
11.06. 17.15 Ankunft der Gruppe mit Flug CA 921 aus Shanghai.
Transfer zum Hotel Am Palmengarten.

Mo,
12.06. 9.30 Stadtführung mit Besichtigung des Kaisersaals im Römer, Besuch des
Goethe-Hauses, des Historischen Museums u. a.
Gemeinsames Mittagessen in Sachsenhausen,
danach Zeit für Shopping, Museumsbesuche, Spaziergänge, ...

Di,
13.06. 9.00 Abfahrt vom Hotel, Besuch der Deutschen Börse und der Europäischen
Zentralbank (EZB)
14.00 Abfahrt nach Offenbach, Besichtigung des Pharmaherstellers Medisan AG

Mi,
14.06. Beginn des Internationalen Kongresses für Pharmakologie
8.30 Uhr Transfer zum Congress Center Messe Frankfurt

Do,
15.06. Internationaler Kongress für Pharmakologie
8.30 Uhr Transfer zum Congress Center Messe Frankfurt

Fr,
16.06. 9.30 Fahrt nach Heidelberg, Besuch des Schlosses, Altstadtrundgang, Weinprobe
Rückfahrt gegen 15.00 Uhr

Sa,
17.06. 9.00 Abfahrt zum Hauptbahnhof
Weiterreise der Gruppe nach Basel mit ICE ab Frankfurt Hauptbahnhof 10.05,
Ankunft 12.55 Uhr in Basel SBB

A Fünf Tage in Frankfurt

❶ Welche Programmpunkte erkennen Sie in den Abbildungen 1 bis 6?

❷ Sprechen Sie über das Programm.

Am Sonntag	kommt die Gruppe am Flughafen an.
Am 12. Juni	besucht die Gruppe das Goethe-Haus.
Um 17.15 Uhr	...
Am ... um ...	reist die Gruppe mit dem ICE nach Basel weiter.
...	...

Genitiv-Attribut

Akkusativ	Kompositum	Genitiv-Attribut
Was besuchen wir?	Was für ein/Welcher Besuch? Was für/Welche Besuche?	Was für ein/Welcher Besuch? Was für/Welche Besuche?
Wir besuchen den Kongress. Wir besuchen ein Schloss. Wir besuchen die Börse. Wir besuchen Museen.	ein/der Kongressbesuch ein/der Schlossbesuch ein/der Börsenbesuch –/die Museumsbesuche	ein/der Besuch des Kongresses ein/der Besuch des Schlosses ein/der Besuch der Börse ein/der Besuch der Museen

B PARTNER Ⓐ benutzt Datenblatt A2, S. 171. PARTNER Ⓑ benutzt Datenblatt B2, S. 181.

C **Herr Körber erläutert das Programm.**

❶ Welchen Punkt erwähnt Herr Körber als ersten, zweiten, dritten usw.? Welche Punkte erwähnt er nicht? Notieren Sie die Reihenfolge im Programm auf der linken Seite.

❷ Was sagen Herr Körber und Herr Li? Was ist richtig ⟨r⟩? Was ist falsch ⟨f⟩?

1 Am Samstag setzt die Gruppe ihre Reise fort. —————————— |r|
2 Goethe hat sein ganzes Leben in Frankfurt verbracht. —————————— ☐
3 Sein Großvater war Bürgermeister von Frankfurt. —————————— ☐
4 Noch heute haben die Frankfurter Bürgermeister ihren Sitz im Römer. —————————— ☐
5 Herr Feng und Herr Li treffen ihren chinesischen Kollegen. —————————— ☐
6 Die Stadt Frankfurt schenkt ihren Gästen ein Wochenticket. —————————— ☐

❸ Ersetzen Sie die fett gedruckten Wörter durch die passenden Possessivpronomen. Hören Sie dazu Herrn Körbers Erläuterungen noch einmal.

Heute Vormittag machen wir **die** Stadtführung. Zwei wichtige Stationen stehen auf **dem** Pogramm. Frankfurt ist auch die Goethe-Stadt, denn hier hat Johann Wolfgang von Goethe **die** Jugend verbracht. Das Goethe-Haus in der Innenstadt ist **Goethes** Elternhaus. In **Goethes** Lebensbericht *Dichtung und Wahrheit* können wir lesen, dass **der** Großvater damals der Bürgermeister von Frankfurt war. Noch heute ist der Sitz der Frankfurter Bürgermeister im Römer, wie das Rathaus der Stadt heißt.

Die Frankfurter finden, dass der Römerberg mit **den** historischen Häusern und dem Dom der schönste Platz in Frankfurt ist. Es ist der Lieblingsplatz **der Frankfurter**.

Die Teilnehmer sollen **das** Messeticket nicht vergessen. Sie finden es in **der** Info-Mappe. Es ist ein Geschenk der Stadt für **die** Gäste **der** Stadt.

Possessivartikel							
	ich	du	er/es	sie/Sie	wir	ihr	
Wörter	mein-			ihr-/Ihr-		euer-	
	Sg.	Mask.	Fem.	Neutr.	Pl.	Mask.	Fem.	Neutr.
Endungen	Nom.	–		–	Nom.			
	Akk.	-en	-e		Akk.		-e	
	Dat.	-em		-em	Dat.		-en	
	Gen.	-es	-er	-es	Gen.		-er	

D **Sie bekommen Besuch.**

❶ Arbeiten Sie in Gruppen. Sammeln Sie Aktivitäten in Ihrer Heimatstadt oder an Ihrem Kursort, besprechen Sie Wünsche und Anliegen Ihrer Besucher.

Nicht vergessen

> euren Flug bestätigen •
> meine Wäsche waschen •
> sich mit deinem Freund treffen •
> deine Fahrkarte nach ... kaufen •
> bei unseren Eltern zu Hause anrufen •
> uns mit guten Bekannten treffen • ...

> Montag: 15.00 Uhr Ankunft ...
>   Besichtigung des ...
> Dienstag: Bestätigung des Rückflugs
> Mittwoch: Vormittag Fahrt nach ...
>   Nachmittag Spaziergang in ...
>   ...

> Theaterbesuch • Fahrt ins Grüne •
> Besuch des Kunstmuseums • Shopping •
> Essen bei ... •
> Besichtigung vom Schloss •
> Spaziergang in ... • ...

❷ Stellen Sie den anderen Ihr Programm vor.

Am Montag kommt ihr um ... an.
Am ... um ... besuchen wir ...
Am ... fahren wir ...
Danach ...

Eine Betriebsbesichtigung

Name: **Medisan AG**
Sitz: **Offenbach**
Mitarbeiter europaweit: **9 000**
davon am Firmensitz: **6 500**
Branche: **Pharma**
Produkte: **Schmerz- und Rheumamittel**
Herstellung und Vertrieb von pharmazeutischen Wirkstoffen
Gründungsjahr: **1911**

A Dienstag, 13. Juni

❶ Beantworten Sie die Fragen.

1 Was passiert an diesem Tag?
2 Was erfahren Sie hier über dieses Unternehmen?
3 Was zeigen diese Abbildungen?

4 Sind diese Informationen neu für Sie?
5 Welche sind Ihnen schon bekannt?

❷ Sprechen Sie über die Angaben.

▷ Welche Firma ist das?
▷ Das ist die ...
▷ Und was stellt ... her?
▷ ...

▷ Der Sitz der Firma ist ...
▷ Und wie viele Mitarbeiter hat die Firma in dieser Stadt?
▷ ...

▷ Welcher Tag ist heute?
▷ Heute ist der ...
▷ Und was passiert an diesem ...
▷ ...

Demonstrativpronomen

	Nominativ		Akkusativ		Dativ		Genitiv	
m	der	dieser	den	diesen	dem		des	
f	die	diese	die		der		der	
n	das	dieses	das		dem		des	
Pl	die	diese	die		den		der	

B Zu Besuch bei der Medisan AG

❶ Wo ist die Gruppe?
Wohin geht die Gruppe?

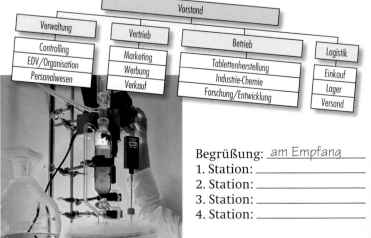

Begrüßung: _am Empfang_
1. Station: _____
2. Station: _____
3. Station: _____
4. Station: _____

❷ In der Tablettenherstellung. Ordnen Sie zu.

	Was		**Wo/Womit/Wie**
1	Rohstoffe wiegen	a)	in der Tablettenmaschine
2	Granulat pressen	b)	im Granulierbehälter
3	Pulver granulieren	c)	mit der Verpackungsmaschine
4	fertige Tabletten verpacken	d)	in der Tablettenherstellung
5	Tabletten lackieren	e)	unter hohem Druck

❸ *erfolgen/geschehen* in der Berufssprache. Schreiben Sie Sätze.

Infinitiv-Nomen + Genitiv + *erfolgen/geschehen*			
Das Wiegen der Rohstoffe	erfolgt		in der Tablettenherstellung.
Das Granulieren des Pulvers	geschieht		
Das			

┌─ Rohstoffe wiegen
│
↓
Das Wiegen der
└→ Rohstoffe

❹ Berichten Sie über den Besuch bei der Medisan AG.

Zuerst war die Gruppe in ...
In dieser Abteilung / In diesem Bereich erfolgt ...
Dann ...

C Rollenspiel. Verabschieden Sie Ihre Besucher / Gäste.

▶ Ich danke Ihnen für Ihr Interesse / Ihre Aufmerksamkeit. Haben Sie noch Fragen?

▶ Ja, können Sie ... noch einmal erklären, was ... / wo ... / wie viel ... / ...?

▶ Ich hoffe, es | hat Ihnen bei ... gefallen. | war interessant für Sie.

▶ Vielen Dank, es war sehr ...
... hat uns besonders gefallen / interessiert.

▶ Ich wünsche Ihnen | weiterhin einen schönen Aufenthalt in ... | viel Erfolg / Spaß in / bei ... | alles Gute für ...

▶ Danke und auf Wiedersehen.

D PARTNER **A** benutzt Datenblatt A3, S. 172. PARTNER **B** benutzt Datenblatt B3, S. 182.

E Besucher bei der Firma Business & Tours in Hannover

❶ Begrüßen Sie die Besucher und sagen Sie etwas zur Firma Business & Tours.

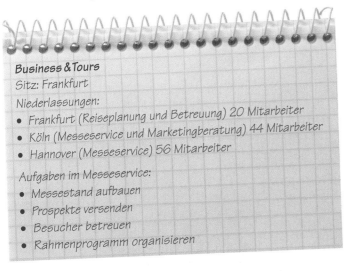

Business & Tours
Sitz: Frankfurt
Niederlassungen:
- *Frankfurt (Reiseplanung und Betreuung) 20 Mitarbeiter*
- *Köln (Messeservice und Marketingberatung) 44 Mitarbeiter*
- *Hannover (Messeservice) 56 Mitarbeiter*

Aufgaben im Messeservice:
- *Messestand aufbauen*
- *Prospekte versenden*
- *Besucher betreuen*
- *Rahmenprogramm organisieren*

Herzlich willkommen in ...
Wir freuen uns, dass ...
Heute möchten wir Ihnen Business & Tours vorstellen.
Sitz der Firma ist ...
Niederlassungen von .... sind in ...
In ... arbeiten ...
In dieser Niederlassung arbeiten ...
Die Niederlassung ... hat die Abteilungen ...
In der Abteilung ... erfolgt das Aufbauen des ...
...

❷ Verabschieden Sie die Besucher.

Was kann man hier machen?

Fußball-Bundesliga:
Eintracht Frankfurt – FSV Mainz 05
Samstag, 18.06, 16.00 Uhr

Messe Frankfurt
Internationale Automobilausstellung
13.–23.09.

HOT JAZZ
Meeting
Alte Oper, Frankfurt
17.01, 20.00 Uhr

DAS STÄDEL
Städelsches Kunstinstitut und Städtische Galerie
Das Städel präsentiert Meisterwerke europäischer Kunst aus sieben Jahrhunderten vom frühen 14. Jh. bis zur Gegenwart.

London Philharmonic Orchestra
Anne Sophie Mutter (Violine)
Alte Oper
11.02., 20.00 Uhr

ZOO FRANKFURT
Ein Platz für Tiere und Menschen

deutsches **filmmuseum** frankfurt am main
Sonderausstellung – weltweit erstmalig:
Stanley Kubrik:
Exponate aus dem Nachlass des Filmemachers

atelier
DON'T COME KNOCKING
Der neue Film von Wim Wenders, mit [NEU]
Jessica Lange, Sam Shepard u.v.a. ab 6 J.
17:50, 20:20, Fr/Sa + 22:50, Sa/So + 15:20
ZWEI UNGLEICHE [NEU] SCHWESTERN
Bitter-süße Komödie mit
Isabelle Huppert und Catherine Front.
18:40, 20:40, Fr/Sa + 22:40, ab 6 J.

BIN-JIP
von Kim Ki-Duk. 16:40, 21:00, ab 12 J.
MEERESFRÜCHTE
Erotische Sommerkomödie aus Frankreich.
19:00, Sa/So + 14:40, ab 12 J.
DIE FRAU DES LEUCHTTURMWÄRTERS
mit Sandrine Bonnaire.
16:50, Sa/So + 14:40, ab 6 J.
LOVESONG FÜR BOBBY LONG
mit Scarlett Johansson. Fr/Sa 23:00, ab 6 J.

Ausflüge
Rheingau-Tour: 7-stündige Fahrt durch den Rheingau mit den Weinorten Kiedrich, Rüdesheim, Asmannshausen bis zum berühmten Loreleyfelsen

China Restaurant Lotus
Originalspezialitäten aus Hongkong und Peking
Gemütliche Atmosphäre
Bockenheimer Landstr. 98, 60325 Frankfurt

FRANKFURTER BUCHMESSE
Frankfurter Buchmesse
12.10.–17.10.
www.frankfurt-book.fair.com

Stadtrundgänge
tägl. nach Vereinbarung:
• Römer/Altes Rathaus
• Paulskirche
• Goethe-Haus
• Sachsenhausen

A Wofür interessieren Sie sich?

Erkundigen Sie sich nach den Interessen Ihres Besuchers, bieten Sie Hilfe an.

> Was haben Sie heute Abend / am Wochenende / in Ihrer Freizeit / ... vor?
> Was möchten Sie heute Abend / am Wochenende / in Ihrer Freizeit / ... machen?

> Ich weiß noch nicht. Können Sie mir etwas empfehlen? Ich interessiere mich für Theater / Literatur / Geschichte / Konzerte / Oper / Kunst / Sport / die Umgebung von Frankfurt / ...

> Dann empfehle ich Ihnen ...

> Oh, danke, das finde ich interessant / das würde ich gern machen / besuchen ...

> Wann möchten Sie ... ? Soll ich für Sie Karten bestellen / Plätze reservieren? Für wie viele Personen ...?

B Was haben Sie vor?

❶ Wofür interessieren sich die Teilnehmer?

1 Herr Xu interessiert sich für _____. Er möchte _____.

2 Herr Li interessiert sich _____. Er möchte _____.

3 Frau Hu interessiert _____. Sie möchte _____.

4 Frau Zhao _____. Sie möchte _____.

❷ Herr Körber hilft. Ordnen Sie zu.

1 Er empfiehlt
2 Er weist
3 Er erkundigt sich
4 Er holt
5 Er wartet

a) vor dem Kongresszentrum auf die Teilnehmer.
b) die Gruppe ab.
c) das Schwimmbad im Hotel.
d) auf das Kinoprogramm hin.
e) bei der Opernkasse nach den Opernkarten.

❸ Prüfen Sie anhand der Museums-Information auf der nächsten Seite:

1 An welchem Tag wollen die Teilnehmer nach dem Kongress noch das Museum besuchen?
2 Ist das möglich? Warum / Warum nicht?
3 Wie lange können die Teilnehmer bleiben?

C Öffnungszeiten, Eintrittspreise, Verkehrsverbindungen.

❶ Steht das in den Informationen?
Was ist richtig ☐r☐? Was ist falsch ☐f☐?

1 Das Museum ist täglich außer montags geöffnet. _____ ☐r☐
2 Es gibt keine Gruppenrabatte. _____ ☐
3 Dienstags ist der Eintritt kostenlos. _____ ☐
4 Der Fußweg vom Hauptbahnhof zum Museum
   ist nicht sehr lang. _____ ☐
5 Für Familien gelten höhere Eintrittspreise. _____ ☐
6 An Sonn- und Feiertagen ist das Museum geschlossen. _____ ☐
7 Mit dem Abendticket kann man sich zwei Stunden
   im Museum aufhalten. _____ ☐
8 Der Bus hält direkt am Museum. _____ ☐

❷ Rechnen Sie: Wie viel kostet der Eintritt mit Tonbandführung für
fünf Personen (dreimal normal, zweimal ermäßigt)?

DAS STÄDEL
Städelsches Kunstinstitut und Städtische Galerie

Öffnungszeiten:
Di, Fr bis So 10 bis 17 Uhr, Mi und Do bis 20 Uhr,
Mo geschlossen

Verkehrsverbindungen:
U-Bahnen U1, U2, U3 (Schweizer Platz)
Straßenbahnen 15 und 16 (Otto-Hahn-Platz)
Bus 46 (Städel)
zu Fuß ca. 10 Minuten vom Hauptbahnhof

Eintrittspreise:
Galerie inklusive Tonbandführung
   € 6,– / ermäßigt € 5,–
Kinder bis zu 12 Jahren Eintritt frei
Gruppen über 20 Personen € 4,–
Familienkarte
   (zwei Erwachsene, mindestens ein Kind) € 10,–
Abendticket Mi, Do ab 18 Uhr € 3,–
Schülergruppen bis 6. Klasse Eintritt fei; ab 7. Klasse
und Studenten pro Person € 2,–
Führungen für Schüler und Studenten pro Person € 2,–
Kunstpause Mi–Sa € 8,–
   (Eintritt, 1 Heißgetränk, 1 Stück Kuchen)

Für Ausstellungen gelten gesonderte Preise.
Dienstags freier Eintritt

Zeitangaben		
regelmäßig/immer		**gelegentlich/einmal**
jede Stunde – stündlich jeden Tag – täglich jede Woche – wöchentlich jeden Monat – monatlich jedes Jahr – jährlich	morgens, vormittags, mittags, abends, … montags, dienstags, mittwochs, donnerstags, …	am Morgen, am Vormittag, … am Donnerstag, am Freitag, … letzte, diese, nächste Woche im Juli, im Dezember …

D Verben: mit oder ohne Präposition, reflexiv oder nicht reflexiv?

❶ Korrigieren Sie die folgenden Sätze.

1 Frau Zhao interessiert für Kunst. _____
2 Herr Körber wartet die Gruppe. _____

❷ Tragen Sie die fehlenden Reflexivpronomen und Präpositionen ein.
Suchen Sie weitere Verben auf den Seiten 12 bis 21 und schreiben Sie sie in die Übersicht.

reflexiv?		Präp.?	reflexiv?		Präp.?
sich	interessieren	für		warten	auf
–	danken			entschuldigen	
	bedanken			zeigen	
	besuchen			teilnehmen	
	erkundigen		sich	verlaufen	–

E Was haben Sie vor?

- Welche Stadt wollen Sie besuchen? Was wollen Sie dort beruflich und privat machen?
  Wofür interessieren Sie sich? Planen Sie Ihren Besuch. Notieren Sie Stichpunkte.
- Bitten Sie einen Partner um Hilfe. Erklären Sie ihm: Was haben Sie vor? Worum soll er sich
  kümmern (Hotel, Termine, Karten und Reservierungen, …)?

Darf ich Sie einladen?

Fischgerichte
Lachssteak gegrillt mit Blattspinat
Zanderfilet in Butter gebraten
Forelle mit Kartoffeln

Vorspeisen
Tomatensuppe
Feldsalat mit Nüssen
Gebackene Auberginen

Fleischgerichte
Rindersteak mit Röstkartoffeln und Salat
Wildschweinkotelett mit Pilzen und Rotkraut
Putenschnitzel mit Pfeffersoße und Karotten

Vegetarische Gerichte
Große Salatplatte
Spargelteller
Buntes Gemüse auf Reis
Käsespätzle mit Zwiebeln und Ei

Beilagen
Reis
Bratkartoffeln
Nudeln
hausgemachte Spätzle

Nachspeisen
Rote Grütze mit Sahne
Frische Himbeeren, Vanilleeis
Gemischter Käseteller

A Probieren Sie doch mal den Rinderbraten.

❶ Kennen Sie weitere Speisen und Gerichte? Ergänzen Sie die Übersicht oben.

❷ Stellen Sie Ihrem Gast ein Menü zusammen. Empfehlen Sie es ihm / ihr.

| Als Vorspeise
Als Hauptgericht
Als ...
Dazu ... | empfehle ich Ihnen | den / das / die ... mit ...
einen / ein / eine ... |

| Ja, | den / das / die nehme ich.
den / das / die probiere ich. |

Gibt es vielleicht auch ...?
Ich hätte lieber den / das / die ...
Nein, ... mag ich nicht. Könnte ich ... bekommen?

Beispiel:
► Als Vorspeise empfehle ich Ihnen den Feldsalat mit Nüssen. Mögen Sie Fisch? Dann empfehle ich Ihnen als Hauptgericht das Zanderfilet mit Salzkartoffeln. Und dazu einen trockenen Weißwein.
► Nein, Fisch mag ich nicht. Welches Fleischgericht können Sie mir empfehlen?

mögen	
ich	mag
du	magst
er / sie / es	mag
wir	mögen
ihr	mögt
sie / Sie	mögen

 ## B Das Abschiedsessen

Hören Sie und lösen Sie die Aufgaben mithilfe der Speisekarte.

1 Welches Gericht empfiehlt der Ober den Gästen?
2 Welches Gericht empfiehlt Herr Körber seinen Gästen?
3 Wofür entscheidet sich Frau Zhao?
4 Möchte jemand ein vegetarisches Gericht?
5 Herr Körber gibt die Bestellung auf. Was notiert der Ober? Nehmen Sie die Bestellung auf.

Restaurant »Im Turm«
Heute empfehlen wir

Vorspeisen
Leberknödelsuppe
Feldsalat mit Nüssen und Croutons
Avocado mit Garnelen gefüllt und Baguette
€ 4,50
€ 6,90
€ 8,50

Hauptspeisen
Kohlroulade mit Specksoße und Salzkartoffeln
Champignonschnitzel mit Rahmsoße und Reis
Eisbein mit Sauerkraut und Salzkartoffeln
Schweinelendchen in Pfeffersoße mit Bandnudeln
€ 11,50
€ 10,90
€ 12,50
€ 14,80

Wildgerichte
½ Wildente mit Rotkraut, Preiselbeeren, Semmelkloß
Wildschweinkoteletts mit Pilzragout und Kroketten
€ 16,90
€ 18,00

Fischgerichte
Wildlachssteak gegrillt auf Blattspinat mit Salzkartoffeln
Seezunge mit Wildreis und Zucchini
€ 19,50
€ 18,50

Vegetarische Gerichte
Großer Gemüseteller mit Blumenkohl, grünen Bohnen,
Karotten, Spargel, Kartoffeln in Sauce Hollandaise
€ 11,50

Nachspeisen
Rote Grütze mit Sahne
Frische Heidelbeeren mit Vanilleeis, Sahne
€ 5,50
€ 7,00

C Im Restaurant

1 Partnerarbeit: Ergänzen Sie die fehlenden Wörter.

▶ Herr Ober, die Speisekarte bitte.
Herr Ober, bitte bringen Sie uns die _____.

▶ Sofort.
Ich bringe sie Ihnen sofort.

▶ Mögen Sie Fisch?

▶ Ja, gern.
Nein, _____ mag ich nicht (so gern).
Nein, ich nehme lieber _____.

▶ Guten Appetit!
Ich wünsche euch _____.

▶ Danke, gleichfalls.

▶ Noch ein Glas Wein?
Darf ich Ihnen noch _____ einschenken?

▶ Ja, bitte.
Nein, danke. Ich muss noch fahren.
Nein, danke. Ich nehme lieber _____.

▶ Könnten Sie mir bitte das Salz reichen?

▶ Hier, bitte.
Moment, ich gebe _____ Ihnen.

▶ Herr Ober, die Rechnung bitte.
Bitte _____ Sie mir _____.
Wir möchten zahlen.

▶ Hier, bitte. Ihre _____.
Getrennt oder zusammen?

▶ Zusammen, bitte.

▶ Das macht 43,50 Euro.

2 Sprechen Sie.

> **TIPP**
> **Das Personal im Restaurant**
> Eine Anrede gibt es nur für Kellner, z. B.: *Herr Ober, wir möchten …*
> Für die Kellnerin gibt es keine Anrede, man sagt dann z. B.:
> *Entschuldigung, wir möchten … / Bedienung, wir möchten bitte …*

Verben mit Dativ- und Akkusativobjekt			
Bitte bringen Sie	mir	ein Glas Mineralwasser.	
Herr Ober, könnten Sie	es	der Dame	ohne Eis bringen?
Darf ich	Ihnen	noch einen Kaffee	anbieten?
Ich bringe	ihn	Ihnen	sofort.
Herr Ober, bringen Sie	uns	die Rechnung	bitte.
Ich bringe			gleich.

D Rollenspiel: Wir gehen essen.

Gäste	Kellner
▶ Speisekarte.	▶ …
▶ Empfehlung?	▶ Empfehlung, Nachfrage, weitere Angebote
▶ Gespräch zwischen den Gästen: Möchten Sie noch …? Darf ich Ihnen noch … geben/einschenken?	
▶ Rechnung?	▶ Getrennt/zusammen?
▶ …	▶ Preis
▶ Dank: Vielen Dank! Stimmt so.	▶ Dank, Abschied

Stadtrundfahrt durch Frankfurt

① Lesen Sie die Tourenbeschreibung. Was sehen Sie auf der Stadtrundfahrt durch Frankfurt? Malen Sie die Route in den Stadtplan unten ein.

② Wo würden Sie gern anhalten und mehr sehen?

③ Was wissen Sie noch über Frankfurt? Erzählen Sie.

Unsere Stadtrundfahrt beginnt hier am Frankfurter Hauptbahnhof. Er wurde 1888 eröffnet. Mit täglich ca. 350 000 Fahrgästen ist er der verkehrsreichste Bahnhof in Deutschland.

Als Erstes fahren wir zur Messe Frankfurt. Frankfurt ist eine der ältesten Messestädte der Welt. Seit dem 12. Jahrhundert bestimmen Messen in Frankfurt das wirtschaftliche und kulturelle Leben der Stadt. Heute begründen u. a. die IAA und die Buchmesse die führende internationale Rolle der Messe Frankfurt. Kennzeichen der Messe ist der 265,5 m hohe Messeturm, der von 1988 bis 1990 erbaut wurde.

Wir erreichen nun die Alte Oper. 1880 eröffnet, gehörte sie bis zu ihrer Zerstörung im Zweiten Weltkrieg zu den namhaften Opern der Welt. Die Oper wurde wieder aufgebaut und 1981 eröffnet. Heute ist die Alte Oper mit über 600 Konzerten und Veranstaltungen pro Jahr wieder zum kulturellen Mittelpunkt der Stadt geworden.

Wir kommen jetzt an der Börse vorbei. Frankfurt ist Deutschlands führender Börsenplatz und weltweit drittgrößter Umschlagplatz für Wertpapiere. In der Börse findet auch heute noch der Parketthandel statt. Die Verwaltung und der Computerhandel ist 2000 nach Frankfurt-Hausen umgezogen.

Als nächstes erreichen wir die Hauptwache, das eigentliche Herz der Frankfurter Innenstadt. Die Hauptwache wurde 1729 als Militärstation erbaut, aber bereits 1905 in ein Café umgewandelt. Von hier geht die Zeil ab, eine der ältesten Geschäftsstraßen Frankfurts. Sie lag zunächst außerhalb der Stadtmauer und diente als Viehmarkt. Als die Stadt wuchs, wurde die Straße anfangs nur einseitig bebaut, daher der Name „Zeil". Heute ist die Zeil die umsatzstärkste Einkaufsmeile Deutschlands.

Wir kommen nun ins Zentrum der Altstadt, der Römerberg. Hier fanden im späten Mittelalter und in der frühen Neuzeit die ersten Frankfurter Messen statt. Zentraler Blickfang des Römerbergs ist der Römer. Wegen seiner auffallenden Fassade ist er das Wahrzeichen der Stadt Frankfurt. Der Römer wurde bereits 1405 zum Rathaus der Stadt Frankfurt und ist auch heute noch Sitz des Oberbürgermeisters. Gleich in der Nähe befindet sich auch der Frankfurter Dom. 1356 wurde der Dom zur Wahlkirche der deutschen Kaiser bestimmt. Im Dom fanden insgesamt zehn Kaiserkrönungen statt.

Zum Abschluss unserer Stadtrundfahrt sehen wir die Paulskirche. Am 18. Mai 1848 trat hier die erste frei gewählte Nationalversammlung zusammen, um eine Verfassung für ein einheitliches Deutschland zu erstellen. Die Pläne scheiterten am Widerstand von Preußen und Österreich. Die folgenden Aufstände zur Durchsetzung der Verfassung wurden niedergeschlagen und das Parlament mit Waffengewalt aufgelöst. Heute wird in der Paulskirche jährlich der „Friedenspreis des Deutschen Buchhandels" verliehen.

Sehenswürdigkeiten in Hannover

1 Lesen Sie den Text und notieren Sie die Sehenswürdigkeiten und Veranstaltungen in Hannover in der Tabelle.

2 Welche Sehenswürdigkeiten oder Veranstaltungen gibt es in Ihrer Stadt/in Ihrem Land? Stellen Sie eine vor.

Sehenswürdigkeiten in Hannover	Veranstaltungen in Hannover

Herzlich willkommen in der Eventstadt Hannover!

In der niedersächsischen Landeshauptstadt findet man alles, was eine Erlebnisstädtereise ausmacht: Kultur, Sport und Unterhaltungsangebote. Elegante Geschäfte, charmante Passagen und der älteste Flohmarkt Deutschlands laden zum Einkaufen ein. Hannover ist eine lebendige Stadt, in der sich über 520 000 Einwohner und Millionen von Tagestouristen wohl fühlen.

Als Standort internationaler Leitmessen und Kongresse sowie der Weltausstellung EXPO 2000 hat sich Hannover einen hervorragenden Namen als weltoffene Gastgeberin gemacht. Mit ihrer beispielhaften Infrastruktur, dem Flughafen und Hauptbahnhof als wichtigem ICE-Haltepunkt, ist Hannover Verkehrsdrehscheibe in der Mitte Europas. Die zentrale Lage und die schnelle Erreichbarkeit sind zwei wichtige Gründe, weshalb hier fünf Spiele der FIFA Fußball Weltmeisterschaft™ 2006 ausgetragen werden.

Hannover ist eine Stadt der Gärten. Jährlich besuchen hunderttausende Touristen die Königlichen Herrenhäuser Gärten. Diese bereits im 17. Jahrhundert entstandene Perle barocker Gartenkunst ist bis heute nahezu unverändert erhalten. Die Herrenhäuser Gärten sind auch Gastgeber des Internationalen Feuerwerkswettbewerbs. Hier verwandeln die weltbesten Pyrotechniker die Königlichen Gärten in ein Fest von Musik, faszinierenden Lichteffekten und bunten Farbspielen. Neben den königlichen Gärten laden der riesige Stadtwald, das Maschsee-Ufer, die Leine-Auen und der Stadtpark zum Flanieren in der Natur ein.

In der idyllischen Altstadt befinden sich zahlreichen Fachwerkhäuser, die altehrwürdige Markt-

kirche, das Alte Rathaus, das Ballhof-Theater und das Historische Museum. Das imposante, klassizistische Opernhaus liegt mitten im Herzen der City und zählt zu einem der besten. Mehr als 30 Bühnen bieten in Hannover Kulturgenuss vom Feinsten – vom experimentellen Theater, klassischen Aufführungen, über Kleinkunst bis hin zu Musicals. Das Sprengel Museum Hannover, der Kunstverein Hannover und die Kestner Gesellschaft sind die führenden Ausstellungshäuser für zeitgenössische Kunst in Norddeutschland. Außerdem prägen mehr als zweihundert Skulpturen und Kunstobjekte Hannovers öffentlichen Straßenraum. Berühmtestes Beispiel sind die Nanas von Niki de Saint Phalle am Hohen Ufer. Zu den Wahrzeichen der Stadt zählt das imposante Neue Rathaus aus dem Jahr 1913, das auf 6026 Buchenpfählen errichtet worden ist.

Das Maschseefest ist nach der Kieler Woche das größte Open-Air-Fest Norddeutschlands. Die 3-wöchige Riesenfete rund um den Binnensee sorgt für ein unvergleichliches maritimes Party-Ambiente.
Und wer das größte Schützenfest der Welt besuchen möchte, muss ebenfalls nach Hannover kommen, denn hier feiern gut zwei Millionen Menschen zehn Tage ein Volksfest.

Ihre Kontaktadressen in Hannover:
HANNOVER TOURISMUS SERVICE E.V.
Ernst-August-Platz 2
30159 Hannover
Tel. +49 (0) 511 / 12345-111
Fax + 49 (0) 511 / 12345-112
Email: info@hannover-stadt.de
Internet: www.hannover-tourism.de

Kapitel 1 Grammatik

Deklination von Nomen in Maskulin → S. 13

	Deklination von Nomen im Maskulin			n-Deklination (einige Nomen im Maskulin)		
Nom.	der Flug	der Mann	der Koffer	der Kunde	der Herr	der Tourist
Akk.	den Flug	den Mann	den Koffer	den Kunden	den Herrn	den Touristen
Dat.	dem Flug	dem Mann	dem Koffer	dem Kunden	dem Herrn	dem Touristen

n-Deklination bei:
Maskulina auf -e: der Kollege, der Kunde, der Junge, der Name, der Chinese
Maskulina auf -ant/-ent: der Lieferant, der Praktikant, der Laborant, der Assistent, der Student
Maskulina auf -ist : der Lagerist, der Polizist, der Spezialist
einige andere Maskulina: der Fotograf, der Herr, der Mensch

Reflexivpronomen und reflexive Verben → S. 15

Personalpro.	Reflexivpro.	Personalpro.	Reflexivpro.	wichtige reflexive Verben
ich	mich	wir	uns	kümmern, informieren, freuen, wundern,
du	dich	ihr	euch	entschuldigen, bedanken, beschweren,
er/sie/es	sich	sie/Sie	sich	verabreden, begrüßen, vorstellen, ...

Genitiv-Attribut → S. 16

Akkusativ	Kompositum	Genitiv-Attribut
Wir besuchen den Dom.	Wir machen einen Dombesuch.	Wann ist der Besuch des Domes?
Wir besuchen ein Schloss.	Wir machen einen Schlossbesuch.	Wann ist der Besuch des Schlosses?
Wir besuchen die Börse.	Wir machen einen Börsenbesuch.	Wann ist der Besuch der Börse?
Wir besuchen Museen.	Wir machen Museumsbesuche.	Wann ist der Besuch der Museen?

Possessivartikel → S. 17

Wörter	ich	du	er/es	sie/Sie	wir	ihr
	mein-	dein-	sein-	ihr-/Ihr-	unser-	euer-

Endungen	Sg.	m	f	n	Pl.	m	f	n
	Nom.	–	-e	–	Nom.		-e	
	Akk.	-en			Akk.			
	Dat.	-em	-er	-em	Dat.		-en	
	Gen.	-es		-es	Gen.		-er	

erfolgen/geschehen → S. 19

Verb + Akkusativ	*erfolgen/geschehen* + Infinitiv-Nomen + Genitiv
Wir versenden die Ware zum genannten Termin.	Der Versand der Ware erfolgt zum genannten Termin.
Die Werkstatt repariert das Gerät in drei Tagen.	Die Reparatur des Geräts erfolgt in drei Tagen.
Die Lieferdaten gibt man im Verkauf ein.	Die Eingabe der Lieferdaten geschieht im Verkauf.

Verben mit Präpositionen → S. 21

			Präpositionalobjekt	
Die Gruppe	freut	sich	über das interessante Programm.	
Frau Wang	erkundigt	sich bei Herrn Körber	nach den Opernkarten.	
Herr Körber	hat	vor dem Kongresszentrum	auf die Gruppe	gewartet.

Satzbau: Dativ- und Akkusativobjekt → S. 23

Bitte bringen Sie	uns	ein Mineralwasser.	
Herr Ober, könnten Sie	es	der Dame	ohne Eis bringen?
Darf ich	dir	einen Kaffee	anbieten?
Ich bringe	ihn	dir	sofort.

- Was stellt das Unternehmen her?
- Unternehmen, Wirtschafts-
  bereiche, Branchen
- Wie groß ist das Unternehmen?
- Unternehmensstruktur
- Unternehmensgeschichte
- Unternehmensporträt

KAPITEL 2

RUND UM DIE FIRMA

Das lernen Sie hier:
- über Branchen und Produkte sprechen
- Wirtschaftsbereiche benennen
- Schaubilder und Diagramme beschreiben
- Unternehmensstrukturen erläutern
- die Geschichte einer Firma darstellen
- ein Unternehmen vorstellen

Was stellt das Unternehmen her?

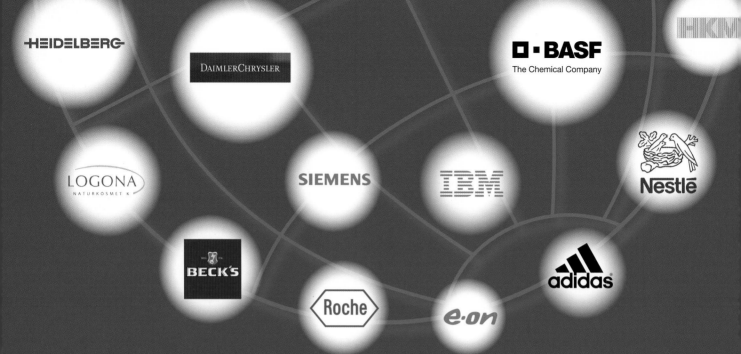

A Branchen und Produkte

❶ Welche Unternehmen können Sie den Branchen zuordnen?

Branche	Unternehmen	Produkte
1 Stahlindustrie	*HKM*	
2 Pharmaindustrie		
3 Chemieindustrie		*Pflanzenschutzmittel, Kunststoffe, Chemikalien*
4 Elektroindustrie		
5 Textilindustrie		
6 Nahrungsmittelindustrie		
7 Getränkeindustrie		
8 IT-Industrie		
9 Fahrzeugbau		
10 Maschinenbau		
11 Energiewirtschaft		
12 Kosmetikindustrie		

❷ Welche Produkte stellen die Unternehmen her bzw. sind für die jeweiligen Branchen typisch?

> Tabletten • Kunststoffe • Bier • Baustahl • Pflanzenschutzmittel • Lkws • Computer • Fertiggerichte •
> Industrieroboter • Windkraftanlagen • Chemikalien • Jacken • Kosmetika • Feinblechstahl •
> elektrischer Strom • Druckmaschinen • Säfte • Scanner • Schokolade • Hautcremes • Impfstoffe •
> Schneidemaschinen • Sporthosen • Busse • Telefonanlagen

❸ Fragen und Antworten. Sprechen Sie mit einem Partner.

Beispiel:
▷ Zu welcher Branche gehört die Firma Adidas?
▷ Adidas ist ein Unternehmen der Textilindustrie.
▷ Und was stellt Adidas her?
▷ Adidas stellt unter anderem Sportbekleidung her, zum Beispiel Sporthosen und Jacken.

B Drei Unternehmen

„Frisch direkt vom Hersteller" – dieses Prinzip gilt für Herstellung und Vertrieb der Produkte vom Landgut Schloss Grafenfeld. Für unsere Fleisch- und Wurstwaren verarbeiten wir nur Schlachtvieh aus artgerechter Haltung. Obst und Gemüse kommen von Feldern ohne chemische Düngung. Wir liefern an ausgesuchte Abnehmer in der Region. So kommen unsere Lebensmittel auf kürzestem Weg auf Ihren Tisch. Oder noch einfacher: Besuchen Sie unseren Direktverkauf auf Schloss Grafenfeld. Probieren Sie ofenfrisches Landbrot, würzigen Schafskäse oder Apfelsaft vom Fass.

Die Merck-Gruppe ist ein weltweit tätiges Pharma- und Chemieunternehmen. Das pharmazeutische Geschäft umfasst innovative rezeptpflichtige Arzneimittel, Generika und Produkte für die Selbstmedikation. Der Unternehmensbereich Chemie konzentriert sich auf hochwertige Chemikalien wie zum Beispiel Flüssigkristalle für Displays und auf Produkte und Dienstleistungen für die gesamte Prozesskette der Pharmaindustrie. Merck-Gesellschaften in 52 Ländern garantieren unseren Kunden auf allen Kontinenten kompetenten Service und die sprichwörtliche Merck-Qualität.

Es begann vor fast 15 Jahren in einer kleinen Schreinerwerkstatt. Heute fertigen mehr als 400 Mitarbeiter unsere Officeline-Büromöbel für anspruchsvolle Abnehmer in Deutschland, Österreich und der Schweiz. Seit zwei Jahren sorgen Vertragshändler auch in Frankreich, Italien und England für sorgfältige Beratung, prompte Lieferung und zuverlässige Montage unserer Schreib- und Konferenztische, Aktenschränke und -regale sowie Sitzmöbel vom Drehstuhl für den PC-Arbeitsplatz bis hin zur repräsentativen Polstergarnitur. Außerdem sorgen sie für lebenslangen Service.

❶ Unterstreichen Sie die Angaben zu den folgenden Punkten.

• Unternehmen   • Branche   • Produkte   • Märkte/Vertrieb

❷ Notieren Sie.

	Landgut Schloss Grafenfeld	Merck	Officeline	„Ihr" Unternehmen
Branche		*Chemieindustrie*	*Möbelindustrie*	
Produkte	*Fleisch- und Wurstwaren*			
Vertrieb/ Märkte		*weltweit, Gesellschaften in 52 Ländern*		

❸ Sprechen Sie über die Unternehmen.

Beispiel:
▷ Zu welcher Branche gehört die Firma Merck?
▷ Merck gehört zur Pharmaindustrie und zur Chemieindustrie.
▷ Wozu gehören rezeptpflichtige Arzneimittel?
▷ Bei rezeptpflichtigen Arzneimitteln handelt es sich um Produkte der Pharmaindustrie.

Identifizieren/Zuordnen		
Unterbegriff		**Oberbegriff**
Die Firma Adidas	ist ein	Unternehmen der Textilindustrie.
Bei Adidas	handelt es sich um	ein Unternehmen der Textilindustrie.
Adidas	gehört zur	Textilindustrie.

C Unternehmen in Ihrem Heimatland

Wählen Sie ein Thema und bereiten Sie einen kurzen Vortrag vor.

• In welchem Unternehmen arbeiten Sie? Zu welcher Branche gehört es? Was stellt es her? Wo vermarktet es seine Produkte?
• Was stellen wichtige Unternehmen Ihres Heimatlandes her? Um was für Branchen handelt es sich bei diesen Unternehmen? Auf welchen Märkten sind sie tätig?

Unternehmen, Wirtschaftsbereiche, Branchen

A Industrie, Handwerk und Dienstleistungen

1 Zu welchen Wirtschaftsbereichen gehören die Produkte und Dienstleistungen oben?

Industrie				Handwerk	
Grundstoff- u. Produktionsgüter-Industrie	Investitions-güter-Industrie	Konsumgüter-Industrie	Nahrungs- u. Genussmittel-Industrie	produzierendes Handwerk	Dienst-leistungs-handwerk

Dienstleistungen			
Handel	Verkehr	Finanzdienstleistungen	freizeitbezogene Dienstleistungen

2 Die Wirtschaft in Bayern. Sie hören acht Kurzpräsentationen. Tragen Sie die Angaben in die Tabelle ein. Beziehen Sie sich dabei auch auf das Diagramm in Aufgabe A1.

	Produkt/ Dienstleistung	Branche/ Wirtschaftsbereich		Produkt/ Dienstleistung	Branche/ Wirtschaftsbereich
1	_____	_____	5	_____	_____
2	_____	_____	6	_____	_____
3	_____	_____	7	_____	_____
4	_____	_____	8	_____	_____

B Welche Kategorien gibt es? Was bedeuten sie?

Sprechen Sie über die Wirtschaftsbereiche und Branchen in Aufgabe A.

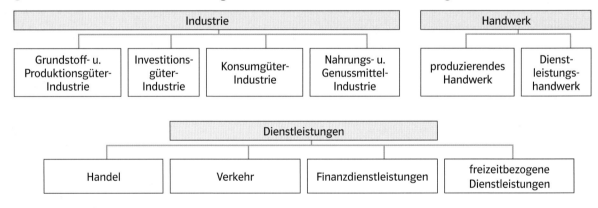

Im Wirtschaftsbereich Handwerk gibt es die Bereiche produzierendes und Dienstleistungshandwerk. Unternehmen des produzierenden Handwerks sind zum Beispiel Bäckereien.

Im Wirtschaftsbereich Handwerk unterscheidet man zwischen produzierendem und Dienstleistungshandwerk. Unter produzierendem Handwerk versteht man zum Beispiel Bäckereien.

Klassifizieren

| In/Bei/... ... | gibt es ... |
| | unterscheidet man zwischen ... |

Definieren

... ist/sind ...
Unter ... versteht man ...

C Unternehmenstypen

1 Zu welchem Unternehmenstyp gehören die drei
Firmen rechts?

1 Kleinunternehmen
2 mittelständisches Unternehmen
3 Großunternehmen/Konzern

2 Rechtsformen in Deutschland. Was glauben Sie:
Welche passt zu kleinen, mittleren und großen Unternehmen?

1 Gesellschaft mit beschränkter Haftung (GmbH)   3 Offene Handelsgesellschaft (OHG)
2 Einzelunternehmung   4 Aktiengesellschaft (AG)

3 Welche Rechtsformen kennen Sie in Österreich, in der Schweiz, in Ihrem Heimatland? Was denken
Sie: Welche entspricht der GmbH, der OHG, der AG?

D DaimlerChrysler und Officeline

1 Überprüfen Sie Ihre Vermutungen: Welche Rechtsform hat DaimlerChrysler? Welche Rechtsformen
hatte Officeline im Lauf seiner Entwicklung? Notieren Sie dazu Stichpunkte.

DaimlerChrysler fertigt in seinen Betrieben ein breites Angebot vom Kleinwagen
über Sportwagen bis hin zur Luxuslimousine, vom vielseitig einsetzbaren Kleintransporter über den klassischen Schwer-Lkw bis hin zum komfortablen Reisebus.
Als internationaler Konzern ist DaimlerChrysler im Besitz von europäischen, ame-
rikanischen und anderen Investoren. Etwa eine Milliarde Aktien sind im Umlauf.
Die DaimlerChrysler-Aktie wird an allen Aktienmärkten der Welt gehandelt, unter
anderem in New York, Frankfurt und Tokio. Der Sitz der deutschen Zentrale ist
Stuttgart. Der Vorstand hat zehn Mitglieder. Vorstandsvorsitzender von 1987 bis
1996 war Edward Reuter. Unter seiner Leitung wurde der Konzern ein Technolo-
gie- und Dienstleistungsunternehmen. Den Vorstand kontrolliert der Aufsichtsrat
mit zehn Vertretern der Aktionäre und zehn Arbeitnehmervertretern.

In den 1990er-Jahren hat Klaus Schüssler in seiner kleinen
Schreinerwerkstatt exklusive Einzelstücke hergestellt. Die Zusammenarbeit mit dem jungen Industrie-Designer Heinz Ohlsen
führt dann zu einer sehr schnellen Entwicklung des kleinen
Unternehmens. Schüssler & Ohlsen liefert seine Produkte bald
über die Landesgrenzen hinaus. Bis zum Jahr 2000 haften beide Partner unbeschränkt mit ihrem gesamten Vermögen für die
größeren Geschäftsrisiken. Dann gründen sie Officeline. Beide
zahlen die Hälfte des Stammkapitals von 40 000 Euro ein. Viel
hat sich damit nicht geändert. Sie waren schon vorher gleichbe-
rechtigte Geschäftsführer. Das bleibt auch jetzt so. Aber sie haften nun nur noch mit dem Stammkapital für alle Risiken.

2 Ergänzen Sie *Unternehmen, Firma, Konzern, Betrieb.*

1 DaimlerChrysler ist ein internationaler _____. Er hat _____

in vielen Ländern. 1998 wurde aus der Stuttgarter Aktiengesellschaft Daimler-Benz das deutsch-

amerikanische _____ DaimlerChrysler.

2 Klaus Schüssler produzierte zuerst in einem kleinen _____. Seit dem Jahr 2000

heißt die _____ Officeline. Heute ist das _____ eine GmbH.

Artikel bei Firmennamen

ohne Artikel	mit Artikel
DaimlerChrysler ist ein weltweiter Konzern.	Die DaimlerChrysler AG ist ein weltweiter Konzern.
Welche Telefonnummer hat Officeline?	Die Officeline GmbH stellt Büromöbel her.
Hier ist Schreinerei Weilmann, guten Tag.	Welche Telefonnummer hat die Firma Officeline?

E „Ihr" Unternehmen oder ein Unternehmen Ihres Heimatlandes

Schreiben Sie einen kurzen Text wie in Aufgabe D.

- Name   • Branche   • Rechtsform
- Betriebe   • Produkte   • ...

A Schätzen Sie mal.

1 Zahl der Mitarbeiter: _____

  Jahresumsatz: _____

  Absatzmärkte: _____

2 Zahl der Mitarbeiter: _____

  Jahresumsatz: _____

  Absatzmärkte: _____

3 Zahl der Mitarbeiter: _____

  Jahresumsatz: _____

  Absatzmärkte: _____

B Wie war das Geschäftsjahr?

① Hören Sie: Handelt es sich im Bericht um ein Kleinunternehmen, um ein mittelständisches Unternehmen oder um ein Großunternehmen?

② Schreiben Sie die passende Überschrift unter die Diagramme a) bis c).

- Umsatz nach Regionen
- Umsatz nach Unternehmensbereichen
- Zahl der Mitarbeiter nach Regionen

③ Tragen Sie die fehlenden Angaben ein.

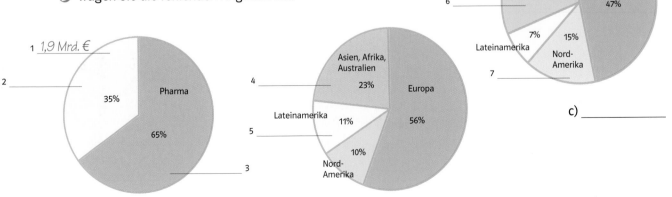

1 _1,9 Mrd. €_

2 _____

35%

Pharma

65%

3 _____

a) _____

4 _____

Asien, Afrika, Australien 23%

Europa

Lateinamerika 11%

56%

5 _____

10%

Nord-Amerika

b) _____

8 _____

Asien, Afrika, Australien 31%

Europa 47%

6 _____

7% 15%

Lateinamerika

Nord-Amerika

7 _____

c) _____

C Schaubilder präsentieren

❶ Beschreiben Sie die Schaubilder in Aufgabe B.

Der Umsatz/Erlös	beträgt	circa / rund / ungefähr / etwa ...
Die Zahl der Mitarbeiter	liegt bei	genau ...
Der Anteil des / der / im / in ...	beläuft sich auf	knapp / fast ...
		über / mehr als ...

❷ Vergleichen Sie Ihre Ergebnisse in Aufgabe B. Stimmt alles? Müssen Sie etwas korrigieren?

Beispiel:
- ▶ Wie hoch ist der Jahresumsatz in Nordamerika?
- ▶ Der Umsatz in Nordamerika beträgt ... Euro.
- ▶ Darf ich noch einmal fragen, wie viele Mitarbeiter das Unternehmen insgesamt hat?
- ▶ Die Zahl der Mitarbeiter des Unternehmens beläuft sich auf circa ...

Fragen				
direkt	Frau Müller fragt:	Wie hoch	ist	der Umsatz in Europa?
indirekt	Bitte sagen Sie mir, Darf ich Sie fragen, Ich möchte gern wissen, Ich habe nicht verstanden,	wie hoch wie viele w...	der Umsatz im Bereich Pharma Mitarbeiter das Unternehmen ...	ist. hat. ...

D Wie hat sich die Aktie entwickelt?

Die Merck-Aktie im Vergleich zu DAX/MDAX im Jahr 2004

❶ Sehen Sie sich das Schaubild an und antworten Sie.

1 Ist der Wert der Merck-Aktie von Januar bis Dezember
   a) gleich geblieben?   b) gestiegen?   c) gesunken?
2 Was ist stärker gestiegen: Der Deutsche Aktienindex (DAX)
   oder die Merck-Aktie.
3 Wie hat sich der Aktienkurs zwischen April und Juni entwickelt?

❷ *von ... um ... auf ... gestiegen / gefallen.* Beschreiben Sie die Aktienkurven.

Der DAX ist im Januar von 100 % um rund 10 % auf 110 % gestiegen.
Im Februar ist der Wert ungefähr gleich geblieben.
Von Februar bis März ist der der DAX von etwa 110 % um circa 35 % auf 75 % gesunken. ...

Aktienkurven beschreiben			
Was ... ist	Wann	von ... um ... auf ... / gleich	↗ / ↘ / →
Die Aktie ist Die Zahl ist	Anfang Januar von Januar bis März	von 100 % um rund 10 % auf 110 % von 100 % um rund 25 % auf 75 %	gestiegen. gesunken.
Der Kurs ist Der Wert ist	im Februar ...	gleich	geblieben.

E

PARTNER **A** benutzt Datenblatt A4, S. 172. PARTNER **B** benutzt Datenblatt B4, S. 182.

F Der FAG-Konzern in Zahlen.

Wie ist der Stand im Jahr ...? Was ist stark, was ist leicht gewachsen oder gesunken? Was ist gleich geblieben? Fragen und antworten Sie.

	2003	2004	2005	2006
Umsatz (in Mio €)				
– Gesamt	1880	1643	1590	1982
– Auslandsanteil	68 %	65 %	66 %	66 %
Konzerngewinn (in Mio €)	192	150	183,5	219
Mitarbeiter	34600	34400	21000	17350

Unternehmensstruktur

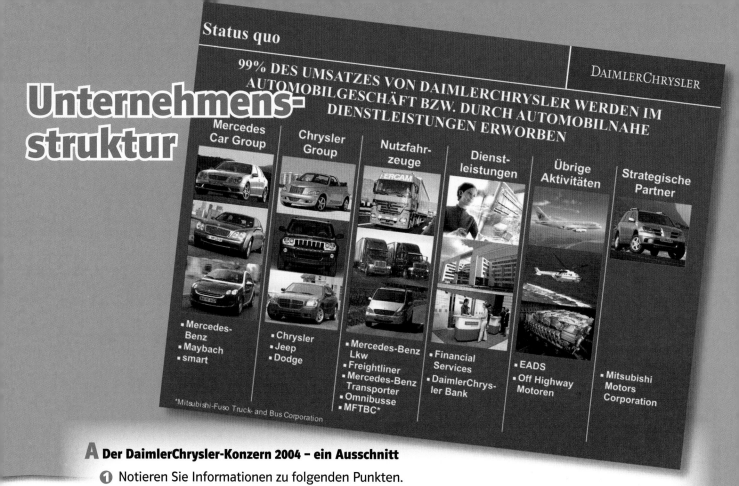

Status quo

99% DES UMSATZES VON DAIMLERCHRYSLER WERDEN IM AUTOMOBILGESCHÄFT BZW. DURCH AUTOMOBILNAHE DIENSTLEISTUNGEN ERWORBEN

DAIMLERCHRYSLER

| Mercedes Car Group | Chrysler Group | Nutzfahrzeuge | Dienstleistungen | Übrige Aktivitäten | Strategische Partner |

- Mercedes-Benz
- Maybach
- smart

- Chrysler
- Jeep
- Dodge

- Mercedes-Benz Lkw
- Freightliner
- Mercedes-Benz Transporter
- Omnibusse
- MFTBC*

- Financial Services
- DaimlerChrysler Bank

- EADS
- Off Highway Motoren

- Mitsubishi Motors Corporation

*Mitsubishi-Fuso Truck- and Bus Corporation

A Der DaimlerChrysler-Konzern 2004 – ein Ausschnitt

❶ Notieren Sie Informationen zu folgenden Punkten.

1 Unternehmensbereiche
2 Produkte
3 Tochterunternehmen
4 Umsatz
5 Mitarbeiter
6 Standorte

| Daimler-Benz AG | | Chrysler Group |

— 1998 —

DaimlerChrysler AG, Stuttgart (D) / Auburn Hills (USA)
Mitarbeiter 2004: 384 723   Umsatz 2004: € 142,1 Mrd.

Nutzfahrzeuge	Anteil am Kapital in %	Umsatz (Mio. €), 2004	Belegschaft
EvoBus GmbH, Stuttgart	100,0	2392	10 604
Mercedes-Benz España S. A., Madrid	100,0	4066	5 697
Detroit Diesel Corporation, Detroit	100,0	1929	5 013
Freightliner L.L.C, Portland	100,0	9235	17 813
DaimlerChrysler Comercial Vehicles México S.A. de C.V., Mexico City	100,0	644	2 391
DaimlerChrysler do Brasil Ltda., São Bernardo do Campo	100,0	1794	11 649
DaimlerChrysler Argentina S.A., Buenos Aires	100,0	380	1050
P.T. DaimlerChrysler Indonesia, Jakarta	100,0	114	1029
Mercedes-Benz Türk A.S., Istanbul	66,9	1208	4347
Mitsubishi Fuso Truck and Bus Corporation, Tokio	65,0	3670	18 456

❷ Beantworten Sie die Fragen.

1 Wo sind die Konzernsitze von DaimlerChrysler?
2 Welche Marken gehören zur Mercedes Car Group und zur Chrysler Group?
3 Mit wie viel Prozent ist DaimlerChrysler an der Mitsubishi Fuso Truck and Bus Corporation beteiligt?
4 Wann haben Daimler-Benz und Chrysler fusioniert?
5 Wie hoch ist der Gesamtumsatz des Geschäftsbereichs Nutzfahrzeuge?
6 Wie viele Niederlassungen hatte der Geschäftsbereich Nutzfahrzeuge 2004 in Europa, in Lateinamerika und Fernost?

B Über die Besitzverhältnisse im Konzern sprechen

Benutzen Sie die Angaben aus Aufgabe A.

Beispiel:

▷ Welchen Anteil hält die Muttergesellschaft an der EvoBus GmbH?
▷ Daimler Chrysler hält einen Anteil von 100 % an der EvoBus GmbH.
  DaimlerChrysler ist mit 100 % an der EvoBus GmbH beteiligt
  EvoBus ist eine 100-prozentige Tochter von DaimlerChrysler.
   ▷ Wie hoch ist der Anteil von DaimlerChrysler an der Mitsubishi Fuso Truck and Bus Corporation?
▷ …

C Das Unternehmen charakterisieren

1 Schreiben Sie die Adjektive mit den passenden Endungen in die Lücken.

> 100-jährig • bekannt • breit • führend • hoch • hochwertig •
> innovativ • klein • leistungsstark

DaimlerChrysler hat sich von einem _____ Handwerksbetrieb zu einem weltweit

_____ Automobilkonzern entwickelt. Der Konzern ist nicht nur ein _____

Hersteller von _____ Reiselimousinen und Sportwagen. Er verfügt auch über ein

_____ Angebot an _____ Nutzfahrzeugen. In seiner über _____

Geschichte ist besonders die Marke Mercedes bekannt geworden durch _____

Qualitätsstandards und _____ Technik.

2 Die Adjektivendungen. Schreiben Sie die Endungen in die Lücken und beantworten Sie die Fragen.

Adjektivendungen

		nach bestimmtem Artikel	nach unbestimmtem Artikel	ohne Artikel
Sg. Nom.	m	der führende Konzern	ein großer Konzern	hoher Qualitätsstandard
	f	die bekannte Firma	eine moderne Firma	pünktliche Lieferung
	n	das neue Unternehmen	ein führendes Unternehmen	hochwertiges Material
Akk.	m	den führend___ Konzern	einen groß___ Konzern	für hoh___ Qualitätsstandard
	f	die bekannt___ Firma	eine modern___ Firma	für pünktlich___ Lieferung
	n	das neu___ Unternehmen	ein führend___ Unternehmen	für hochwertig___ Material
Dat.	m	dem führend___ Konzern	einem groß___ Konzern	von hoh___ Qualitätsstandard
	f	der bekannt___ Firma	einer modern___ Firma	bei pünktlich___ Lieferung
	n	dem groß___ Unternehmen	einem führend___ Unternehmen	aus hochwertig___ Material
Gen.	m	des führend___ Konzerns	eines groß___ Konzerns	hoh___ Qualitätsstandards
	f	der bekannt___ Firma	einer modern___ Firma	pünktlich___ Lieferung
	n	des groß___ Unternehmens	eines führend___ Unternehmens	hochwertig___ Materials
Pl. Nom.		die groß___ Konzerne/…	groß___ Konzerne/Firmen/Unternehmen	
Akk.		die groß___ Konzerne/…	groß___ Konzerne/Firmen/Unternehmen	
Dat.		den groß___ Konzernen/…	führend___ Konzernen/Firmen/Unternehmen	
Gen.		der groß___ Konzernen/…	bekannt___ Konzerne/Firmen/Unternehmen	

1 Wie viele Adjektivendungen gibt es vor Nomen mit dem bestimmten Artikel?
2 Welche Form haben die Adjektivendungen vor Nomen ohne Artikel? Wie ist es im Genitiv? Warum?
3 Warum nennt man die Endungen vor Nomen mit dem unbestimmten Artikel *gemischte Deklination*?

D Tragen Sie die Informationen über den DaimlerChrysler-Konzern vor.

Im Jahr … haben … und … zur DaimlerChrysler AG fusioniert. Sitz des Konzerns ist … und … Die Zahl der Mitarbeiter beträgt … Bei DaimlerChrysler handelt es sich um ein führendes Unternehmen der … Der Konzern ist in folgenden Geschäftsbereichen tätig: … Zum Geschäftsbereich … gehören u.a. die Unternehmen … mit Sitz in … Die … ist eine …-prozentige Tochtergesellschaft. DaimlerChrysler hält einen Anteil von … % an … DaimlerChrysler ist mit … % an … beteiligt.

Unternehmensgeschichte

A Früher und heute

① Ein Unternehmen Ihres Heimatlandes. Wie hat es sich entwickelt? Berichten Sie.

Beispiel:
Im Jahr 1668 kaufte der Apotheker Friedrich Jakob Merck die Engel-Apotheke in Darmstadt. Etwa 150 Jahre später experimentierte Heinrich Emanuel Merck im Apothekenlabor mit pflanzlichen Wirkstoffen. Er stellte hochwirksame Medikamente her. Heute produziert und verkauft Merck Medikamente und Chemikalien weltweit.

früher

> gründete · machte · entwickelte · konstruierte · baute · stellte ... her · verkaufte · lieferte · beschäftigte · ...

heute

> gründet · macht · entwickelt · konstruiert · baut · stellt ... her · verkauft · liefert · beschäftigt · ...

② Drei Unternehmen. Hören Sie und schreiben Sie die passenden Verben in die Lücken.

> arbeiten · bauen · beliefern · beschäftigen · einsetzen · ~~entwickeln~~ · fertigen · gehören · gründen · konstruieren · liefern · produzieren · vergrößern · verkaufen · verlegen

1 Im Jahr 1816 _entwickelte_ Heinrich Emanuel Merck Medikamente aus pflanzlichen Wirkstoffen. Seine Produkte _____ er in seiner Apotheke und er _____ auch Abnehmer in der Region. Heute _____ die Merck KGaA mit 171 Gesellschaften in 52 Ländern.

2 1846 _____ Werner von Siemens einen elektrischen Telegrafen. 1847 _____ er die Telegrafen-Bauanstalt Siemens & Halske. Das Unternehmen _____ sich schnell. Heute _____ die Siemens AG circa 430 000 Mitarbeiter und _____ zu den sechs größten Elektro-Unternehmen weltweit.

3 Von 1994 bis 1997 _____ Klaus Schüssler seine Büromöbel und Wohnungseinrichtungen in Handarbeit. Er _____ für Auftraggeber in der Region. Nach Beginn der Zusammenarbeit mit Heinz Ohlsen _____ eine dynamische Entwicklung _____ . Sie _____ die Fertigung aus Heinz Schüsslers Heimatort nach Konstanz. Heute _____ circa 400 Mitarbeiter die Modelle der Marke Officeline. Sie _____ auch in die gesamte Schweiz und in mehrere europäische Länder.

Präteritum						
	regelmäßige Verben		Modalverben		haben	sein	werden
ich	mache	→ machte	durf-	te	hatte	war	wurde
du	machst	→ machtest	konn-	test	hattest	warst	wurdest
er/sie/es	macht	→ machte	muss-	te	hatte	war	wurde
wir	machen	→ machten	soll-	ten	hatten	waren	wurden
ihr	macht	→ machtet	woll-	tet	hattet	wart	wurdet
sie/Sie	machen	→ machten		ten	hatten	waren	wurden

B Fragen und Antworten zu Officeline

1 Partnerarbeit. Die Antworten können Sie den Notizen entnehmen.

▷ Was für eine Ausbildung hat der Firmengründer gemacht?
▷ Er hat eine Schreinerlehre gemacht und die Meisterprüfung abgelegt.
▷ Wann hat er seine Werkstatt eröffnet?
▷ Er hat ...
▷ Welche Märkte hatte die Firma damals?
▷ Klaus Schüssler hat an ... geliefert.
▷ Wer hat sich dann an dem Unternehmen beteiligt?
▷ 1998 hat sich ...
▷ Was hat Heinz Ohlsen gelernt?
▷ ... Industriedesign ...
▷ Unter welchem Namen hat dann die Firma gearbeitet?
▷ ...
▷ Wie hat sich der Markt für Schüssler & Ohlsen entwickelt?
▷ ...
▷ Hat der Betrieb seinen Sitz noch in Hilzingen?
▷ Nein, sie haben ...
▷ Wie heißt die Firma jetzt?
▷ ...
▷ Wie ist es dann weitergegangen?
▷ ...

Firmengründer: Klaus Schüssler (Schreinerlehre, Meisterprüfung)
1993 Eröffnung der Schreinerwerkstatt Schüssler
Einzelstücke für Abnehmer aus der Bodensee-Region
1998 Beteiligung Heinz Ohlsen (Studium: Industriedesign)
--> Gründung der Firma Schüssler & Ohlsen
Lieferung nach Süddeutschland und Österreich
2000 Verlegung des Betriebs von Hilzingen nach Konstanz,
Neustart mit dem Markennamen Officeline, Bildung einer GmbH
2001–2004 Vergrößerung der Beschäftigtenzahl um 250 auf 400 Mitarbeiter
2003 Zehnjähriges Firmenjubiläum

TIPP

Vergangenheit
Im Informationsgespräch benutzt man eher Perfekt; *haben, sein, werden* und die Modalverben benutzt man eher im Präteritum. In einer förmlichen Firmenpräsentation oder in schriftlichen Berichten benutzt man eher das Präteritum.

2 Fassen Sie die Informationen zusammen und präsentieren Sie die Geschichte von Officeline.

Der Firmengründer Klaus Schüssler machte eine Schreinerlehre und legte die Meisterprüfung ab. 1993 eröffnete er ...

C Die Geschichte von Firma ...

Gruppenarbeit. Präsentieren Sie die Geschichte „Ihres" Unternehmens.

• Firmengründer, wichtige Daten aus seinem Leben
• Branche, Produkte
• Sitz, Eröffnung von Niederlassungen
• Rechtsform, Beteiligungen

• Entwicklung
 – des Unternehmens
 – der Produktpalette
 – der einzelnen Produkte
 – der Märkte

Unternehmensporträt

A Raten Sie mal.

❶ Wie heißt dieses Unternehmen? Zu welchem Wirtschaftsbereich gehört es?

Branche: Elektrotechnik und Elektronik
Sparten: Steuerungs-, Verkehrs-, Medizintechnik, Energieerzeugung, Haushaltsgeräte, Telekommunikation, ...
Produktpalette: Computer, Motoren, Telefonanlagen, Industrieroboter, Kühlschränke, Kraftwerke, ...

Jahresumsatz: ca. 75 Milliarden Euro
Beschäftigte: ca. 430 000 weltweit
Sitz: Berlin und München
Standorte: auf allen Kontinenten

❷ Planen Sie „Ihr" Unternehmen. Überlegen Sie:
Welche Branche, welche Produkte? Größe, Sitz, Standorte.

B Die Haushaltsgerätesparte der Siemens AG

❶ Informieren Sie sich gegenseitig über die Unternehmensstruktur. Die Redemittel auf S. 34/35 helfen Ihnen.

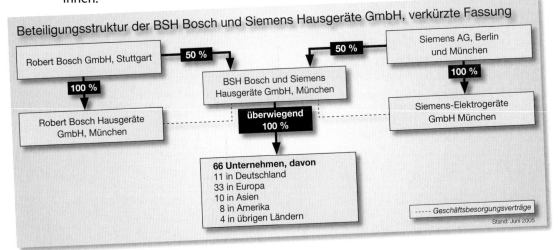

Beteiligungsstruktur der BSH Bosch und Siemens Hausgeräte GmbH, verkürzte Fassung

❷ Schreiben Sie die fehlenden Angaben in die Lücken.

Die Siemens AG ist mit _____ an der BSH Bosch und Siemens Hausgeräte GmbH beteiligt.

Die Siemens Elektrogeräte GmbH ist eine _____ Tochter der Siemens AG. Ihr Sitz ist in

_____. Die Robert Bosch GmbH hält ebenfalls einen Anteil von _____ an der BSH

Robert Bosch Hausgeräte GmbH. Die Robert Bosch Hausgeräte GmbH ist über die Robert Bosch GmbH

und die BSH Bosch und Siemens Hausgeräte GmbH mit der _____ verflochten.

Zur BSH Bosch und Siemens Hausgeräte GmbH gehören insgesamt _____ Unternehmen.

Zwei Drittel der Unternehmen haben ihren Sitz in _____, davon _____ in

Deutschland. In Asien und _____ haben 18 Unternehmen ihren _____.

❸ Ergänzen Sie die Planung „Ihres" Unternehmens: Struktur, Beteiligungen, Standorte.

C Unternehmensdaten

① Wie hat sich die Siemens AG entwickelt? Um wie viel sind die Werte von 2003 bis 2004 gestiegen? Die Redemittel auf S. 32/33 helfen Ihnen.

	2004	2003
Auftragseingang	80,8 Mrd. EUR	75 Mrd. EUR
Umsatz	75,1 Mrd. EUR	74,2 Mrd. EUR
Gewinn (nach Steuern)	3,4 Mrd. EUR	2,4 Mrd. EUR
Eigenkapital	26,9 Mrd. EUR	23,7 Mrd. EUR
Mitarbeiter	430 000	417 000

② Wie war die Entwicklung „Ihres" Unternehmens?

D Aus der Geschichte des Unternehmens

① Sprechen Sie über die Ereignisse. Die Redemittel auf S. 36/37 helfen Ihnen.

1847	Gründung der „Telegraphen-Bauanstalt von Siemens & Halske" (Werner v. Siemens, Johann Georg Halske)
1855+58	Eröffnung von Zweigniederlassungen in Russland und England
1870	Bau und Eröffnung der Telegrafen-Linie London – Kalkutta
1879	Präsentation der ersten elektrischen Eisenbahn
1897	Umwandlung der Siemens & Halske Werke in eine Aktiengesellschaft
1920er-Jahre	Siemens wird einer der fünf weltweit führenden Elektrokonzerne
1939–1945	Beteiligung an der Kriegsproduktion
1949	Verlegung des Firmensitzes von Berlin nach München, Berlin bleibt zweiter Firmensitz

1847 gründeten Werner v. Siemens und Johann Georg Halske
die „Telegraphen-Bauanstalt von Siemens & Halske".
1855 und 1858 eröffneten ...
1870 ...

② Schreiben Sie Daten aus der Geschichte „Ihres" Unternehmens auf.

E PARTNER **A** benutzt Datenblatt A5, S. 172. PARTNER **B** benutzt Datenblatt B5, S. 182.

F Meine Damen und Herren ...

① Notieren Sie die Angaben aus dem Vortrag.

1 Branche: _____
2 Produkte: _____
● 3 Wirtschaftsbereich: _____
4 Unternehmensgeschichte:
   Gründer: _____
   Gründungsjahr: _____
   bedeutende Erfindungen: _____
   1918–1933: _____
   1933–1945: _____
   nach 1945: _____
5 Struktur heute: _____
6 Umsatz: _____
   Gewinn: _____

② Notieren Sie Angaben zu „Ihrem" Unternehmen. Benutzen Sie Ihre Ergebnisse aus Aufgabe A bis D.

1 Branche: _____
2 Produkte: _____
3 Wirtschaftsbereich: _____
4 Unternehmensgeschichte:
   Gründer: _____
   Gründungsjahr: _____
   bedeutende Erfindungen: _____
   wichtige Daten: _____
5 Struktur heute: _____
6 Umsatz: _____
   Gewinn: _____

③ Präsentieren Sie: Der Siemens-Konzern oder „Ihr" Unternehmen.

Wichtige Rechtsformen: GmbH und AG

❶ Lesen Sie die beiden Texte unten und füllen Sie die Tabelle aus. Benutzen Sie dabei nicht das Wörterbuch.

	Grundkapital	Organe	typische Unternehmensgröße	Sonstiges / Besonderes
GmbH				
AG				

❷ Sehen Sie sich die Abbildung der GmbH an. Fertigen Sie ebenfalls eine Skizze von der Struktur einer AG an.

❸ Welche Rechtsformen gibt es in Ihrem Land? Sammeln Sie Informationen und berichten Sie.

GmbH

GmbH steht für *Gesellschaft mit beschränkter Haftung*. Die Haftung ist beschränkt, da die Gesellschafter nicht persönlich für die Verbindlichkeiten haften. Das Stammkapital – und damit auch die Haftungssumme – beträgt mindestens 25 000 Euro. Eine GmbH kann von einem oder auch von mehreren Gesellschaftern gegründet werden. Es ist dabei nicht nötig, dass eine an der GmbH-Gründung beteiligte Person die deutsche Staatsbürgerschaft besitzt.

Die Gesellschafter bestellen einen Geschäftsführer, der die GmbH leitet. Das oberste Organ der GmbH ist jedoch die Gesamtheit der Gesellschafter, die für alle Angelegenheiten der GmbH zuständig ist.

Werden mehr als 500 Mitarbeiter beschäftigt, muss zusätzlich ein Aufsichtsrat gebildet werden.
Die Rechtsform der GmbH findet man v.a. bei kleinen und mittelständischen Unternehmen.

AG

AG steht für *Aktiengesellschaft*. Das Besondere an einer Aktiengesellschaft ist, dass ihr Grundkapital in Aktien zerlegt ist, die man an der Börse handeln kann. Zur Gründung einer AG ist in Deutschland ein Grundkapital von mindestens 50 000 Euro nötig. Sie kann von einer oder mehreren Personen gegründet werden. Eine Aktiengesellschaft besteht immer aus drei Organen: Hauptversammlung, Aufsichtsrat und Vorstand.

Die Hauptversammlung der AG setzt sich aus allen Aktionären zusammen. Sie wählt die Mitglieder des Aufsichtsrates.

Der Aufsichtsrat ist das Kontrollorgan der AG. Er besteht aus Experten außerhalb des Unternehmens und aus Vertretern der Arbeitnehmer. Er ist verantwortlich für die Bestellung, den Abruf und die Überwachung des Vorstandes. Außerdem ist er verantwortlich für die langfristige Planung, z.B. für die Verwendung des Gewinns der AG.

Der Vorstand ist verantwortlich für die Leitung der AG und vertritt sie nach außen. Außerdem beruft er die Hauptversammlung ein. Der Vorstand wird vom Aufsichtsrat gewählt. Besteht er aus mehreren Personen, wird ein Vorsitzender gewählt.

Die Rechtsform AG ist typisch für Großunternehmen.

Geschäftsbericht: Umsatz und Ergebnis der BASF-Gruppe

❶ Sehen Sie sich die Übersicht *Umsatz und Ergebnis 2004* der BASF-Gruppe an.
Finden Sie die passenden Begriffe für die Definitionen.

_____ = Alle Geldeingänge des Unternehmens durch Verkauf von Waren oder Diensten

_____ = Differenz zwischen Umsatz und Ausgaben des Unternehmens

_____ = Ergebnis der betrieblichen Leistungen (Umsatz minus Vertriebskosten,
Verwaltungskosten und sonstigen betrieblichen Aufwendungen)

_____ = Ergebnis, das durch den Besitz von Finanzanlagen (z.B. Wertpapiere) entsteht

❷ Lesen Sie den Text unten und schreiben Sie die richtigen
Informationen aus der Tabelle in die Lücken.

Unternehmensbericht

2004 war für die BASF-Gruppe ein
sehr erfolgreiches Geschäftsjahr.
Der Umsatz stieg im Vergleich zum
Vorjahr um 4176 Millionen Euro auf
_____ Millionen Euro an.
Höhere Absatzmengen erzielten wir
vor allem in den Segmenten Chemika-
lien und Kunststoffe. Das Ergebnis der
Betriebstätigkeit von 4856 Millionen
Euro war 2004 um _____
Millionen Euro höher als im Vorjahr.
Zum Anstieg trugen vor allem eine
höhere Anlagenauslastung sowie

Umsatz und Ergebnis 2004

Millionen EUR	2004	2003	Veränderung %
Umsatz	37 537	33 361	12,5
Ergebnis der Betriebstätigkeit (EBIT)	4 856	2 658	82,7
Ergebnis der Betriebstätigkeit in Prozent vom Umsatz	12,9	8,0	61,3
Finanzergebnis	-837	-490	-70,8
Ergebnis vor Ertragsteuern	4 019	2 168	85,4
Ergebnis nach Ertragsteuern und nach Anteilen anderer Gesellschafter	1 883	910	106,9
Jahresüberschuss in Prozent vom Umsatz	5,0	2,7	85,2
Ergebnis je Aktie (EUR)	3,43	1,62	111,7
Ergebnis nach US-GAAP	1 863	1 320	41,1
Ergebnis je Aktie nach US-GAAP (EUR)	3,39	2,35	44,3

verringerte Fixkosten bei. Das Ergebnis vor Ertragsteuern stieg im Jahr 2004 gegenüber dem Vorjahr
um 1851 Millionen Euro auf _____ Millionen Euro. Nach Abzug der Ertragsteuern und der
auf Mitgesellschafter bei konsolidierten Beteiligungen entfallenden Gewinnanteile von 131 Millionen
Euro erzielten wir 2004 ein Ergebnis von _____ Millionen Euro. Im Vergleich zum Vorjahr
hat sich das Ergebnis um 973 Millionen Euro erhöht und damit mehr als verdoppelt. Das Ergebnis je
Aktie betrug im Jahr 2004 3,43 Euro gegenüber _____ Euro im Vorjahr.

Kapitel 2 Grammatik

Identifizieren / Zuordnen → S. 29

Unterbegriff		Oberbegriff
Arzneimittel	sind	Produkte der Pharmaindustrie.
Fleisch- und Wurstwaren	gehören zu	den Lebensmitteln.
Bei Officeline	handelt es sich um	einen Büromöbel-Hersteller.

Artikel bei Firmennamen → S. 31

ohne Artikel	mit Artikel
DaimlerChrysler ist ein weltweiter Konzern.	Die DaimlerChrysler AG ist ein weltweiter Konzern.
Welche Telefonnummer hat Officeline?	Die Officeline GmbH stellt Büromöbel her.
Hier ist Schreinerei Weilmann, guten Tag.	Welche Telefonnummer hat die Firma Officeline?

steigen, sinken, gleich bleiben → S. 33

Was	ist / sind	wann	von ... um ... auf / gleich	↗ / ↘ / →
Die Aktie	ist	im letzten Monat	von 100 % um rund 10 % auf 110 %	gestiegen.
Die Umsätze	sind	von Januar bis Juni	von 100 000 € um rund 25 % auf 75 000 €	gesunken.
Die Preise	sind	2004 und 2005	gleich	geblieben.

Frage → S. 33

direkt	Frau Müller fragt:	„Wie hoch	ist	der Umsatz in Europa?"
indirekt	Bitte sagen Sie mir,	wie hoch	der Umsatz im Bereich Pharma	ist.
	Darf ich Sie fragen,	wie viele	Mitarbeiter das Unternehmen	hat.
	Ich möchte gern wissen,	wo	die Zahl der Mitarbeiter am höchsten	ist.
	Ich habe nicht verstanden,	in welcher Region	der Umsatz am höchsten	ist.
	...	...	...	...

Adjektivendungen → S. 35

		nach bestimmtem Artikel		nach unbestimmtem Artikel	ohne Artikel	
Sg. Nom.	m	der		ein	-er	
	n	das	-e	ein	-es	
	f	die		eine	-e	
Akk.	m	den	-en	einen	-en	
	n	das	-e	ein	-es	
	f	die		eine	-e	
Dat.	m	dem		einem		-em
	n	dem		einem	-en	-em
	f	der		einer		-er
Gen.	m	des	-en	eines		-en
	n	des		eines	-en	-en
	f	der		einer		-er
Pl. Nom.		die		—	-e	
Akk.		die		—	-e	
Dat.		den		—	-en	
Gen.		der		—	-er	

Präteritum → S. 37

	regelmäßige Verben		haben	sein	werden	Modalverben	
ich	mache	→ machte	hatte	war	wurde	durf	te
du	machst	→ machtest	hattest	warst	wurdest	konn	test
er / sie / es	macht	→ machte	hatte	war	wurde	muss	te
wir	machen	→ machten	hatten	waren	wurden	soll	ten
ihr	macht	→ machtet	hattet	wart	wurdet	woll	tet
sie / Sie	machen	→ machten	hatten	waren	wurden		ten

- Die Firmenorganisation
- Wofür sind Sie zuständig?
- Betrieblicher Arbeits- und Umweltschutz
- Unterweisung: Einzelteile, Funktionsweise, Arbeitsschutz
- Frau Breuer wird krankgeschrieben.
- Drei Krankenversicherungssysteme

KAPITEL 3

AM ARBEITSPLATZ

Das lernen Sie hier:
- Abteilungen im Betrieb und ihre Aufgaben darstellen
- Zuständigkeiten und Tätigkeiten benennen
- neue Mitarbeiter vorstellen
- Regeln zum Arbeitsschutz erläutern
- Mitarbeiter unterweisen
- über Krankheiten, Schmerzen, Beschwerden sprechen
- Fragen beim Arzt beantworten
- Krankenversicherungssysteme vergleichen

Die Firmenorganisation

Hans Koller

Heiko Knoop

Erich Thieme

Holger Lohmann

Jörg Winkelmann
Angelika Süßlin

A Wer macht was bei der Firma SolVent?

❶ Was stellt die Firma SolVent her? Zu welcher Branche gehört sie?

❷ Stellen Sie Vermutungen an: Was sind die Leute oben auf den Fotos von Beruf? In welcher Abteilung arbeiten sie? Welche Funktion, welche Aufgaben haben sie?

- Ich glaube, dass...
- Ich vermute, dass ...
- Ich nehme an, dass ..
- Es kann sein, dass...
- Vielleicht / Möglicherweise ist Herr / Frau ...

Ich nehme an, dass Jörg Winkelmann in der Personalabteilung tätig ist. Vielleicht ist er dort Abteilungsleiter. Ich vermute, dass die Personalabteilung die Fortbildung organisiert.

Funktion

Leiter der Qualitätssicherheit ·
Entwicklungsingenieur ·
Betriebsleiter · Geschäftsführer ·
Mitarbeiter im Außendienst ·
Abteilungsleiter ·
Beauftragte für Arbeitssicherheit und Umweltschutz · ...

Abteilung

Geschäftsführung · Qualitätssicherung ·
Betrieb · Kundendienst · Personalabteilung ·
Konstruktion · Fertigung · ...

B Neu in der Firma

❶ Wer begrüßt wen?

❷ Welche Ihrer Vermutungen in Aufgabe A werden bestätigt? Zu welchen Vermutungen gibt es keine Informationen?

Tätigkeit / Aufgabe

Anlagen montieren · Bauteile prüfen ·
Anlagen warten und instand setzen ·
Anstellungsverträge unterschreiben ·
das Unternehmen leiten ·
Personal einstellen ·
neue Produkte entwickeln ·
Fortbildung organisieren · ...

Geschäftsführung
Aufgabe: _____

Bereich: *Betrieb*
Aufgabe: _____

Bereich: _____
Aufgabe: _____

Abteilung: _____
Aufgabe: _____

Abteilung: _____
Aufgabe: _____

Abteilung: _____
Aufgabe: _____

Abteilung: *Personal*
Aufgabe: _____

Abteilung: _____
Aufgabe: *Bauteile prüfen*

Abteilung: _____
Aufgabe: _____

❸ Tragen Sie die Bereiche, Abteilungen und Aufgaben in das Organigramm ein.

C Die Firma

❶ Lösen Sie die Aufgaben anhand der Firmen-Information unten.

1 Seit wann ist die SolVent GmbH in ihrer Branche tätig?
2 Auf welchen Märkten werden die SolVent-Produkte verkauft?
3 Werden nur Fotovoltaik-Anlagen hergestellt?
4 Angaben:

• Produkte: _____ • Beschäftigte: _____ • Umsatz: _____

Öl und Gas werden knapper und teurer. Der Kampf um fossile Energieträger wird härter. Zunehmend wird unsere Atmosphäre mit Schadstoffen belastet. Seit 1975 leisten die Solar- und Windenergie-Anlagen der SolVent Energie GmbH einen Beitrag zur Entlastung der Erdatmosphäre, zum Schutz unserer Umwelt und zur Stabilisierung des Klimas.

Unsere Windenergie-Anlagen werden in die gesamte EU, in die USA und nach Fernost geliefert. Weltweit haben wir bis heute 6 500 Einheiten mit einer Gesamtleistung von mehr als 5 Gigawatt installiert. Im Bereich Solarenergie stellen wir sowohl Module zur Warmwasserbereitung als auch Fotovoltaik-Anlagen zur Stromerzeugung her. Neben dem heimischen Markt werden Länder im Mittelmeerraum, im südlichen Afrika und in Lateinamerika beliefert.

Mit 1500 Mitarbeitern haben wir im letzten Geschäftsjahr einen Umsatz von 240 Millionen Euro erwirtschaftet. Die Umwandlung des Unternehmens in eine Aktiengesellschaft wird vorbereitet.

❷ Ergänzen Sie die Sätze anhand des Textes und der Verben rechts.

1 Die Atmosphäre _wird_ mit Schadstoffen _belastet_ .

2 Die SolVent-Anlagen _werden_ in viele Länder _____.

3 Mit den Solarmodulen _wird_ Warmwasser _____
  und Strom _____.

4 Die Solarmodule _____ in Deutschland _____
  und auch in andere Länder _____.

5 Die SolVent GmbH _____ bald in eine Aktiengesellschaft _____.

belastet •
bereitet •
erzeugt •
exportiert •
geliefert •
umgewandelt •
verkauft •

Passiv			
	werden		**Partizip Perfekt**
Die Atmosphäre	wird	mit Schadstoffen	belastet.
Die SolVent-Anlagen	_werden_		
Strom			
Die Solarmodule			
Die SolVent GmbH			

D Das Organigramm von SolVent. Sprechen Sie über die Firmenorganisation.

Aufgaben
Im/In der ... wird/werden ...

Mitarbeiter
Im/In der ist ... Frau/Herr ... tätig.
Frau ... ist Mitarbeiterin/Leiterin des/der ...
Herr ... ist Mitarbeiter/Leiter des/der ...

Organisation
Der/Die ... gehört zur ...
Der/Die ... ist dem/der ... unterstellt.

Beispiel:
In der Qualitätssicherung werden die Bauteile geprüft. In der Qualitätssicherung sind fünf Mitarbeiter tätig. Leiter der Qualitätssicherung ist Herr Thieme. Die Qualitätssicherung gehört zum Bereich Betrieb. Sie ist der Fertigung unterstellt.

Wofür sind Sie zuständig?

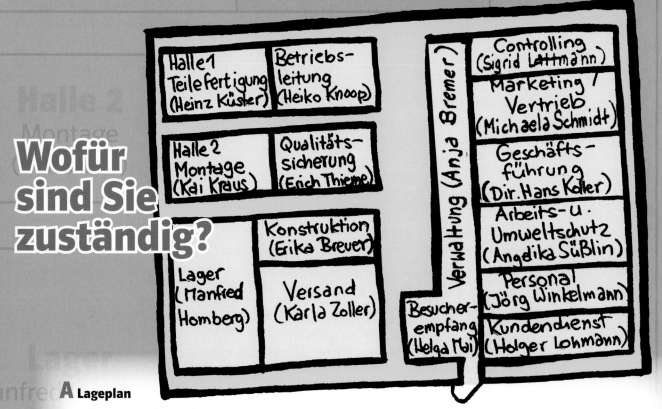

A Lageplan

Erklären Sie einem Partner:

1 Was wird in der Personalabteilung gemacht?
2 Wer ist die Leiterin des Versands?
3 Wo ist die Montage untergebracht?
4 Welche Abteilung ist für die Qualitäts-prüfungen zuständig?
5 Wofür ist Herr Knoop verantwortlich?
6 Wo ist Frau Mai tätig?

7 Wer ist der Vorgesetzte von Herrn Küster, Herrn Kraus und Herrn Thieme?
8 Wer ist die Leiterin der Konstruktion?
9 Wo sind die fertigen Produkte vor der Auslieferung an die Kunden?
10 Hat Frau Süßlin einen oder mehrere Vorgesetzte?

B Einweisung in den Betrieb

❶ Sie hören drei Dialoge. Zeichnen Sie den Weg von Herrn Winkelmann und Frau Süßlin durch die Firma in den Lageplan ein.

❷ Ordnen Sie zu und sprechen Sie.

1 Die Abteilung Vertrieb/Marketing —ist für
2 Der Kundendienst
3 Herr Kraus
4 Das Team Breuer/Schnittger

a) den technischen Service —zuständig.
b) den Verkauf und die Werbung verantwortlich.
c) die Entwicklung der SV5
d) die Montage der Anlagen

❸ Beantworten Sie die Fragen.

1 Worauf sollen die Mitarbeiter in der Konstruktion achten?
2 Warum sollen sie darauf achten?
3 Warum ist die Arbeit in der Montage gefährlich?
4 Worum will sich Frau Süßlin in Zukunft kümmern?

Verben mit Präpositionen

Verb	Frage: Sache	Person		Antwort: Sache	Person
achten auf	Worauf	Auf wen	achtet sie?	Darauf.	Auf ihn.
zuständig sein für	Wofür	Für wen	ist er zuständig?	Dafür.	Für sie.
vergleichen mit	Womit	Mit wem	vergleicht er das?		Mit euch.
fragen nach		Nach wem	fragt ihr?		Nach ihm.
sprechen über	Worüber	Über wen	sprechen Sie?	Darüber.	
sich kümmern um			kümmerst du dich?		

4 Sprechen Sie über die Firma SolVent.

Frau Schmidt ist	Leiterin des …	Ihr(e)	Vorgesetzter ist … Sie	ist für … zuständig.
Herr Schnittger ist	Mitarbeiter in …	Sein(e)	Vorgesetzte ist … Er	kümmert sich um …
…	…			ist für … verantwortlich.

C Ergänzen Sie die Fragen und sprechen Sie.

Wo____ interessierst du dich?		Auf	das neue Modell.		Ach, da____ .
Wo____ soll ich achten?		Für	die Regeln.		Ach, da____ .
Wo____ hast du dich erkundigt?		Nach	dem Weg ins Lager.		Ach, da____ .
Wo____ wartet ihr?		Über	den Zug.		Ach, da____ .
Wo____ sind Sie zuständig?	▶	Um	die Montage der Anlage.	▶	Ach, da____ .
Wo____ freut er sich?			den neuen Kinofilm.		Ach, da____ .
Wo____ kümmert er sich?			die Qualitätssicherung.		Ach, da____ .
Wo____ hat sie sich entschieden?			eine Stelle bei SolVent.		Ach, da____ .
Wo____ informiert er sie?			die Firmenorganisation.		Ach, da____ .
Wo____ geht es hier?			Verben mit Präpositionen.		Ach, da____ .

D PARTNER **A** benutzt Datenblatt A6, S. 173. PARTNER **B** benutzt Datenblatt B6, S. 183.

E Darf ich Ihnen Frau / Herrn … vorstellen?

Spielen Sie zu dritt.

	Zuständiger Mitarbeiter	Kollege	neuer Mitarbeiter
Begrüßung ↓	▷ Guten Morgen. / Guten Tag.	▷ Guten Morgen. / Guten Tag.	▷ Guten Morgen. / Guten Tag.
Vorstellung ↓	▷ Darf ich Ihnen … vorstellen? Ich möchte Ihnen … vorstellen.	▷ Freut mich. Angenehm.	▷ Freut mich. Angenehm.
Funktion ↓	▷ Frau / Herr ist … Sie / Er ist schon … hier tätig. Sie / Er ist neu hier bei uns.	▷ Ich bin / kümmere mich um / mache …	▷ Interessant! Ich bin die / der neue …
Aufgaben Tätigkeit ↓	▷ Frau … ist für … zuständig. Herr … ist für … verantwortlich. Sie / Er kümmert sich um …	▷ Ich bin hier für … zuständig. Ich kümmere mich um …	▷ Aha! Interessant! Ich bin für … zuständig.
Abschluss		▷ Ich wünsche Ihnen viel Erfolg hier bei … Ich freue mich auf die Zusammenarbeit. Bis bald!	▷ Vielen Dank! Darauf freue ich mich auch. Bis bald!

F Weisen Sie einen Kollegen in das Unternehmen ein.

- Für welchen Bereich / welche Abteilung ist Frau / Herr … verantwortlich?
- Wofür ist sie / er dort zuständig?
- Worum muss sie / er sich kümmern? Worauf muss sie / er achten?
- Wer hat welche Vorgesetzte / welchen Vorgesetzten?
- Welche Abteilungen finden Sie außerdem wichtig? Welche Aufgaben haben diese Abteilungen?

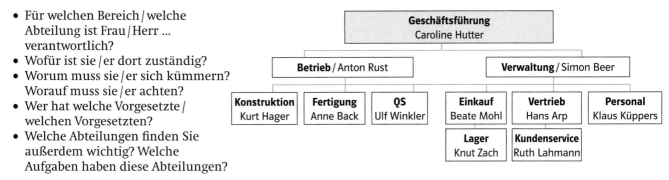

Betrieblicher Arbeits- und Umweltschutz

A Gefahren und Risiken. Diskutieren Sie.

Worauf muss man hier achten?   Man muss …
Welche Regeln muss man beachten?

> einen Ohrenschutz tragen • vorsichtig sein •
> das Abwasser reinigen • …

Was muss man vermeiden?   Man darf nicht …
Wovor muss man warnen?

> schmutziges Wasser in den Fluss leiten •
> ohne Ohrenschutz arbeiten • zu schwer heben • …

Woran muss man denken?   Man muss daran
denken, dass man …

> das Abwasser reinigt • einen Schutzhelm trägt •
> Arbeitspausen am Computer macht • …

B Maßnahmen zum Arbeitsschutz

❶ Hören Sie: Vor welchen Gefahren warnt Frau Süßlin?
Welche Schäden möchte sie vermeiden?

Befindlichkeitsstörungen und Gesundheitsbeschwerden bei der Bildschirmarbeit

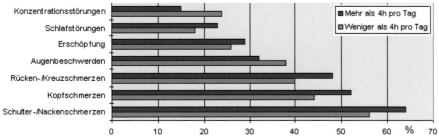

Legende: ■ Mehr als 4h pro Tag ▨ Weniger als 4h pro Tag

Kategorien (von oben nach unten): Konzentrationsstörungen, Schlafstörungen, Erschöpfung, Augenbeschwerden, Rücken-/Kreuzschmerzen, Kopfschmerzen, Schulter-/Nackenschmerzen. Skala 0 bis 70 %.

Krank durch den Beruf

Die häufigsten Berufskrankheiten* in Deutschland
(im Jahr 2000)

Hauterkrankungen	20 931
Bandscheibenschäden	13 022
Lärmschwerhörigkeit	12 728
Asbestlunge	7 608
Atemwegserkrankungen	6 331
Meniskusschäden	2 425
Quarzstaublunge	2 113
Infektionen	2 111
chronische Bronchitis	1 345

7590 © Globus

*Anzeigen auf Verdacht einer Berufskrankheit
Quelle: Bundesarbeitsministerium

❷ Welche Maßnahmen schlägt Frau Süßlin vor?

❸ Was wird wodurch vermieden? Ordnen Sie zu und tragen Sie vor.

Maßnahme:
1 Computerarbeitsplätze mit modernen Bildschirmen ausstatten
2 Kopierer aus den Büros entfernen
3 Das richtige Tragen von Lasten üben
4 Pausen nach einer Stunde Bildschirmarbeit einhalten

Ziel: Vermeidung von …
a) Atemwegserkrankungen
b) Rückenschmerzen
c) Augenschäden
d) Bandscheibenschäden

Die Computerarbeitsplätze werden mit … ausgestattet. So werden … vermieden.
Zur Vermeidung von Atemwegserkrankungen werden …

C Einweisung: Lasten heben und tragen

1 Wie wird eingewiesen? Schreiben Sie.

Den Vorgang vormachen: _Der Vorgang wird vorgemacht._

Den Vorgang erklären: _Dabei wird_ _____

Den Vorgang nachmachen: _Dann_ _____

2 Welche Anweisung in Frau Süßlins Merkblatt *Richtiges Heben und Tragen* passt zu welcher Abbildung rechts?

Richtiges Heben und Tragen

Vermeiden Sie Beschwerden und Erkrankungen an der Wirbelsäule, indem Sie folgende Regeln beachten:

1. Vor dem Heben Platz schaffen, damit man die Last ungehindert bewegen kann.
2. Schwere Lasten mit angewinkelten Knien, geradem und aufgerichtetem Oberkörper anheben.
3. Die Last möglichst köpernah heben.
4. Die Last nie ruckartig heben.
5. Die Wirbelsäule beim Heben und Absetzen nicht verdrehen, sondern den ganzen Körper mit den Füßen drehen.
6. Lasten nur in aufrechter Körperhaltung tragen.
7. Schwere und sperrige Lasten mit mehreren Personen tragen.
8. Für sehr große oder sehr schwere Lasten technische Transportmittel einsetzen.

3 Einweisung: Machen Sie es vor, erklären Sie es.
Die Gruppe macht es nach.

Schaffen Sie vor dem Heben Platz, damit ...
Schwere Lasten werden mit angewinkelten Knien, ... angehoben.
...

D Training: Stärken Sie Ihre Wirbelsäule, vermeiden Sie Rückenschmerzen.

Partner A weist in die Übungen ein, Partner B wiederholt die Anweisungen und macht die Übungen.

Übungen für den Rücken

Knie beugen (Winkel: 45°)

Knie beugen (70°)

Knie beugen (90°) und zurück in die Anfangsposition gehen

Übungen für den Rücken

Oberkörper nach vorne beugen, Ellenbogen an die Knie legen

Arme nach vorne ausstrecken

Körper nach vorne schieben, Gewicht auf die Hände verlagern, ruhig atmen und zurück in die Anfangsposition gehen

▶ Beugen Sie die Knie zuerst in einem Winkel von 45 Grad.
Zuerst werden die Knie in einem Winkel von 45 Grad gebeugt.

▶ Zuerst beuge ich die Knie ...

Unterweisung: Einzelteile, Funktionsweise, Arbeitsschutz

1

2

3

4

5

6

Bohrer • Hauptschalter • Schalthebel • Temperaturregler • Verbrennungsmotor • Drehzahlmesser

A Kleine Maschinenkunde

1 Was ist was? Ordnen Sie die Begriffe rechts den Bildern oben zu.

2 Was ist das? Wozu dient das? Sprechen Sie.

Abbildung 1	zeigt	einen	...	Er	dient	zum	Antreiben von Kraftfahrzeugen.
Abbildung 2		ein		Es		zur	Bohren von Löchern.
...		–		Sie	dienen		Ein- und Ausschalten von Geräten.
							Kontrolle der Drehzahl.
							stufenlosen Einstellen der Temperatur.
							Wahl des Getriebegangs.

Abbildung ... zeigt Bohrer. Bohrer dienen zum Bohren von Löchern. Abbildung ... zeigt einen .... Ein ... dient zum stufenlosen Einstellen der Temperatur.

B Einzelteile der Tischbohrmaschine

1 Haben Sie mit so einer Maschine schon einmal gearbeitet? Wozu dient sie?

2 Erklären Sie einem Partner die Einzelteile.

Eine Tischbohrmaschine besteht aus dem Bohrtisch, aus der ... und ...
Der Motor dient zum Antreiben des Bohrers.
Der Bohrtisch dient zur Lagerung des Werkstücks.
Die Bohrspindel ... Halten des Bohrers.
...

Drehzahlmesser
Getriebeschaltung
Hauptschalter
Drehzahlregler
Bohrspindel
Motor
Vorschubhebel
Bohrtisch
Bohrer

C Unterweisung am Arbeitsplatz

❶ Hören Sie: In welcher Reihenfolge kommen die Punkte a) bis h) vor? Nummerieren Sie.

Was wird gemacht?	Wie wird das gemacht?
☐ a) den Drehzahlbereich 400–1450 U/min wählen	_____
☐ b) den Bohrspan brechen	_____
☐ c) einen Bohrerbruch vermeiden	_____
☐ d) mit 1200 U/min bohren	_____
☐ e) den Bohrer schonen	_____
☐ f) die Maschine einschalten	*Hauptschalter drücken*
☐ g) den Bohrer ans Werkstück heranführen	_____
☑ h) Augen schützen	_____

❷ Wie wird das gemacht? Schreiben Sie die passende Angabe zu den Punkten a) bis h).

~~Hauptschalter drücken~~ • Getriebegang Stufe 2 wählen •
Vorschubhebel nach unten drücken • Bohrvorgang unterbrechen • Schutzbrille aufsetzen •
Drehzahlregler auf gewünschte Drehzahl einstellen • Bohrdruck verringern • Kühlmittel benutzen

❸ Sprechen Sie über den Vorgang.

▷ Wie schützt man seine Augen? | ▷ Indem man eine Schutzbrille aufsetzt.

▷ Wie stellt man die Geschwindigkeit ein? | ▷ Indem der Getriebegang Stufe 2 eingestellt wird.

Wie macht man was?	
Hauptsatz : Was	**Hauptsatz : Wie**
Wir wollen die Maschine einschalten.	Wir drücken den Hauptschalter.
Hauptsatz : Was	**Nebensatz: Wie**
Wir schalten die Maschine ein, Die Maschine wird eingeschaltet,	**indem** wir den Hauptschalter drücken. **indem** der Hauptschalter gedrückt wird.

D Sicherheitszeichen

Wie vermeidet man Unfälle, wie schützt man sich?

Vermeiden: Kopfverletzungen, Augenverletzungen, Ohrenschäden, Verbrennungen, …
Was tun: Ohren schützen, Hände schützen, Augen schützen, sich vor Verbrennungen schützen, …
Schutzmittel: Schutzhelm, Schutzhandschuhe, Schutzanzug, Schutzbrille, Ohrenschutz, …

Man vermeidet Kopfverletzungen, indem man einen Schutzhelm trägt.
Der Kopf wird geschützt, indem man einen Schutzhelm trägt.

E Unterweisen Sie einen Partner.

- ein Kopiergerät   • Woraus besteht es?
- ein Mobiltelefon   • Wozu dienen die Einzelteile?
- …   • Wie bedient man das Gerät? Was muss man machen? Wie macht man das?

Frau Breuer wird krankgeschrieben

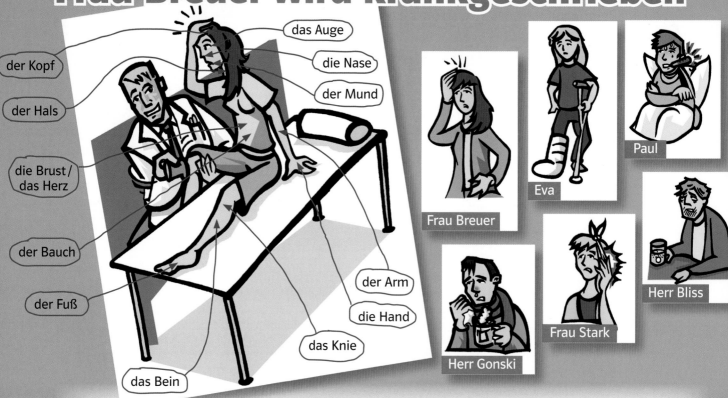

das Auge / die Nase / der Mund / der Kopf / der Hals / die Brust / das Herz / der Bauch / der Fuß / der Arm / die Hand / das Knie / das Bein

Frau Breuer / Eva / Paul / Herr Gonski / Frau Stark / Herr Bliss

A Was haben die Leute?

| Frau/Herr ...
Eva/Paul
Sie/Er | hat

ist | Zahnschmerzen / Kopfschmerzen / Fieber / Herzbeschwerden / Husten / eine Erkältung / eine Entzündung / sich das Bein gebrochen / zu viel getrunken / ...
erkältet / krank / müde / blass / ... |

| Frau/Herrn ...
Eva/Paul
Ihr/Ihm | ist
geht es
tut | übel / schlecht / schwindlig / das Essen nicht bekommen / ...
schlecht / nicht gut / etwas besser / ...
der Hals / Bauch / Fuß / Kopf / das Bein / die Brust / ... weh. |

> Ich glaube, Frau Stark hat Zahnschmerzen.

> Herr Bliss ist blass. Ist ihm vielleicht übel?

> Herr Gonski ist wahrscheinlich erkältet.

B Anruf in der Praxis Dr. Hager

❶ Vergleichen Sie das Telefongespräch mit der Notiz rechts.
Was stimmt, was ist anders? Korrigieren Sie den Notizzettel.

❷ Ordnen Sie die Äußerungen a) bis g) den Gesprächsteilen 1 bis 7 zu.
Notieren Sie weitere Stichpunkte.

> Morgen 13.00 Uhr
> Termin bei Dr. Hager
> Guttmannstr. 24,
> 1. Etage

Anrufer (Patient)	Angerufener (Arztpraxis)
☑ 1	grüßen, Namen nennen
☐ 2 grüßen, Namen nennen	
☐ 3 Anliegen vortragen	
☐ 4	Vorschlag machen
☐ 5 Vorschlag annehmen oder Gegenvorschlag machen	
☐ 6 Vereinbarung treffen, Namen und Daten wiederholen	
☐ 7 Gespräch beenden	

Äußerungen

a) Können Sie morgen kommen?
b) Guten Tag, mein Name ist ...
c) Praxis Dr. ..., Guten Tag.
d) Auf Wiederhören.
e) Also dann bis .....
f) Ich hätte gern einen Termin.
g) Geht es nicht ... ?

❸ Rollenspiel: Rufen Sie beim Arzt an. Vereinbaren Sie einen Termin.

C Beim Arzt

❶ Zu welchem Arzt gehen Sie? Suchen Sie den passenden Arzt im Telefonbuch.

Sie haben
- Zahnschmerzen
- Fieber
- Rückenschmerzen
- Magenbeschwerden
- Augenschmerzen
- Husten
- Grippe
- sich ein Bein gebrochen
- ...

Sie brauchen
- eine Brille
- Tabletten
- Nasentropfen
- ...

Sie sind
- erkältet
- immer müde
- ...

Borchert Friedrich
HNO-Facharzt
Schützenstr. 17   433450

Dussmann H. J. Dr. med
Internist
Lindenstr. 12   252963

Hager Michael Dr.
Arzt für Allgemeinmedizin
Guttmannstr. 24   121120

Kautsky Vaclav Dr.
Facharzt für Orthopädie und
Unfallchirurgie
Am Markt 5   44644

Michaelis Tanja Dr. med
Facharzt für Augenheilkunde
Steinstr. 16   566264

Schmidt Melanie Dr.
Zahnarzt
Hauptstr. 3b   52289

❷ Frau Breuer beim Arzt. Was ist richtig ☐r? Was ist falsch ☐f?

1 Sie hat Fieber. _____ f
2 Sie ist müde. _____ ☐
3 Sie hat Augenbeschwerden. _____ ☐
4 Ihr tut der Kopf weh. _____ ☐
5 Sie ist sehr krank. _____ ☐

6 Sie will heute wieder arbeiten. _____ ☐
7 Sie muss viel arbeiten. _____ ☐
8 Sie braucht Tabletten. _____ ☐
9 Sie soll sich ausruhen. _____ ☐
10 Sie wird krankgeschrieben. _____ ☐

❸ Machen Sie Notizen.

Seit zwei Wochen: *Sie schläft schlecht, hat Augenbeschwerden, ist ...* _____

Seit gestern: _____

Heute: _____

Diagnose: _____

Therapie: _____

In einer Woche: _____

D

PARTNER **A** benutzt Datenblatt A7, S. 173. PARTNER **B** benutzt Datenblatt B7, S. 183.

E Rollenspiel: Arzt – Patient

Was fehlt Ihnen?

⬇

Ich habe ...schmerzen / ...beschwerden / Fieber / Husten / ...
Ich habe keinen Appetit / schlecht geschlafen.
... bekommt mir nicht.
Mein(e) ... tut / tun mir weh.

⬇

Seit wann haben Sie ...
Wo tut es Ihnen weh? / Wo haben Sie Schmerzen?

⬇

...

⬇

Sie haben eine Grippe / Entzündung / Allergie / ...
Sie haben sich den Arm gebrochen / zu viel ...
Sie müssen ins Krankenhaus / zum Röntgen / sich ausruhen ...
Ich verschreibe Ihnen Tabletten / Tropfen / eine Salbe / ... Hier ist Ihr Rezept.
Nehmen Sie dreimal täglich ...

Krankenkasse bzw. Kostenträger
DAK
Name, Vorname des Versicherten
Frank
Testus
Steinweg 33
70178 Stuttgart
01.09.79
Vertragsarzt-Nr.
618484001
Rp. (Bitte Leerräume durchstreichen)
Datum 28.07.06
Pinoks Tabletten
2x tägl.

Drei Krankenversicherungssysteme

A Wie ist das bei Ihnen?

Sie müssen zum Arzt, weil Sie Magenschmerzen, Fieber, Husten haben, Ihnen das Bein wehtut.

- Wo bekommen Sie Hilfe?
- Wer zahlt für die Untersuchung, die Behandlung, die Medikamente?
- Wie zahlt man?

B Die gesetzliche Krankenversicherung in Deutschland.

❶ Wer zahlt die Versicherungsbeiträge? Was bezahlt die Krankenversicherung?

Frau Kraus braucht eine neue Brille und geht zum Augenarzt. Ihr Mann, Kai Kraus, ist als fest angestellter Mitarbeiter von SolVent Mitglied einer gesetzlichen Krankenversicherung. Das heißt: Er wählt eine Krankenversicherung (Krankenkasse). Der Arbeitgeber überweist seine monatlichen Versicherungsbeiträge an die Krankenkasse. Sie betragen 14 % des Monatsgehalts. 7 % zahlt die SolVent GmbH, 7 % zahlt Herr Kraus. Seine Frau ist nicht berufstätig. Sie und seine zwei Kinder sind mitversichert.

Frau Kraus hat ihre eigene Versichertenkarte. Bei ihrem Besuch in der Arztpraxis legt sie die Karte vor und zahlt eine Gebühr von 10 Euro. Der Arzt untersucht Frau Körbers Augen, stellt die notwendige Brillenstärke fest und verschreibt Frau Körber noch eine Augensalbe. Die Rechnung geht direkt an die Versicherung. Sie übernimmt die Kosten für die Untersuchung. Die Brille muss Frau Krauss selbst zahlen. Für Medikamente gilt seit 2004 die Regelung: Je Medikament zahlt der Patient 10 %, mindestens aber 5 Euro, höchstens 10 Euro.

❷ Wie hoch sind die Kosten für den Patienten?

1 Eine Tube Mykosam-Salbe kostet in der Apotheke 10 Euro. _____

2 Eine Packung Tabletten Ultalan hat einen Apothekenpreis von 75 Euro. _____

3 Der Arzt hat ein Antibiotikum zum Preis von 120 Euro verschrieben. _____

C Das Versicherungsobligatorium in der Schweiz

❶ Wie senkt Herr Bucher seine Versicherungsbeiträge? Suchen Sie die Antwort im Text auf der nächsten Seite oben.

Herr Bucher, Sie waren beim Arzt?

Ich habe seit einiger Zeit Magenbe-schwerden. Nächste Woche muss ich noch einmal zur Untersuchung bei einem Spezialisten. Der ist auch in der Gruppenpraxis. Dorthin geht die ganze Familie.

Immer in dieselbe Praxis?

Ja, da arbeiten mehrere Ärzte in einer Praxis zusam-men, gleich in der Nähe. Wir finden den Service sehr gut und unsere Krankenversicherung wird dadurch billiger.

Billiger? Könnten Sie das bitte erklären?

Das ist ein bisschen kompliziert. Jeder Schweizer muss eine eigene Krankenversicherung haben – jeder, auch die Kinder. Das ist das so genannte Obligatorium. Jeder zahlt eine feste Prämie. Für Familien bieten die Kran-kenkassen Pakete an.

Für uns sind das mit einem Kind 540 Franken pro Mo-nat. Das ist relativ günstig, weil wir unsere Ärzte nicht frei wählen, sondern immer in die Gruppenpraxis ge-hen. Dazu kommt noch die so genannte *Franchise* von 300 Franken jährlich je erwachsenem Versichertem. Vielleicht aber sind die jährlichen Kosten höher als die Franchise, dann zahlt man noch 10 % der Differenz, aber höchstens 700 Franken pro Erwachsenem und 350 Franken pro Kind.

② Beantworten Sie die Fragen.

Herr Bucher und seine Familie haben im vergangenen Jahr Leistungen (Arzt, Spital, Medikamente, Brillen usw.) in Höhe von 3 500 Franken in Anspruch genommen.
- Wie viel musste die Familie bezahlen?
- Wie viel übernimmt die Krankenversicherung?

D Die österreichischen Gebietskrankenkassen

Beantworten Sie die Fragen.

1 Was braucht Frau Zöhrer für einen Arztbesuch?
2 Wofür ist die Firma zuständig?
3 Wie hoch ist der Versicherungsbeitrag von Frau Zöhrer?
4 Welche Kosten hat Frau Zöhrer noch?

Ich bin zum Arzt gegangen, weil ich mich seit einiger Zeit nicht wohl fühle. Ich schlafe schlecht und habe oft Kopfschmerzen. Für den Arztbesuch braucht man die E-Card. Ich glaube, in Deutschland nennt man das Versichertenkarte. Dafür zahlt man in jedem Jahr eine Gebühr von zehn Euro, egal ob man zum Arzt geht oder nicht. Als Angestellte bei einer Wiener Firma bin ich bei der Gebietskrankenkasse Wien ver-sichert. Ich kann nicht einfach eine andere Versicherung wählen. Die

Firma meldet mich dort an. Sie ist auch für die regelmäßige Zahlung der Versicherungsbeiträge verantwortlich – etwa 7,5 % vom Bruttover-dienst bei uns Angestellten. Der Dienstgeber zahlt ungefähr die Hälfte davon. Der Arzt hat mir Kreislauftabletten und Tropfen verschrieben. Je Medikament zahle ich eine Rezeptgebühr von etwa 4,50 Euro und im Spital pro Tag ca. 8 Euro Verpflegeld. Alles andere übernimmt die Krankenkasse. Aber ins Spital muss ich ja nicht, Gott sei Dank!

E PARTNER Ⓐ benutzt Datenblatt A8, S. 174. PARTNER Ⓑ benutzt Datenblatt B8, S. 184.

F Deutschland, Österreich und die Schweiz

① Notieren Sie Angaben und Begriffe zur Krankenversicherung aus den Texten in Aufgabe B, C, D und aus Ihrem Heimatland zu folgenden Punkten.

	Kosten	Zahlungsabwicklung	Regelungen, Besonderheiten
	_____	_____	_____
	_____	_____	_____
	_____	_____	_____
In Ihrem Heimatland	_____	_____	_____

② Berichten Sie.

Die Krankenversicherung in … und in …	stimmen überein in / unterscheiden sich in	den Kosten … / der Regelung der … / …

In …	sind die Kosten für den Versicherten höher / niedriger als in …
	hat man Anspruch auf …

	trägt / übernimmt / zahlt	die Versicherung / der Versicherte	den … / das … / die …

Gymnastik im Büro

Sitzen Sie den ganzen Tag im Büro? Haben Sie deshalb oft Schmerzen? Hier präsentieren wir Ihnen einige Übungen, die Gelenkproblemen vorbeugen. Diese können Sie bequem an Ihrem Arbeitsplatz ausführen.

1 Überlegen Sie: Welche Übungen 1 bis 4 sind für welche Körperteile? Ergänzen Sie.

- Nacken   • Schulter   • Schulter und oberer Rücken   • Arme, Hände und Finger

2 Ordnen Sie die passenden Texte a) bis d) den Übungen 1 bis 4 zu.

3 Machen Sie die Übungen im Unterricht. Ein Teilnehmer weist an, die anderen machen nach. Benutzen Sie dabei nicht die Bilder.

1 _____

a) • Strecken Sie die Arme weit nach vorne. Spreizen Sie die Finger weit auseinander.
  • Schließen Sie die Hände zu einer Faust.
  • Spreizen Sie die Finger wieder weit auseinander.
  Wiederholen Sie die Übung zehnmal.

2 _____

b) • Lassen Sie die Arme entspannt neben den Oberschenkeln hängen und die Schultern nach vorne fallen. Drehen Sie die Daumen nach innen. Atmen Sie aus.
  • Nehmen Sie dann die Schultern nach hinten und drehen Sie die Daumen nach außen. Atmen Sie dabei ein.
  • Lassen Sie die Schultern nach vorne fallen und drehen Sie die Daumen ein. Atmen Sie aus.
  Wiederholen Sie diese Übung dreimal.

3 _____

c) • Legen Sie die Hände auf den Oberschenkel. Drehen Sie den Kopf nach rechts und heben Sie das Kinn an. Atmen Sie dabei ein.
  • Führen Sie den Kopf jetzt wieder in die Mitte und senken Sie den Kopf nach unten. Atmen Sie dabei aus.
  • Drehen Sie den Kopf dann nach links und heben Sie dabei das Kinn an. Atmen Sie wieder aus.
  Wiederholen Sie diese Übung fünfmal.

4 _____

d) • Lassen Sie die Arme hängen und legen Sie die Hände auf die Oberschenkel.
  • Nehmen Sie die Schultern nach vorne. Heben Sie die Schultern an und bewegen Sie sie nach hinten. Atmen Sie dabei ein.
  • Dann lassen Sie die Schultern fallen. Atmen Sie dabei aus.
  Wiederholen Sie diese Übung fünfmal.

Die Europäische Krankenversicherungskarte

① Lesen Sie den folgenden Text. Was bedeuten die Wörter: *erleichtern, vorübergehend, behandeln, Auslandskrankenschein*? Benutzen Sie kein Wörterbuch.

② Welche Vorteile bringt die Versicherungskarte? Sammeln Sie Informationen aus dem Text.

Die Europäische Kommission informiert

■ Seit dem 1. Juni 2004 gilt in allen europäischen Mitgliedstaaten die Europäische Krankenversicherungskarte (kurz: EKVK).

■ Damit wird Ihr Arztbesuch im Ausland erleichtert. Sind Sie im europäischen Ausland vorübergehend unterwegs (z.B. im Urlaub oder auf einer Geschäftsreise) und werden krank, benötigen Sie nur noch diese Karte, um sich von einem Arzt behandeln zu lassen. Somit haben Sie ein Recht auf die gleiche medizinische Versorgung wie die Bewohner dieses Staates.

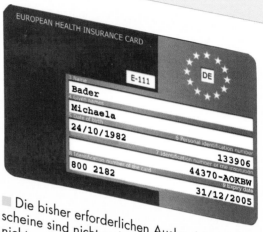

■ Die bisher erforderlichen Auslandskrankenscheine sind nicht mehr nötig. Sie müssen also nicht mehr für jeden Aufenthalt im Ausland eine neue Bescheinigung beantragen. Sie benötigen nur noch die EKVK. Auf Vorlage der EKVK kann die Behandlung erfolgen!

③ Häufig gestellte Fragen zur neuen Europäischen Krankenversicherungskarte. Ordnen Sie die Fragen a) bis d) den Antworten 1 bis 4 zu.

a) Wird die Karte persönliche Daten des Patienten enthalten?
b) Wie bekomme ich eine Europäische Krankenversicherungskarte?
c) Im Ausland stelle ich fest, dass ich meine Karte vergessen oder verloren habe. Was kann ich tun?
d) Kann ich die Karte auch verwenden, wenn ich nur für eine medizinische Behandlung in ein anderes EU-Land fahre?

1 _____?

Als Versicherungsnehmer bekommen Sie die Karte automatisch von Ihrer Krankenkasse zugeschickt. Sollte das nicht der Fall sein, fragen Sie bitte bei Ihrer Krankenkasse nach.

2 _____?

Wenn Sie Ihre Europäische Karte vergessen oder verloren haben, können Sie Ihre Krankenkasse um die rasche Übersendung einer provisorischen Ersatzbescheinigung mittels Fax oder per E-Mail bitten.

3 _____?

Die Karte gilt nur für unmittelbar erforderliche medizinische Versorgungen, z.B. bei einem gebrochenen Bein, einem kranken Zahn, einem Virus oder für eine fortlaufende Versorgung bei schweren chronischen Erkrankungen wie Diabetes. Sie gilt nicht für Personen, die sich aus bestimmten Gründen für eine Behandlung in einem anderen Mitgliedstaat entscheiden.

4 _____?

Die Karte soll den Zugang zur medizinischen Versorgung innerhalb der EU vereinfachen, sie dient nicht zur Weitergabe von Informationen über den Gesundheitszustand oder andere Behandlungen.

④ Sind Sie in Ihrem Land für einen Krankenfall im Ausland versichert? Wie funktioniert das?

Kapitel 3 Grammatik

Vermutungen: Nebensatz mit *dass*
→ S. 44

Hauptsatz	Nebensatz mit *dass*		
Ich nehme an,	dass	Jörg Winkelmann in der Personalabteilung tätig	ist.
Ich vermute,	dass	die Personalabteilung die Fortbildung	organisiert.
Ich glaube,	dass	Herr Knoop Anlagen	montiert.
Ich meine,	dass	der Kundendienst Anlagen	wartet.
Ich denke,	dass	Hans Koller das Unternehmen	leitet.
Es kann sein,	dass	Angelika Süßlin die Beauftragte für Arbeitssicherheit	ist.

Passiv Präsens
→ S. 45

	werden		Partizip Perfekt
Die Atmosphäre	wird	mit Schadstoffen	belastet.
Die SolVent GmbH	wird	bald in eine Aktiengesellschaft	umgewandelt.
Die SolVent-Anlagen	werden	in viele Länder	geliefert.
Die Solarmodule	werden	in Deutschland und im Ausland	verkauft.

Verben mit Präpositionalobjekt
→ S. 46

Verb	Frage			Antwort	
	Sache	Person		Sache	Person
warten auf	Worauf	Auf wen	wartet sie?	Darauf.	Auf ihn.
verantwortlich sein für	Wofür	Für wen	ist er zuständig?	Dafür.	Für sie.
vergleichen mit	Womit	Mit wem	vergleicht er das?	Damit.	Mit euch.
sich erkundigen nach	Wonach	Nach wem	erkundigt ihr euch?	Danach.	Nach ihm.
sich beschweren über	Worüber	Über wen	beschweren Sie sich?	Darüber.	Über ihn.
sich kümmern um	Worum	Um wen	kümmerst du dich?	Darum.	Um sie.

Wie macht man was? Sätze mit *indem* ...
→ S. 51

Hauptsatz: Was	Hauptsatz: Wie
Wir wollen die Umwelt schützen.	Wir setzen Solarenergie ein.
Wir wollen Rückenschmerzen vermeiden.	Wir üben das richtige Tragen.
Wir sollen die Mitarbeiter schulen.	Wir müssen Fortbildungen organisieren.
Hauptsatz: Was	**Nebensatz: Wie**
Wir schützen die Umwelt, Die Umwelt wird geschützt,	indem wir Solarenergie einsetzen. indem Solarenergie eingesetzt wird.
Wir vermeiden Rückenbeschwerden, Rückenbeschwerden werden vermieden,	indem wir das richtige Heben und Tragen üben. indem das richtige Heben und Tragen geübt wird.
Wir schulen die Mitarbeiter, Die Mitarbeiter werden geschult,	indem wir Fortbildungen organisieren. indem Fortbildungen organisiert werden.

Wie geht es Frau .../Herrn ...?
→ S. 52

Wer		Was
Frau .../Herr .../Kurt Sie	hat haben	Zahnschmerzen/Kopfschmerzen/Fieber/Husten/eine Erkältung/... sich das Bein gebrochen/zu viel getrunken/...
Ich	bin	erkältet/krank/müde/blass/...
Wem		**Wie**
Frau/Herrn .../Eva	ist	schlecht/nicht gut/übel/schwindlig/das Essen nicht bekommen/...
Ihr/Ihm	geht es	schlecht/nicht gut/etwas besser/...
Mir	tut	der/die/das Bein/Bauch/Brust/Fuß/Hals/Kopf/... weh.

– Wie organisieren wir die Touren?
– So sieht unsere Planung aus.
– Holen Sie die Personen bitte
  um 10.00 Uhr ab!
– Mit wem spreche ich am
  besten?
– Kommunikation ja – aber wie?
– Guten Tag, hier spricht der
  Anschluss von ...

KAPITEL 4

VON HAUS ZU HAUS MIT ...

Das lernen Sie hier:
– planen und organisieren
– Aufträge erteilen
– auf Aufträge reagieren
– Anliegen am Telefon vortragen
– passende Mittel in der Geschäftskommunikation wählen
– auf automatische Ansagen reagieren

Wie machen wir das?

Auftragsübersicht

Kunde	Ort	Liefermenge	Lieferzeit
Fa. Plastec	Nürnberg	250 kg	12.10., zwischen 12.00 und 17.00 Uhr
Elektro-Berg	Würzburg	800 kg	13.10., vor 17.00 Uhr
Fa. Pollrath	Stuttgart	3 Paletten à 400 kg	12.10, nicht später als 12.00 Uhr
Elektro-Hiller	Regensburg	3,9 t	11.–13.10., jeweils 8.00–15.00 Uhr
Fa. Kögel	Ulm	300 kg	13.10., nicht vor 9.00 Uhr
Fa. Moser	Linz	1,6 t	11.10. ab 12.00 Uhr

Typ:
Nutzlast:
Geschwindigkeit:
Kosten pro km:

VW-Transporter
1,4 t
90 km/h
€ 0,95

Mercedes Sprinter
2,4 t
100 km/h
€ 1,10

Typ:
Nutzlast:
Geschwindigkeit:
Kosten pro km:

Mercedes Vario
3,8 t
85 km/h
€ 1,25

MAN L 2000
7,5 t
70 km/h
€ 1,50

Streckenplan und Entfernungen

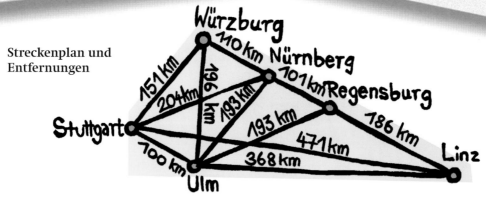

Würzburg — 110 km Nürnberg — 101 km Regensburg
151 km, 204 km, 196 km, 193 km, 193 km, 186 km, 471 km, 368 km, 100 km
Stuttgart — Ulm — Linz

Kosten pro Person / Stunde:
€ 22,00

Ausladezeit:
jeweils 1 Std.

A Von Nürnberg nach ...

1 Suchen Sie die Angaben in den Übersichten oben.

1 Wie viele Fahrzeuge stehen der Spedition zur Verfügung?
2 Wie viele Tonnen kann der Lkw MAN L 2000 befördern?
3 Wie weit ist es von Nürnberg nach Regensburg?
4 Wie hoch sind die Fahrzeugkosten von Nürnberg nach Ulm mit dem VW-Transporter?
5 Was kostet eine Fahrt von Nürnberg nach Linz mit dem MAN L 2000 (Fahrzeug- und Personalkosten)?
6 Welcher Kunde muss zuerst beliefert werden?

2 Arbeiten Sie in drei Zweier-Gruppen. Eine Gruppe informiert jeweils zwei andere Gruppen in einem ca. dreiminütigen Vortrag über folgende Themen:

Arbeitsgruppe 1: Der Fuhrpark von Transko Logistik Nürnberg
Der Fuhrpark von ... umfasst ... Fahrzeuge. Folgende Typen stehen zur Verfügung: ... Die Geschwindigkeit des ... beträgt ... Kilometer pro Stunde. Die Kosten pro Kilometer betragen ...

Arbeitsgruppe 2: Die Auftragslage
Die Spedition muss zwischen dem 11. und 13. Oktober ... Aufträge erledigen. Die Liefermenge an die Firma ... in ... beträgt ... Der Kunde erwartet die Lieferung ab ...

Arbeitsgruppe 3: Die Entfernungen und Fahrzeiten von Nürnberg an die Lieferorte
Die Entfernung von Nürnberg nach beträgt ... Die Fahrzeit von Nürnberg nach ... beträgt mit dem VW-Transporter ... circa .... Mit dem ... beträgt die Fahrzeit etwa ...

B Lenkzeiten und Ruhezeiten

Sprechen Sie über die Vorschriften für Fernfahrer.

Fahrzeit	täglich	9 Stunden
	2 x wöchentlich	10 Stunden
	in 2 Wochen	90 Stunden
Pause nach	4,5 Std. Lenkzeit	45 Minuten
Ruhezeit	in 24 Stunden	11 Stunden
	3 x wöchentlich	9 Stunden
	2 Fahrer (in 30 Stunden)	8 Stunden

▷ Wie lauten die Vorschriften zur Fahrzeit?
▷ Wenn man zweimal pro Woche 10 Stunden pro Tag gefahren ist, dann darf man an den anderen Tagen nicht mehr als 9 Stunden fahren. Wenn man zwei Wochen lang fährt, dann darf man …
▷ Welche Vorschriften gibt es zu den Pausen?
▷ Man muss 45 Minuten Pause machen, wenn man …

wenn-Sätze

Nebensatz mit *wenn*				Hauptsatz (mit *dann*)			
Wenn	man 4,5 Stunden	gefahren	ist,		muss	man 45 Minuten Pause	machen.
Wenn	wir über Ulm		fahren,	**dann**	kommen	wir später in Linz	an.

Hauptsatz				Nebensatz mit *wenn*			
Man	muss	45 Minuten Pause	machen,	**wenn**	man 4,5 Stunden	gefahren	ist.
Wir	kommen	später in Linz	an,	**wenn**	wir über Ulm		fahren.

C Tourenplanung

❶ Erarbeiten Sie in Gruppen eine Tourenplanung: So wenig Personal wie möglich, so wenig Fahrzeuge wie möglich, so schnell wie möglich, so geringe Kosten wie möglich.

▷ Wir fahren um … nach … Dann sind wir um … in …
▷ Wenn wir den … nehmen, dann können wir …
▷ Wir fahren zuerst nach/zu … Dann können wir um … nach/zu … weiterfahren.
▷ Wenn wir zuerst/danach/als Nächstes … beliefern, dann brauchen wir nur …

❷ Was passt zu Ihrer Planung? Ordnen Sie zu.

Wenn wir
1 den VW-Transporter nehmen,
2 den MAN L 2000 nehmen,
3 Würzburg und Ulm beliefern,
4 den Sprinter nehmen,
5 mit dem Sprinter zur Firma Pollrath fahren,

dann
a) können wir den VW-Transporter nehmen.
b) sind wir in etwas über zwei Stunden in Stuttgart.
c) können wir die 250 kg für Plastec mitnehmen.
d) liegen die Fahrtkosten etwas höher als mit dem VW.
e) können wir Elektro-Hiller und Firma Moser beliefern.

❸ Präsentieren Sie ihre Planungen an der Tafel, am Flipchart, auf einer Wandzeitung.

❹ Vergleichen Sie Ihre Pläne. Welcher Plan ist am günstigsten?

▷ Wenn wir …, dann …
▷ Wir fahren zuerst nach …, weil …
▷ Aber wenn man zuerst … , dann …
▷ Ja, aber wenn …
▷ …

1

Zielort:
Firma: _Elektro-Hiller_ _Fa. Moser_
Frachtgut: _Kleineisenteile_ _Konserven_

Gewicht:
Liefertermin: _11.10., ab 8.00_ _ab 12.00_ Kennz.: _N-AK 596_
Fahrzeug:

Fahrer:

Abfahrt:
Rückkehr: _11.10., ca. 19.00 Uhr_

2

Zielort: _Stuttgart_
Firma:
Frachtgut: _Kopierpapier_ _Fa. Plastec Regalbretter_
Gewicht:
Liefertermin:
Fahrzeug:
Fahrer: Kennz.:
Abfahrt: _12.10., 7.30 Uhr_
Rückkehr: _12.10., ca. 14.00 Uhr_

3

Zielort: _Würzburg_ _Ulm_
Firma: _Fa. Kögel_
Frachtgut: _Bauteile_ _Firmenprospe_
Gewicht:
Liefertermin:
Fahrzeug: _VW-Transp._ Kennz.: _N-TL_
Fahrer:
Abfahrt: _13.10., 7.30 Uhr_
Rückkehr: _13.10., ca. 16.00_

A Sechs Aufträge – drei Tourenplanungen

❶ Füllen Sie einen der drei Tourenplanungen so weit wie möglich aus. Informieren Sie sich gegenseitig.

❷ Hören Sie: Was besprechen die beiden Mitarbeiter in der Disposition?

1 Sie besprechen die Lieferung,
    a) die nach Stuttgart geht.
    b) die nach Regensburg geht.
    c) die nach Regensburg und Linz geht.

2 Dazu wird
    a) der Vario eingesetzt.
    b) der MAN eingesetzt.
    c) der Vario und der MAN eingesetzt.

3 Sie finden eine Lösung,
    a) die Zeit spart, aber teuer ist.
    b) die Zeit und Geld spart.
    c) die Geld spart, aber lange dauert.

4 Dazu brauchen sie
    a) einen Fahrer, der die Tour in zehn Stunden erledigen kann.
    b) einen Fahrer, der die Lieferung in zwei Touren erledigen kann.
    c) zwei Fahrer, die die Lieferung an einem Tag erledigen können.

❸ Tragen Sie die Angaben in die passende Tourenplanung ein.

B Fahrerdisposition

❶ Planen Sie den Einsatz der Fahrer. Orientieren Sie sich an den Tourenplanungen in Aufgabe A und am Personaleinsatzplan unten.
Arbeiten Sie in Gruppen zu fünft: ein Disponent, vier Fahrer. Wechseln Sie die Rollen.

Personaleinsatz 41. Kalenderwoche				
Fahrer	Mo, 11.10.	Di., 12.10.	Mi., 13.10.	Do., 14.10
Peter Anders	frei	frei	frei	Vorm. Wartung von N-AK 596
Erich Rösner	Stadtfahrten in Nürnberg	2,2 t Basel		8.00–9.00 Arzttermin
Dieter Pauli			Hannover	7.00–16.00 Lagerarbeiten
Karl Schwitters	Vorm. Entladearbeiten Nachm. Güterbahnhof		Zürich, Mailand	Zürich, Mailand

Wer kann am … die Lieferung nach … bringen?
Ich suche jemand, der am 11.10. die Lieferung nach … bringt.
Wer hat … am … von … bis circa … Zeit?
Ich brauche jemand, der am … die Bauteile und die Firmenprospekte nach … fahren kann.
Wer kann morgen dem Kunden … in … … liefern?
Wer ist am … noch nicht eingeteilt?
Ist hier niemand, der am … noch eine Tour übernehmen kann?

Tut mir leid.	Ich habe eine Fahrt nach … Ich muss … …	Ja,	das geht. das kann ich machen. …

2 Tragen Sie die Fahrer in die Tourenplanungen in Aufgabe A und die Touren in den Personaleinsatzplan in Aufgabe B1 ein.

Relativsatz (Nominativ)

	Relativpronomen
Jetzt habe ich **einen Fahrer** gefunden. **Er** kann die Tour machen. → Jetzt habe ich **einen Fahrer** gefunden, **der** die Tour machen kann.	Sg. der
Jetzt habe ich **ein Fahrzeug** gefunden. **Es** ist groß genug für die Tour. → Jetzt habe ich **ein Fahrzeug** gefunden, **das** groß genug für die Tour ist.	das
Jetzt habe ich **eine Kollegin** gefunden. **Sie** besucht den Kunden. → Jetzt habe ich **eine Kollegin** gefunden, **die** den Kunden besucht.	die
Jetzt habe ich **zwei Leute** gefunden. **Sie** wollen nach Linz fahren. → Jetzt habe ich **zwei Leute** gefunden, **die** nach Linz fahren wollen.	Pl. die

C Was für ein …

Sprechen Sie.

- Wo ist …?
- Hier sind …
- Ich habe …
- Wo bleibt …?
- Es gibt …
- …

Besucher – wollen Herrn Sommer sprechen •
Fahrer – kann die Tour machen •
Tourenplan – ist noch nicht fertig •
Hotel – haben wir gebucht •
Besucherin – wollte kommen •
Besucher – haben sich angemeldet •
Kunde – braucht dringend die Lieferung •
jemand – kommt mit • …

Beispiel 1:
▷ Hier sind die Besucher.
▷ Was für Besucher?
▷ Die Besucher, die Herrn Sommer sprechen wollen.
▷ Ach so!

Beispiel 2:
▷ Wo ist der Fahrer?
▷ Was für ein Fahrer?
▷ Der …, der …
▷ …

D Eine Dispositionsaufgabe

Planen Sie eine Tour. Arbeiten Sie zu zweit oder zu dritt. Diskutieren Sie Ihre Lösung mit anderen Gruppen.

- Was für ein Fahrzeug brauchen Sie? Wann ist es zurück?
- Wie viele Leute brauchen Sie? Welche Ruhe- und Pausenzeiten müssen Sie einplanen?
- Kalkulieren Sie die Kosten.

Holen Sie die Personen bitte um 10.00 Uhr ab!

A Auftrag für die Firma Tröger Bustouristik & Funktaxi, Nürnberg

Rufen Sie bei der Firma Tröger Bustouristik & Funktaxi an. Spielen Sie die Telefonate zu zweit.

- Sie brauchen ein Taxi.
- Sie möchten einen Reisebus buchen.
- Sie bestellen einen Kleinbus.

- Bitte bringen Sie ...!
- Holen Sie bitte ... ab!
- Könnten Sie bitte ... ?
- Ihr Fahrer soll bitte ...

Wichtige Punkte:
- was für Leute
- wie viele Personen
- wann
- wo abholen
- wohin bringen

B Hier ist Hotel Clarissa.

❶ Sie hören drei Telefongespräche. Nummerieren Sie.

Gespräch

1 Firma Tröger soll ☐ 20 Besucher aus China
☑ 14 Seminarteilnehmer
☐ einen Gast, dem es nicht gut geht,

Gespräch

☐ zum Arzt fahren.
☐ zum Flughafen Frankfurt fahren.
☐ zur Messe Nürnberg bringen.

Gespräch

2 ☐ Der Abflug ist um 20.00 Uhr.
☐ Der 30er-Bus ist leider schon gebucht.
☐ Der Fahrer soll den Gast in die Praxis Dr. Wagner bringen.

Das sagt: Hotel Clarissa ☐ ☐ ☐   Firma Tröger ☐ ☐ ☐

Gespräch

3 Problem: ☐ Der Bus, den der Anrufer haben möchte, steht nicht zur Verfügung.
☐ Es ist sehr dringend.
☐ Das Hotel muss den Termin, den es gestern vereinbart hat, verschieben.

Gespräch

4 Lösung: ☐ In zwei Minuten steht der Wagen vor dem Hoteleingang.
☐ Firma Tröger holt die Gruppe zu der Uhrzeit ab, die jetzt mitgeteilt wird.
☐ Firma Tröger schickt zwei Kleinbusse für die Fahrt.

❷ Fassen Sie die Gespräche zusammen.

Firma Tröger soll 14 Seminarteilnehmer zur Messe Nürnberg bringen.
Das Problem ist, dass der 30er Bus schon gebucht ist und der 50er Bus
zu groß und zu teuer ist. Firma Tröger schickt daher zwei Minibusse.
Firma Tröger sagt: „Das ist dann sehr günstig für Sie."

❸ Partnerarbeit:
Wiederholen Sie ein
oder zwei Gespräche.

Aufforderungen, Anweisungen, Bitten							
Bitte	hol	die Leute	ab!			Könntest	du die Leute (bitte)	abholen?
	Hol	bitte die Leute	ab!	Du	sollst	die Leute	abholen.

C PARTNER **A** benutzt Datenblatt A9, S. 174. PARTNER **B** benutzt Datenblatt B9, S. 184.

D Nachfragen

> ▷ Laden Sie bitte das Frachtgut in den Lkw.
> ▷ Welches Frachtgut?
> ▷ Die Paletten, die in Halle 2 stehen.

Die Paletten stehen in Halle 2.

> ▷ Und in welchen Lkw?
> ▷ In den 12-Tonner, den Sie gestern vom Kundendienst abgeholt haben.

Den 12-Tonner haben Sie gestern vom Kundendienst geholt.

> ▷ Könntest du das Gepäck in den Anhänger tun?
> ▷ Welches Gepäck?
> ▷ Natürlich das Gepäck, das der …

Es gehört der Gruppe.

> ▷ Und welcher Gruppe?
> ▷ Der Gruppe, ….

Du hast sie vor zwei Wochen abgeholt.

> ▷ Und in welchen Anhänger?
> ▷ In den Gepäckanhänger, ….

Du hattest ihn schon bei der Abholung.

> ▷ Ihr sollt die Gäste in die Abteilung begleiten.
> ▷ Welche Gäste?
> ▷ …

Ihr sollt ihnen die Tablettenherstellung zeigen.

> ▷ Und in welche Abteilung?
> ▷ …

Frau Dr. König leitet sie.

Demonstrativ- und Relativpronomen

Demonstrativpronomen (Nominativ, Akkusativ, Dativ)

Wer ist Herr Knoll?	Der arbeitet bei D&T.	Den kennen Sie schon.	Dem liefern wir Bauteile.
Wer ist das Team?	Das arbeitet bei D&T.	Das kennen Sie schon.	Dem liefern wir Bauteile.
Wer ist Frau Mai?	Die arbeitet bei D&T.	Die kennen Sie schon.	Der liefern wir Bauteile.
Wer sind die Leute?	Die arbeiten bei D&T.	Die kennen Sie schon.	Denen (!) liefern wir Bauteile.

→ Relativpronomen und Relativsätze (Nominativ, Akkusativ, Dativ)

Das ist Herr Knoll,	der bei D&T arbeitet.	den Sie schon kennen.	dem wir Bauteile liefern.
Das ist das Team,	das bei D&T arbeitet.	das Sie schon kennen.	dem wir
Das ist Frau Mai,	die		
Das sind die Leute,			

E Auftraggeber – Auftragnehmer

① Auftraggeber: Erteilen Sie den Auftrag telefonisch oder schriftlich per Fax oder E-Mail.

Abholung 14 Personen mit viel Gepäck vom Flughafen Frankfurt Ankunft mit Flug LX 542, Terminal A, kommenden Montag, 16.30 Uhr

② Auftragnehmer: Kalkulieren Sie die Kosten und besprechen Sie das Angebot mit dem Kunden.

③ Welcher Mitarbeiter kann den Auftrag erledigen? Nehmen Sie den Auftrag an oder lehnen Sie ihn ab.

- Nehmen Sie den Auftrag an: Okay, …
- Nehmen Sie den Auftrag bedingt an: Ja, …, wenn …
- Lehnen Sie den Auftrag begründet ab: Nein, …, weil …

Microsoft Excel - Mappe1

Datei Bearbeiten Ansicht Einfügen Format Extras Daten Fenster ?

Bild 1 =

	A	B	C	D
1	Kleinbus 7-Sitzer	1,10 €/km	Reisegeschwindigkeit: 100 km/h	Fahrzeit/Std. € 22,-
2	Bus 20-Sitzer	1,40 €/km	90 km/h	Wartezeit/Std. € 16
3	Bus 30-Sitzer	1,60 €/km	80 km/h	Entfernung Nürnberg – Frankfurt:
4				260 km
5				

Tabelle1 Tabelle2 Tabelle3

Bereit

Könnten Sie bitte am … um … nach … fahren.
Fahren Sie bitte am … um … nach …

▼

Okay, …
Ja, …, wenn …
Nein, …, weil …

Mit wem spreche ich am besten?

sich melden, grüßen

Gesprächspartner nicht zuständig

Gesprächspartner nicht anwesend / Leitung belegt

sich verbinden lassen

Gesprächspartner zuständig

sich Zeitpunkt für neuen Anruf sagen lassen

Nachricht hinterlassen

Gespräch führen, Auskunft erteilen, Hilfe anbieten usw.

danken, Gespräch beenden, sich verabschieden

A Anruf bei Firma ...

① Spielen Sie einige Anrufe nach dem Ablauf oben. Überlegen Sie vorher:

Was sagen Sie, wenn Sie:
- den zuständigen Gesprächspartner nicht erreichen können.
- den zuständigen Mitarbeiter nicht kennen.
- Telefonnummer und Durchwahl haben, sich aber nur der Anrufbeantworter meldet.

Sie möchten:
- Prospekte
- einen Bus bestellen
- einen Termin vereinbaren
- ein Angebot über ...
- eine Auskunft über ...
- Hilfe bei ...

- Guten Tag, hier spricht ...
- Ich rufe an, weil ...
- Könnte ich bitte mit Frau / Herrn ... sprechen?
- Könnten Sie mir bitte die Durchwahl von Frau / Herrn ... geben?
- Könnten Sie bitte Frau / Herrn ... eine Nachricht hinterlassen?

② Vergleichen Sie die Telefongespräche 1 bis 3 mit dem Diagramm oben. Wie verlaufen die Gespräche?

③ Worum geht es in den Telefongesprächen? Ordnen Sie zu.

Anliegen

Anruf 1
Anruf 2
Anruf 3

1 Anmietung eines Busses

2 Mitteilung über eine Verspätung

3 Angebot für einen Bustransfer

Der Anrufer

a) lässt sich die Durchwahl des zuständigen Mitarbeiters geben.

b) kann den zuständigen Mitarbeiter nicht erreichen und hinterlässt eine Nachricht.

c) lässt sich mit dem zuständigen Mitarbeiter verbinden.

Das Verb *lassen*

Das		Präsens			Perfekt		
Das	mache ich nicht selbst.	Das lasse	ich	machen.	Das habe ich	machen	lassen.
	machst du nicht selbst.	lässt	du		hast du		
	macht er nicht selbst.	lässt	er		hat er		
	machen wir nicht selbst.	lassen	wir		haben wir		
	macht ihr nicht selbst.	lasst	ihr		habt ihr		
	machen sie / Sie nicht selbst.	lassen	sie / Sie		haben sie / Sie		

B PARTNER Ⓐ benutzt Datenblatt A10, S. 174. PARTNER Ⓑ benutzt Datenblatt B10, S. 184.

C Was lässt die Körner AG jetzt machen?

❶ Herr Gül berichtet einem Freund über neue Entwicklungen in der Firma. Formulieren Sie neu.

Eine Consultingfirma hat unsere Geschäftsführung beraten. Das Ergebnis war: Professionelle Dienstleister sind günstiger. Zum Beispiel haben wir keinen eigenen Fuhrpark mehr. Jetzt führt Transko Logistik alle Transporte für den Versand durch. Wir haben auch kein Reinigungspersonal mehr. Verschiedene Anbieter haben die Geschäftsführung über ihre Leistungen und Preise informiert. Jetzt reinigt ein örtliches Spezialunternehmen die Büros und Labors. Leider haben wir auch keine eigene Küche mehr. Die Geschäftsführung hat beschlossen: Die Mitarbeiter testen drei Monate lang die Fertigmenüs einer Cateringfirma. Das Essen hat uns nicht gut geschmeckt. Trotzdem kommt das Essen jetzt von dort.

Die Firma hat sich beraten lassen:

Fuhrpark/Transporte:
Der Versand lässt … von Transko Logistik …

Gebäudereinigung:
Die Geschäftsführung hat sich über … lassen.
Die Büros und Labors … wir jetzt von …

Küche:
Die Geschäftsführung hat die Mitarbeiter drei Monate lang …
Trotzdem … die Firma jetzt das Essen …

❷ Machen oder machen lassen: Wie ist das in Ihrer Ausbildung, in Ihrer Firma, in Ihrer Familie?

D Effizientes Telefonieren

❶ Das Anliegen kurz und präzise nennen.

Sie wissen nicht, wer zuständig ist. Markieren und nennen Sie Ihrem Gesprächspartner zwei/drei Stichpunkte, damit er entscheiden kann, mit wem er Sie am besten verbindet.

1 Heute in einer Woche müssen 25 Personen zum Flughafen Zürich. Sie brauchen einen (Bus) (für 25 Personen). Sie hätten gern ein (Angebot). Die Gruppe soll um 8.30 Uhr hier abfahren.

| Es | handelt sich um | … | (AKKUSATIV) |
| | geht um | | |

Ich rufe wegen … an. (GENITIV)

2 Sie erwarten eine Lieferung. Der Lkw sollte um 14.30 Uhr bei Ihnen in der Warenannahme sein. Jetzt ist es schon fast 16.00 Uhr. Sie möchten Auskunft, wann der Wagen ankommt.

3 Sie haben eine Telefonnotiz bekommen: Hotel Clarissa möchte zwei Minibusse für eine ganztägige Firmenbesichtigung reservieren. Sie können die Anfrage nicht bearbeiten, weil Ihnen einige Angaben fehlen.

❷ Den richtigen Ansprechpartner finden. Lassen Sie sich …

• verbinden: _Bitte verbinden Sie mich mit Herrn/Frau … / mit der …abteilung._

• den zuständigen Mitarbeiter nennen: _____

• die Durchwahl geben: _____

• einen Termin für einen Rückruf geben: _____

❸ Das Gespräch führen. Schreiben Sie zur Vorbereitung Ihres Gesprächs einen Merkzettel: *mit wem, worüber, mit welchem Ziel.*
Führen Sie Gespräche anhand Ihres Merkzettels oder der folgenden Beispiele.

• Lang, Seminar- und Veranstaltungsservice, 84 26 24-532
• Angebot für Bustransfer
• Auskunft über Anzahl Personen, Datum, Zielort

• Einkauf Moser GmbH, Herr/Frau???
• Verspätung Auftrag Nr. AM/89
• Lieferung spätestens in 2 Tagen

• Vertrieb/Marketing
• Interesse an neuen Gerätemodellen
• Prospekte, Preislisten, Gesprächstermin

Kommunikation ja – aber wie?

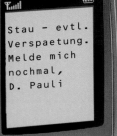

Stau – evtl.
Verspaetung.
Melde mich
nochmal,
D. Pauli

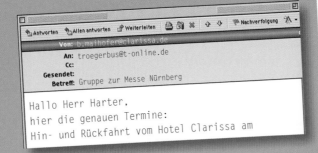

Von: b.maihofer@clarissa.de
An: troegerbus@t-online.de
Cc:
Gesendet:
Betreff: Gruppe zur Messe Nürnberg

Hallo Herr Harter,
hier die genauen Termine:
Hin- und Rückfahrt vom Hotel Clarissa am

FAX-NACHRICHT

Von: KTM, Söhlke
An: Frau Lorenzo, Transko Logistik

Datum: 05.12.06

Betreff: Gespräch am 08.12

Sehr geehrte Frau Lorenzo,

TRANSKO Logistik – Niederl. Nürnberg

Komatec GmbH
Postfach 10052
91058 Erlangen

12.05.06

Angebot

Sehr geehrte Damen und Herren,

A Kommunikationsmittel

① Welches Kommunikationsmittel benutzen Sie?

- dienstlich: häufig, gelegentlich, nie?
- privat: häufig, gelegentlich, nie?

> E-Mail • Brief • Fax •
> SMS • Telefonat • Gespräch

② Welches Kommunikationsmittel benutzen Sie, wenn Sie:

- ein Taxi bestellen?
- eine unvorhergesehene Verspätung melden müssen?
- einen großen Transportauftrag erteilen?
- Zahlungs- und Lieferbedingungen verhandeln?
- sich zum Essen verabreden?
- zur Feier des Firmenjubiläums einladen?
- Datum und Uhrzeit für die Abholung am Flughafen mitteilen?
- sich für die verspätete Lieferung entschuldigen?
- ein Stammkunde unzufrieden ist und den Auftrag kündigen will?
- vier Personen namentlich zu einem Seminar anmelden?
- sich für die schnelle Lieferung bedanken?
- einen Kunden zur Zahlung auffordern?

Begründung:

> schnell •
> höflich •
> sachlich •
> kundenorientiert •
> persönlich •
> praktisch •
> rechtsgültig •
> passend •
> …

Wenn ich einem Geschäftspartner für seine schnelle Lieferung danken möchte, dann schreibe ich einen Brief, weil das persönlich ist. Ein Telefonat kommt auch in Frage. Wenn ich Seminarteilnehmer anmelde, kann ich ein Fax schicken. Das ist rechtsgültig.

B Da geht etwas schief.

① Sie hören vier Dialoge. Was geht schief?

a) Der Besucher kommt unangemeldet und ist nicht willkommen. Dialog _____

b) Der Besucher hat sich verspätet. Dialog _____

c) Der Empfänger hat eine wichtige Nachricht übersehen. Dialog _____

d) Der Anrufer kann seinen Gesprächspartner telefonisch nicht erreichen. Dialog _____

② Diskutieren Sie: Warum geht das schief? Hat das Folgen? Welche?

C Wie würden Sie es machen?

❶ Diese Vorschläge helfen Ihnen.

> auf eine Einladung warten • das Anliegen per E-Mail erklären •
> einen Brief schreiben • keinen Besuch ohne Verabredung machen • per Post schicken •
> schriftlich bestätigen • um einen Termin bitten • ...

▶ Wenn ich gern einen Kunden besuchen würde, würde ich um einen Termin bitten.
▶ Wenn ich eine Besprechung vereinbaren würde, dann würde ich den Termin schriftlich bestätigen.
▶ Wenn ich ... würde, dann würde ich ...

Konjunktiv II: *würd-* + Infinitiv			
Ich / Er / Sie / Das Unternehmen	würde	einen Brief	schreiben.
	würdest	du auch einen Brief	schreiben?
Wir / Sie / Die Mitarbeiter	würden	ein Fax	schicken.
	würdet	ihr das auch so	machen?

❷ Hören Sie die Dialoge von Aufgabe B noch einmal. Was hätten Sie / Ihre Kollegen an Stelle von Frau Kunz, Herrn Sawatzki, Frau Lorenzo und Herrn Söhlke gemacht? Schreiben Sie.

An Stelle von Frau Kunz hätte ich mein Anliegen per E-Mail erklärt.

An Stelle von ... hätte ich

Ich hätte an Stelle von ...

Konjunktiv II Vergangenheit: *hätte-* / *wäre-* + Partizip			
Ich	hätte	Herrn Harter mein Anliegen per E-Mail	erklärt.
Du	wärest	besser nicht ohne Einladung zu Herrn Baumann	gefahren.
Er	hätte	besser um einen Termin	gebeten.
Wir		pünktlich zum Termin	gekommen.
Ihr		die Bestellung besser schriftlich	bestätigt.
Sie		besser schon heute Morgen	abgefahren.

D PARTNER Ⓐ benutzt Datenblatt A11, S. 175. PARTNER Ⓑ benutzt Datenblatt B11, S. 185.

E Eine dringende Anfrage

Um 17.00 Uhr ruft Herr Farias von der Firma Weltner & Co. an und bittet um ein Angebot für eine zweitägige Busfahrt in die österreichischen Alpen mit 25 Teilnehmern. Er braucht das Angebot bis 19.00 Uhr. Herr Harter sagt zu. Er ist aber um 18.00 Uhr mit Fred in der Pizzeria Da Mario verabredet. Er muss nun Bescheid sagen, Fred hat aber sein Handy ausgeschaltet.
Herr Farias möchte übermorgen mit Herrn Harter über den Preis und die anderen Einzelheiten sprechen. Für übermorgen hat Herr Harter aber einen Besuch bei der Kalanda AG geplant. Vielleicht kann das seine Kollegin, Frau Molitor, für ihn machen?

❶ Wie würden Sie das machen? Fragen Sie Kollegen in der Klasse.

• Was würden Sie heute noch wem mitteilen bzw. schicken?
• Was würden Sie auch noch morgen wem mitteilen oder schicken?
• Welche Kommunikationsmittel würden Sie benutzen?

❷ Berichten Sie, was die Kollegen machen würden. Wer hat die beste Lösung?

❸ Spielen Sie die Gespräche, die Herr Harter führen muss, in der Klasse.

Guten Tag, hier spricht der Anschluss von ...

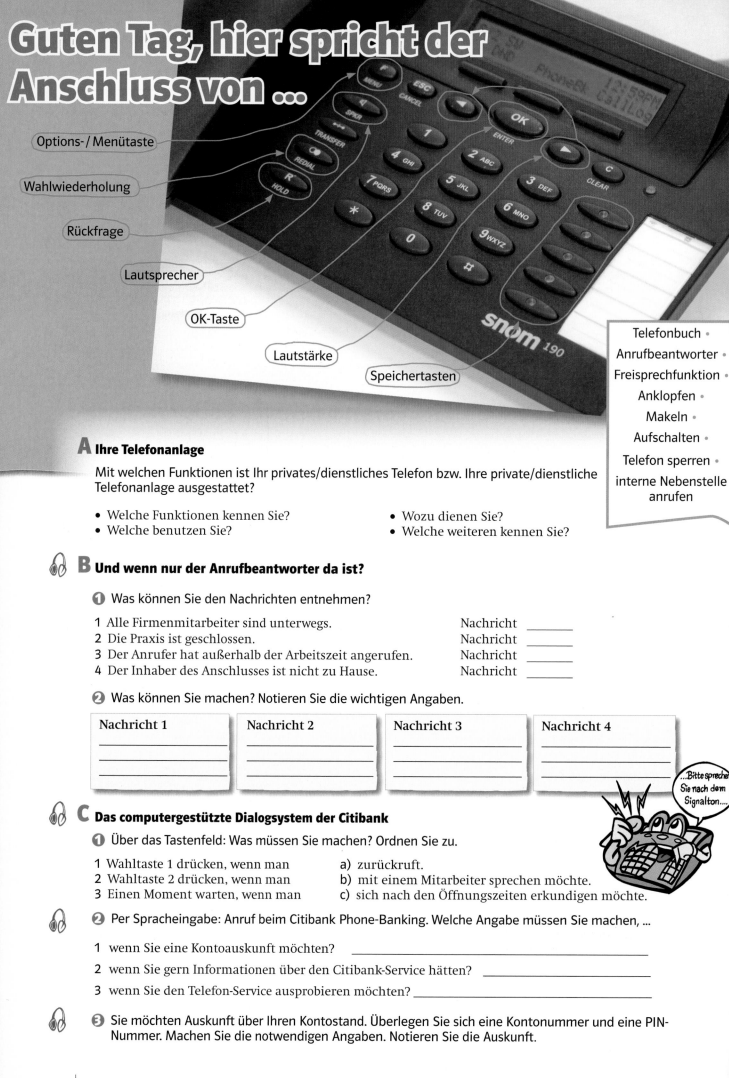

Options- / Menütaste

Wahlwiederholung

Rückfrage

Lautsprecher

OK-Taste

Lautstärke

Speichertasten

snom 190

Telefonbuch ·
Anrufbeantworter ·
Freisprechfunktion ·
Anklopfen ·
Makeln ·
Aufschalten ·
Telefon sperren ·
interne Nebenstelle anrufen

A Ihre Telefonanlage

Mit welchen Funktionen ist Ihr privates/dienstliches Telefon bzw. Ihre private/dienstliche Telefonanlage ausgestattet?

- Welche Funktionen kennen Sie?
- Welche benutzen Sie?

- Wozu dienen Sie?
- Welche weiteren kennen Sie?

B Und wenn nur der Anrufbeantworter da ist?

❶ Was können Sie den Nachrichten entnehmen?

1 Alle Firmenmitarbeiter sind unterwegs.	Nachricht _____
2 Die Praxis ist geschlossen.	Nachricht _____
3 Der Anrufer hat außerhalb der Arbeitszeit angerufen.	Nachricht _____
4 Der Inhaber des Anschlusses ist nicht zu Hause.	Nachricht _____

❷ Was können Sie machen? Notieren Sie die wichtigen Angaben.

Nachricht 1	Nachricht 2	Nachricht 3	Nachricht 4
_____	_____	_____	_____
_____	_____	_____	_____
_____	_____	_____	_____

...Bitte sprechen Sie nach dem Signalton...

C Das computergestützte Dialogsystem der Citibank

❶ Über das Tastenfeld: Was müssen Sie machen? Ordnen Sie zu.

1 Wahltaste 1 drücken, wenn man   a) zurückruft.
2 Wahltaste 2 drücken, wenn man   b) mit einem Mitarbeiter sprechen möchte.
3 Einen Moment warten, wenn man   c) sich nach den Öffnungszeiten erkundigen möchte.

❷ Per Spracheingabe: Anruf beim Citibank Phone-Banking. Welche Angabe müssen Sie machen, ...

1 wenn Sie eine Kontoauskunft möchten? _____

2 wenn Sie gern Informationen über den Citibank-Service hätten? _____

3 wenn Sie den Telefon-Service ausprobieren möchten? _____

❸ Sie möchten Auskunft über Ihren Kontostand. Überlegen Sie sich eine Kontonummer und eine PIN-Nummer. Machen Sie die notwendigen Angaben. Notieren Sie die Auskunft.

D Aufschalten, Makeln, Anklopfen

1 Welche Abschnitte 1 bis 3 aus der Bedienungsanleitung und welche Erläuterungen a) bis c) aus dem Glossar passen zusammen?

Bedienungsanleitung

1 1 Während Sie mit einem Gesprächspartner verbunden sind und ein zweiter Partner in Wartestellung gehalten wird, die Rückfragetaste drücken. Sie werden mit dem wartenden Partner verbunden und der erste Partner wird in Wartestellung gebracht.
2 Die Rückfragetaste erneut drücken; Sie werden wieder mit dem ersten Gesprächspartner verbunden und bringen den zweiten in Wartestellung.

2 1 Die Optionstaste drücken.
2 Die Option *Aufschalten* drücken.
3 Die OK-Taste drücken. Hinweis: Beide Personen hören einen Aufschaltton, wenn Sie sich auf die Verbindung aufschalten.

3 1 Wenn während eines Gesprächs das Anklopfsymbol oben rechts im Display blinkt und ein akustisches Signal zu hören ist, liegt ein wartender Anruf für Sie vor.
2 Wenn Sie die Optionstaste und die OK-Taste drücken, können Sie sehen, wer der wartende Anrufer ist. Ihr aktueller Gesprächspartner ist in Wartestellung.
3 Das aktuelle Gespräch fortsetzen, indem Sie wieder die Optionstaste drücken.
4 Den Hörer auflegen oder die Lautsprechertaste drücken. Das Telefon läutet. Das ist der wartende Anruf.
5 Sie nehmen den Anruf entgegen, indem Sie den Hörer abnehmen oder die Lautsprechertaste drücken.

Glossar der Bedienungsanleitung

a) Anklopfen
Wenn ein anderer Partner Ihre Nebenstelle anruft, während Sie telefonieren, hören Sie zwei kurze Signaltöne und ein Klingelsymbol blinkt im Display.

b) Makeln
Wenn Sie einen Anrufer in Wartestellung bringen und einen zweiten Partner anrufen, können Sie zwischen den Verbindungen hin- und herspringen (makeln).

c) Aufschalten
Mit dieser Funktion können Sie sich auf die laufende Verbindung zwischen zwei Partnern aufschalten. Danach können beide Partner Sie hören. Ein Signalton informiert die Partner, dass eine dritte Person mithört.

2 Welches Telefongespräch passt zu welcher Funktion?

1 Anklopfen: Gespräch _____
2 Makeln: Gespräch _____
3 Aufschalten: Gespräch _____

3 Partnerarbeit: Geben Sie einem Partner die Anweisungen, der Partner demonstriert die Anweisungen mithilfe des Fotos auf der linken Seite.

Gleichzeitigkeit: *während* (Präposition und Konjunktion)	
Präposition (Gen.)	Während eines Gesprächs kann man einen zweiten Anruf annehmen.
Konjunktion	Während man mit einem Partner spricht, kann man ein zweites Gespräch annehmen. Man kann ein zweites Gespräch annehmen, während man mit einem Partner spricht.

E Drücken Sie Gleichzeitigkeit aus.

1 Seminar – nicht rauchen dürfen
2 Bürostunden von 8.00–17.00 Uhr – Mitarbeiter erreichen
3 Sonn- und Feiertage – den 24-Stunden-Service unter 0180-323114 anrufen können
4 Dr. Wagner macht Urlaub – sich an die Praxis Dr. Schmidt wenden können

F Wählen Sie eine Aufgabe.

1 Eine Nachricht für den Anrufbeantworter entwerfen.
2 Rollenspiele zu dritt: Makeln, Anklopfen, Aufschalten.

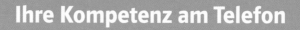

Ihre Kompetenz am Telefon

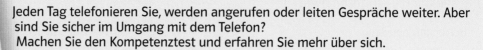

Jeden Tag telefonieren Sie, werden angerufen oder leiten Gespräche weiter. Aber sind Sie sicher im Umgang mit dem Telefon?
Machen Sie den Kompetenztest und erfahren Sie mehr über sich.

1 Sie planen einen wichtigen Anruf. Wann rufen Sie an?
a) Am besten gleich morgens um 8.00 Uhr.
b) Ich rufe an, wenn ich gerade Zeit habe.
c) Meine Notizen sagen mir, welcher Gesprächspartner wann zu erreichen ist.

2 Sie werden im Büro angerufen. Wie melden Sie sich?
a) Ich nenne den Firmennamen, meinen Vor- und Nachnamen und sage einen Gruß.
b) Ich nenne meinen Vor- und Nachnamen.
c) Ich sage „Hallo".

3 Wie machen Sie nach der Begrüßung weiter?
a) Ich versuche es am Anfang immer mit ein wenig Smalltalk. Das lockert die Situation.
b) Ich möchte direkt über Inhaltliches sprechen. Zeit ist Geld.
c) Wenn ich die Person kenne, mache ich einen kurzen Small-Talk. Kenne ich sie nicht, komme ich direkt zur Sache.

4 Wie beenden Sie das Gespräch?
a) Ich verabschiede mich und wünsche einen schönen Tag.
b) Ich fasse das Gesagte noch einmal kurz zusammen und bedanke mich für das Gespräch.
c) Wenn alles gesagt ist, verabschiede ich mich schnell. Mein Gesprächspartner hat schließlich auch viel zu tun.

5 Sie werden von jemandem angerufen, der eine Frage hat, die nicht in Ihren Aufgabenbereich fällt. Was sagen Sie?
a) Es tut mir leid, da sind Sie bei mir falsch.
b) Es tut mir leid, dabei kann ich Ihnen nicht helfen. Das ist der Bereich von Herrn / Frau … Soll ich Sie weiterverbinden?
c) Wer hat Sie denn mit mir verbunden?

6 Sie werden beim Telefonieren wegen einer wichtigen Sache länger gestört. Was sagen Sie zu Ihrem Gesprächspartner?
a) Es tut mir leid, es ist gerade etwas Wichtiges dazwischengekommen. Könnte ich Sie später zurückrufen?
b) Könnten Sie bitte einen Augenblick warten?
c) Rufen Sie mich bitte noch einmal an.

7 Sie haben den Namen Ihres Gesprächspartners nicht verstanden. Wie finden Sie ihn heraus?
a) Ich versuche beim nächsten Gespräch ganz genau auf den Namen zu achten.
b) Ich frage direkt am Anfang des Gesprächs noch einmal höflich nach.
c) Sein Name ist mir egal.

8 Ihr Gesprächspartner redet schon sehr lange, obwohl schon alles gesagt ist. Was machen Sie?
a) Ich warte und lasse ihn ausreden. Ich finde es unhöflich, ihn zu unterbrechen.
b) Ich lege nach einer Weile den Telefonhörer auf.
c) In einer Atempause sage ich: Schön, dass wir mal wieder voneinander gehört haben. Aber jetzt muss ich leider Schluss machen.

9 Sie werden immer weiterverbunden, da sich niemand für Ihre Frage verantwortlich fühlt. Was tun Sie?
a) Nachdem ich drei- bis viermal weiterverbunden wurde, erkläre ich das Problem, hinterlasse meine Telefonnummer und bitte um Rückruf.
b) Ich beschwere mich nach dem dritten Mal. Es kann doch nicht so schwer sein, mich mit der richtigen Person zu verbinden.
c) Ich sage jedes Mal von neuem, warum ich anrufe und hoffe, dass die richtige Person am Telefon ist.

	a)	b)	c)
1	3	1	5
2	5	3	1
3	1	3	5
4	3	5	1
5	3	5	1
6	5	3	1
7	3	5	1
8	3	1	5
9	5	3	1

Zählen Sie Ihre Punkte zusammen und lesen Sie rechts.

9–18 Punkte: Seien Sie ganz ehrlich. Sie sind noch nicht geübt beim Telefonieren. Aber es besteht noch Hoffnung. Vielleicht kann Ihnen Ihr Deutschkurs helfen?
19–37 Punkte: Sie haben schon eine erste Vorstellung von der Kommunikation am Telefon. Aber es gibt noch viele Verbesserungsmöglichkeiten. Üben Sie in Ihrem Deutschkurs.
38–45 Punkte: Sie verstehen etwas von der Telefonkommunikation. Weiter so! Aber man lernt nie aus. Üben Sie immer mal wieder in Ihrem Deutschkurs.

Lkw-Maut in Europa

1. Schauen Sie sich das Schaubild an und überfliegen Sie den Text. Was ist das Thema?
2. Erläutern Sie die beiden im Text beschriebenen Systeme der Mautberechnung.
3. Wie funktioniert die Maut in Ihrem Land? Wie hoch ist die Maut dort?

Lkw-Maut in Europa auf Autobahnen

Zeitabhängige Maut
- Eurovignette
- Vignette

Streckenabhängige Maut Gebühren in Euro je Kilometer

① Deutschland 0,09 – 0,14 Euro
② Frankreich 0,13 – 0,18 Euro
③ Griechenland 0,02 – 0,03 Euro
④ Italien 0,04 – 0,11 Euro
⑤ Kroatien 0,11 – 0,19 Euro
⑥ Mazedonien 0,09 – 0,17 Euro
⑦ Portugal 0,09 – 0,13 Euro
⑧ Schweiz* 0,11 – 0,45 Euro
⑨ Serbien und Montenegro 0,16 – 0,34 Euro
⑩ Slowenien 0,13 – 0,19 Euro
⑪ Spanien 0,09 – 0,13 Euro
⑫ Türkei 0,01 – 0,02 Euro
⑬ Österreich 0,13 – 0,27 Euro

Länder auf der Karte: Schweden, Dänemark, Niederlande, Belgien, Luxemburg, Österreich, Polen*, Tschechien, Slowakei, Ungarn, Rumänien*

❶ Außerdem Stadtmaut in einzelnen Städten in Norwegen und Großbritannien
❷ Zusätzliche Maut auf einzelnen Autobahnen in Österreich und Polen

*gesamtes Straßennetz

Quelle: BGL   Stand 2003

Globus 8799

Fast überall in Europa müssen Spediteure dafür zahlen, dass sie mit schweren Lkws die Straßen abnutzen, Abgase in die Luft pusten und Lärm machen. Die Länder erheben die Abgaben auf den Straßengüterverkehr mittels zweier unterschiedlicher Systeme. Die einen erheben eine Zeit-Gebühr. Im einfachsten Fall wird eine Vignette für einen bestimmten Zeitraum gekauft und auf den Lkw geklebt. Andere Länder setzen seit Jahren auf die Straßenmaut. In diesem System wird jeder zurückgelegte Kilometer abgerechnet. Die Gebühren reichen von einem Cent in der Türkei bis zu maximal 45 Cent für schwere Lkws in der Schweiz. In Deutschland wurde am 1. Januar 2005 ein streckenabhängiges System eingeführt.

4. Lkw-Mautberechnung in Deutschland: Die Höhe der tatsächlichen Maut richtet sich in Deutschland nach den Emissionsklassen, also nach dem Ausstoß von Abgasen und der Anzahl der Achsen der Lkws. Sehen Sie sich die Tabelle an und berechnen Sie die aktuelle Maut.

Mautsätze in Euro je gebührenpflichtigem Autobahnkilometer

Lkw ab 12 t Zul. GG der Emissionsklasse	mit bis zu 3 Achsen			mit 4 oder mehr Achsen		
	bis 30.09.2006	bis 30.09.2009	ab 01.10.2009	bis 30.09.2006	bis 30.09.2009	ab 01.10.2009
EURO 0/I	0,13	0,13	0,13	0,14	0,14	0,14
EURO II	0,11	0,13	0,13	0,12	0,14	0,14
EURO III	0,11	0,11	0,13	0,12	0,12	0,14
EURO IV	0,09	0,11	0,11	0,10	0,12	0,12
EURO V	0,09	0,09	0,11	0,10	0,10	0,12

Ein Lkw der ...	zahlt ... € Maut.
Emissionsklasse EURO III mit 4 Achsen von Hamburg nach Frankfurt (493 km)	
Emissionsklasse EURO V mit 6 Achsen von Berlin nach Bremen (392 km)	
Emissionsklasse EURO I mit 3 Achsen von Dortmund nach Bonn (151 km)	

Kapitel 4 Grammatik

Nebensätze mit *wenn* → S. 61

Nebensatz mit *wenn*				Hauptsatz		
Wenn	man 4,5 Stunden	gefahren	ist,	muss	man 45 Minuten Pause	machen.
Wenn	wir über Ulm		fahren,	kommen	wir später in Linz	an.

Hauptsatz				Nebensatz mit *wenn*		
Man	muss	45 Minuten Pause	machen,	wenn	man 4,5 Stunden	gefahren	ist.
Wir	kommen	später in Linz	an,	wenn	wir über Ulm		fahren.

Relativsatz im Nominativ → S. 63

					Relativpron.
Für diese Fahrt nehmen wir den Transporter,	der die größte Nutzlast		hat.	Sg.	der
Wo bleibt denn das Papier,	das wir letzte Woche	bestellt	haben?		das
Wir besprechen die Lieferung,	die nach Regensburg		geht.		die
Haben wir noch zwei Fahrer,	die nach Linz	fahren	können?	Pl.	die

Relativpronomen → S. 65

	Nominativ	Akkusativ	Dativ
Das ist Herr Knoll,	der bei D&T arbeitet.	den Sie schon kennen.	dem wir Bauteile liefern.
Das ist das Team,	das bei D&T arbeitet.	das Sie schon kennen.	dem wir Bauteile liefern.
Das ist Frau Mai,	die bei D&T arbeitet.	die Sie schon kennen.	der wir Bauteile liefern.
Das sind die Leute,	die bei D&T arbeiten.	die Sie schon kennen.	denen(!) wir Bauteile liefern.

Das Verb *lassen* → S. 66

	Präsens				Perfekt			
Das Auto putze ich nicht selbst.	Das	lasse	ich	putzen.	Das	habe	ich	putzen lassen.
Du reparierst das Rad nicht selbst.	Das	lässt	du	reparieren.	Das	hast	du	reparieren lassen.
Er wäscht die Hose nicht selbst.	Die	lässt	er	waschen.	Die	hat	er	waschen lassen.
Wir holen das Paket nicht ab.	Das	lassen	wir	liefern.	Das	haben	wir	liefern lassen.
Ihr bestellt das Taxi nicht selbst.	Das	lasst	ihr	bestellen.	Das	habt	ihr	bestellen lassen.
Sie drucken die Karten nicht selbst.	Die	lassen	sie	drucken.	Die	haben	sie	drucken lassen.

Konjunktiv II-Gegenwart: *würde-* + Infinitiv → S. 69

	würde-		Infinitiv
Er hat den Kunden sofort besucht. Ich / Sie	würde	auf eine Einladung	warten.
	Würdest	du auch auf eine Einladung	warten?
Der Chef hat den Kunden angerufen. Wir / Sie	würden	das Anliegen per Mail	erklären.
	Würdet	ihr das auch so	machen?

Konjunktiv II-Vergangenheit: *hätte-* / *wäre-* + Partizip → S. 69

	hätte / wäre-		Partizip Perfekt
Wir hatten keinen Termin. Ich / Er / Sie / Es	hätte	besser einen Termin	vereinbart.
Du hattest keine Einladung? Du	wärest	besser nicht ohne Einladung	gefahren.
Es gibt keine schriftliche Bestätigung? Wir / Sie	hätten	die Bestellung besser schriftlich	bestätigt.
Ihr fahrt erst jetzt ab? Ihr	wäret	besser schon heute Morgen	abgefahren.

Gleichzeitigkeit: *während* (Präposition und Konjunktion) → S. 71

Präposition (Gen.)	Während eines Telefonats kann ein anderer Anrufer anklopfen.
Konjunktion	Während Sie telefonieren, kann ein anderer Anrufer anklopfen.
	Ein anderer Anrufer kann anklopfen, während Sie telefonieren.

- Das Leasing-Angebot
- Wir suchen die beste Lösung.
- Der Service-Auftrag
- Probleme, Ärger, Missverständnisse
- Zahlungsverkehr
- Bilanz: Wie war es? Wie ist es heute?

KAPITEL 5

DAS PERFEKTE MIETSYSTEM

Das lernen Sie hier:
- Abläufe beschreiben: Was wird von wem gemacht?
- Verbesserungen planen und durchführen
- über Vereinbarungen und Verpflichtungen informieren
- Ursachen für Störungen im geschäftlichen Ablauf ermitteln
- Störungen im geschäftlichen Ablauf beheben
- verschiedene Zahlungsweisen unterscheiden und benutzen
- früher und heute vergleichen
- Bilanz ziehen, Ergebnisse vortragen

Profi Tex ... hat das Komplett-Angebot

...hat das Komplett-Angebot

Textil-Management komplett

Berufskleidung

▸ Individuell zugeschnitten auf einzelne Betriebe oder bestimmte Branchen
▸ Funktionelle Berufskleidung in vielen Farben, Formen und Modellen für nahezu alle betrieblichen Anforderungen
▸ Größenanprobe für jeden Mitarbeiter
▸ Hochwertigste Materialien, die gutes Aussehen, Bequemlichkeit und Schutz garantieren

Waschraumhygiene

▸ Sauberkeit und Hygiene in allen Waschräumen und Toiletten
▸ Vollständige Waschraumhygiene für alle Anforderungen

Saubermatten

▸ Viele Varianten (Classic, Classic-Comfort, Logo und Logo-Comfort) und verschiedene Größen
▸ Ein spezieller Flor bindet auch ärgsten Schmutz wie z. B. Öl, Chemikalien, Wasser und Staub
▸ Schonung der Bodenbeläge, sauberes Aussehen und Schutz
▸ Genial-einfaches Leasingsystem inkl. Bereitstellung, Abholung und Austausch

Viele gute Gründe, die für Profitex sprechen...

Sehr geehrter Herr Möckel,

vielen Dank für Ihre interessanten Prospekte und Produktunterlagen. Über Ihre Angebote würden wir gern mit Ihnen sprechen.

Bisher kaufen wir die Arbeitskleidung für unsere Mitarbeiter selbst. Die schmutzige Kleidung wird gesammelt und in einer örtlichen Wäscherei gereinigt. Das kostet viel Zeit und Mühe, ist oft schwierig und deshalb kostspielig. Die Mitarbeiter geben ihre Garnituren unpünktlich oder gar nicht ab. Folglich kann die Wäscherei nicht zuverlässig arbeiten. Die Mitarbeiter tragen dann oft ihre Privatkleidung und vermitteln den Kunden kein einheitliches und positives Bild unseres Unternehmens. Trotz hoher Kosten sind die Ergebnisse schlecht.

Zusammen mit Ihnen möchten wir eine einfachere, kostengünstigere und zuverlässigere Lösung finden. Auch ein einheitlicheres und freundlicheres Aussehen unseres Personals ist uns wichtig. Wir arbeiten zurzeit an einer moderneren Corporate Identity und möchten daher auch, dass die Arbeitskleidung unserer

A Diskutieren Sie.

❶ Zu welchem Wirtschaftsbereich gehört Profitex?

- Industrie
- Handwerk
- Handel
- Dienstleistung

❷ Lesen Sie die Branchennamen im Kasten rechts. Zu welcher Branche gehört Profitex?

> Maschinenbau · Textil / Bekleidung · Leasing · Werbung · Pharma / Chemie · Möbelherstellung · ...

B Anfrage von der AWA GmbH

❶ Welche Leistungen von Profitex sind für AWA interessant? Lesen Sie den Brief an Herrn Möckel.

❷ Was meinen Sie: Was hofft AWA? Wie ist es jetzt? Wie soll es in Zukunft sein?

So ist es. (Ist-Zustand)	So soll es sein. (Soll-Zustand)
Reinigung kostet viel Zeit und Mühe	*praktischer*
schwierig	*einfacher*
Abgabe unpünktlich	

Komparativ

	Komparativ	Komparativ + Adjektivendung
Die Lösung ist schwierig.	Sie soll einfacher sein.	Wir brauchen eine einfachere Lösung.
Die Ergebnisse sind schlecht.	Sie sollen besser sein.	Wir wollen bessere Ergebnisse.
Das Bild ist negativ.	Es soll positiver sein.	Wir möchten ein positiveres Bild.

❸ Berichten Sie.

Jetzt kostet die Reinigung viel Zeit und Mühe. Wir brauchen eine praktischere Lösung.
Die Ergebnisse, die wir jetzt haben, sind schlecht. Wir wollen ...

❹ Sagen Sie, was Sie möchten, brauchen, wollen.

> besser · netter · größer · schöner · freundlicher

> Büro · Kollegen · Wohnung · Stelle · Chef

C Das Profitex-System

1 Was passiert hier? Welche Beschreibung a) bis c) passt zu welchem Bild? Ordnen Sie zu.

a) Der Mitarbeiter nimmt die frische Garnitur aus seinem Schließfach.

b) Der Profitex-Service legt die sauberen Garnituren in die Mitarbeiter-Schließfächer.

c) Herr Aziz wirft seine schmutzige Garnitur in den Sammelcontainer.

2 So funktioniert das. Schreiben Sie.

Passiv: Wer macht das? → Von wem wird das gemacht?				
Die schmutzige Garnitur	*wird*	*von Herrn Aziz*	*in den Sammelcontainer*	*geworfen.*
Die Arbeitskleidung		*von Profitex*	*in die Wäscherei*	
Die Kleidungsstücke		*von Profitex*	*in der Wäscherei*	
Die sauberen Garnituren				
Die frische Garnitur				

werden			
ich	werde	wir	werden
du	wirst	ihr	werdet
er/sie/es	wird	sie/Sie	werden

3 Wie funktioniert das Profitex-System? Beschreiben Sie den Ablauf.

> tragen · kontrollieren · bringen · reparieren · abholen · zurückbringen · ~~nehmen~~ · waschen · legen · werfen · tragen · nehmen

Die saubere **Garnitur 1** *wird* vom Mitarbeiter aus dem Schließfach *genommen*. Sie ... von ihm bis zum Ende der Arbeitswoche ... Dann ... die schmutzige Garnitur in den Sammelcontainer ...

Die schmutzige **Garnitur 2** ... vom Profitex-Service ... und zur Pflege bei Profitex ... Dort ... sie ... und die Garnituren ... auf Schäden ... Beschädigte Garnituren ... von der Reparaturabteilung ...

Garnitur 3 wird vom ... Sie ... Dann ... und ...

Wo befinden sich Ihre Garnituren während der Woche?

GARNITUR 1

So einfach ist das Profitex®-System:

Wenn Sie **einmal pro Woche** wechseln, werden Sie von Profitex® mit **insgesamt 3 Garnituren** ausgestattet. Bei 2 Wechseln pro Woche erhalten Sie 5 Garnituren, bei 3 Wechseln 7 Garnituren usw.

tragen Sie selbst.

GARNITUR 3

liegt in Ihrem Vorratsschrank

Profi Tex® Das saubere Mietsystem

GARNITUR 2 in Pflege bei Profitex®

Wir suchen die beste Lösung

A Projekte

1 Befragen Sie einen Partner.

- Mit welchem Projekt möchte sie/er sich beschäftigen?
- Welche Ideen hat sie/er dazu?
- Wie soll das aussehen/funktionieren?
- Was für (ein-) ... möchte sie/er?
- Was/Wie viel(e) ... braucht man dafür?

Projekte:
- sich ein neues Auto kaufen
- das Büro neu einrichten
- das Lager neu organisieren
- schönere Arbeitskleidung für die Mitarbeiter anschaffen
- ...

2 Berichten Sie über Ihre Befragung.

Beispiel:
Ich habe Diana gefragt, mit welchem Projekt sie sich beschäftigen möchte. Sie möchte ihr Büro neu einrichten. Ich habe sie gefragt, welche Ideen sie dazu hat. Sie hat mir gesagt, dass sie ein praktischeres und moderneres Büro haben möchte. Dann habe ich sie gefragt, was sie dazu anschaffen muss. Sie braucht dazu ...

B Das Projekt von AWA

1 Welche Sätze passen zu Herrn Möckels SMS? Was ist richtig $\boxed{r}$? Was ist falsch $\boxed{f}$?

1 Frau Ziemsen hat Herrn Möckel eine Mail geschrieben. ———————— $\boxed{f}$
2 Frau Ziemsen hat Herrn Möckel einen Termin vorgeschlagen. ———————— ☐
3 Herr Möckel möchte einen Termin verschieben. ———————— ☐
4 Frau Ziemsen hat mit Herrn Möckel persönlich am Telefon gesprochen. ———————— ☐
5 Herr Möckel bestätigt den Termin. ———————— ☐
6 Frau Ziemsen hat angerufen, aber Herr Möckel war nicht da. ———————— ☐
7 Herr Möckel will Frau Ziemsen bei AWA besuchen. ———————— ☐

> Nachricht abgehört, Mittw. neun bei Ihnen passt- bis Mittw. Moeckel- Profitex

2 Beratungsgespräch bei AWA. Welche der folgenden Punkte kommen vor?

1 Wirtschaftlichkeit
2 Zusatzleistungen
3 Leistungsfähigkeit
4 Kosten
5 Produktpalette
6 Rabatt
7 Einsatzbereiche
8 Lieferzeit
9 Liefertermin
10 Service
11 Liefermenge
12 Fracht

3 Was möchte Frau Ziemsen wissen? Was antwortet Herr Möckel?

Frau Ziemsen möchte wissen,	wie viel ... welche ... ob	Herr Möckel hat	gesagt, geantwortet, erklärt, ...	dass ...

Indirekte Fragen mit Fragewort und mit *ob*

Frage	Indirekte Frage					Antwort
Wie viel kostet das? Welche Modelle gibt es? Wann wird geliefert? W...?	Wir fragen, Er möchte wissen, Mich interessiert,	wie viel welche wann w...	das Modell Modelle es	geliefert	kostet. gibt. wird.	100 €. Alle. Bald. ...
Ist das teuer? Gibt es Overalls? Wird das geliefert?	Herr Bohr fragt, Uns interessiert, Ich möchte wissen,	ob ob ob	das teuer es Overalls das	geliefert	ist. gibt. wird.	Ja./Nein.

C PARTNER **A** benutzt Datenblatt A12, S. 175. PARTNER **B** benutzt Datenblatt B12, S. 185.

D Die Arbeitskleidung von Profitex

1 Hören Sie noch einmal das Beratungsgespräch von Aufgabe B. Welche Empfehlungen gibt Herr Möckel zur Angebotspalette?

Der _____ ist die _____ Lösung für *alle Abteilungen* .

Die _____ ist das _____ Kleidungsstück für die _____ .

Der _____ bietet den _____ Komfort für die Außendienstmonteure.

Der *Arbeitskittel* ist die _____ Wahl für die _____ und das _____ .

Der/Die/Das ... ist am ...sten. → Das ist der/die/das ...ste.

		Singular		Plural	
Nom.	der/die/das	schönste/beste/größte		die	schönsten/besten/größten
Akk.	den/die/das	schönsten/beste/größte		die	
Dat.	dem/der/dem	schönsten/besten/größten		den	
Gen.	des/der/des			der	

2 Mitarbeiterbefragung: Neue Arbeitskleidung

Befragen Sie je zwei Mitarbeiter aus dem Lager, dem Kundendienst, der Fertigung, dem Außendienst zu Ihrer Meinung über folgende Punkte ...

- Art der Kleidung
- Farbe der Kleidung
- mit oder ohne Namensschild
- mit oder ohne Firmenlogo
- wie oft frische Garnitur

Robert, die Geschäftsführung möchte wissen, Frau Dräger, können Sie mir bitte sagen,	w... ob	du ... Sie ...

... und evaluieren Sie die Befragung.

Die	meisten sehr viele ... wenigsten	Mitarbeiter in der/im ... finden, Mitarbeiter sagen, Kollegen meinen, Kollegen möchten	dass der Anzug die beste Lösung ist. dass blau am schönsten ist. dass die Anzüge ein Namensschild haben. kein Namensschild.

Der Service-Auftrag

A Entscheidungsvorbereitung bei AWA

Bei AWA handelt es sich um ein mittelständisches Unternehmen mit 40 Mitarbeitern in der Fertigung, 20 Monteuren im Außendienst und 10 Mitarbeitern im Lager / in der Reparaturannahme. 15 Mitarbeiter sind im Büro und in der Verwaltung tätig.

Machen Sie einen Lösungsvorschlag.

- Welche Modelle für welche Mitarbeitergruppe?
- Welche Extras (Schließfach-Schränke, Logo, Namensschilder)?
- Welche Liefermenge? Berücksichtigen Sie dazu das Profitex-Servicesystem, S. 77, Aufgabe C3.
- Wollen Sie den Service-Vertrag befristen? Welche Vorteile könnte das haben, welche Nachteile?
- Berücksichtigen Sie auch die Ergebnisse der Mitarbeiterbefragung, S. 79, Aufgabe D2.

B Die Sache ist perfekt.

Was haben Profitex und AWA zu folgenden Punkten vereinbart?

1 Vertragsgegenstand
2 Liefermenge
3 Artikel
4 Zahl der Garnituren pro Mitarbeiter
5 Vertragsbeginn und -ende
6 Vertragsdauer
7 Einsatzbereich der Artikel
8 Preise
9 Zahlungsweise

Service-Auftrag Berufskleidung

zwischen
Profitex Initial Textil Service GmbH & Co.KG
und
AWA Apparatebau Süd GmbH

Lieferanschrift
Niederlassung Bodensee
Gottlieb-Daimler-Str. 31–37
78224 Singen

Profi Tex®
Das saubere Mietsystem

1. VERTRAGSGEGENSTAND
Die Initial Textil Service GmbH & Co.KG stattet die unten aufgeführten Mitarbeiter mit gesäuberter Berufskleidung aus und hält sie instand. Art, Preis und Menge der Kleidung sowie weitere Leistungen sind in der Sortimentsliste festgelegt.

2. DAUER
Der Vertrag beginnt am **05.06.2006** oder früher und kann erstmals zum **04.06.2009** gekündigt werden.
Er verlängert sich jeweils um __**1**__ Jahr(e), wenn er nicht __**6**__ Monate vor Ablauf einer Vertragsperiode gekündigt wird.

4. SORTIMENTSLISTE

Artikelnummer	Artikelbezeichnung	Anzahl Träger	Wochenbedarf	Umlaufmenge	Einzelpreis	Gesamtpreis
22326	Latzhose Team Comfort grün	40	1	120	0,69	82,80
22852	Overall Team Comfort grün	20	1	60	0,85	51,00
6080	Weste Team Comfort grün	10	1	30	0,53	15,90
	Firmenlogo			210	0,10	21,00
	Namensschild			210	0,04	8,40
	7x 10-Fach-Schrank, 2x Sammelschrank				1,85/1,65	16,33
	Schrankservice-Gebühr				0,25	2,25
Einsatzbereich der Artikel gemäß Ziffer 4: **Fertigung, Lager, Außendienst**				Grundgebühr		3,45
				Wochenpauschale (ohne Mwst)		201,13

8. Zahlung:

Die Wochenpauschalen sollen monatlich durch Bankeinzug gezahlt werden.
Die Preise verstehen sich in Euro zzgl. MWSt.

Bankverbindung *Commerzbank Singen*
BLZ **692 400 75**
Konto-Nr. **407 429 3**

11.05.06 Möchel
Datum / Unterschrift Vertriebsmitarbeiter

11.05.06 Ziemsen
Datum / Unterschrift Auftraggeber

C Das ist die Lösung.

1 Welche Lösung hat AWA gefunden? Tragen Sie vor: Was wissen Sie jetzt? Was glauben Sie?

AWA hat	beschlossen, entschieden, mit der Belegschaft vereinbart,	grüne Westen grüne Overalls Latzhosen „Team Comfort"	für das Personal im Lager für die Außendienstmonteure für die Mitarbeiter in der Fertigung	zu bestellen. anzumieten. zur Verfügung zu stellen.

das Firmenlogo an der Arbeitskleidung anzubringen.
Schließfach-Schränke aufzustellen.
Sammelschränke für die Schmutzwäsche zu leasen.

dass-Sätze / Infinitivsätze mit *zu*

Wir haben vereinbart: Profitex liefert ab 5. Juni 2006.
Wir haben vereinbart, **dass** Profitex ab 5. Juni 2006 **liefert**.

Wir haben vereinbart: Wir liefern ab 5. Juni 2006.
Wir haben vereinbart, ab 5. Juni 2006 **zu liefern**.

Der Service-Auftrag verpflichtet den Auftraggeber, **dass er** auch die nötigen Systemschränke **aufstellt**.
Der Service-Auftrag verpflichtet den Auftraggeber, auch die nötigen Systemschränke **aufzustellen**.

2 Die Verpflichtungen von Profitex

Profitex bestätigt

Wir haben vereinbart, Wir haben uns verpflichtet,	ab 5. Juni 2006 zu liefern. … zu …

ab 5. Juni 2006 liefern •
die Kleider säubern und instand halten •
Firmenlogo anbringen •
Namensschilder bereitstellen •
fünf Schränke aufstellen •
direkt an die Niederlassung Singen liefern •
die Einzelpreise für drei Jahre garantieren • …

AWA informiert die Mitarbeiter

Wir haben vereinbart, Wir erwarten,	dass Profitex ab 5. Juni 2006 liefert. dass …

3 Und welche Verpflichtungen hat AWA? Was steht dazu im Vertrag in Aufgabe B?

D PARTNER Ⓐ benutzt Datenblatt A13, S. 175, PARTNER Ⓑ benutzt Datenblatt B13, S. 185.

E Von der Anfrage zum Auftrag: Wie ist das gelaufen? Fassen Sie den Vorgang zusammen.

1 Leasen der Arbeitskleidung

- Plan: Entwicklung einer neuen Corporate Identity, Leasen der Arbeitskleidung
- Anfrage: Bitte an Anbieter um Prospekte, Preisliste usw.
- Vereinbarung eines Gesprächs zwischen Interessent und Anbieter
- Gemeinsames Erarbeiten einer Lösung
- Aufforderung zur Abgabe eines Angebots
- Abgabe eines Angebots
- Entscheidung: Annahme des Angebots
- Kunde: Auftragsbestätigung

Der Interessent plant, eine neue Corporate Identity zu entwickeln und … zu …
Er bittet verschiedene Anbieter, …
Interessent und Anbieter vereinbaren …
Vom Anbieter und Interessenten wird …
Der Interessent fordert …, …
Vom Anbieter wird …
Der Interessent entscheidet, …
Der Anbieter bestätigt, …

2 Wählen Sie: Büro neu einrichten / Outsourcing des Fuhrparks / …

Probleme, Ärger, Missverständnisse

A Störungen im Alltag

① Besprechen Sie die Störungen mit Ihren Kollegen.

Was kann passieren?
- Der Kunde zahlt nicht.
- Die Ware wird nicht geliefert.
- Der Kunde zahlt zu spät.
- Die Ware hat Fehler.
- Der Kunde ist nicht zufrieden.
- Der Rechnungsbetrag stimmt nicht.
- Die Zahlung ist nicht korrekt.

Was tun?
- den Betrag korrigieren
- den Kunden informieren
- den Kunden mahnen
- den Lieferanten mahnen
- die Rechnung reklamieren
- die Ware reklamieren
- mit dem Kunden sprechen

Ziel?
- das Geld bekommen
- den Kunden zufrieden stellen
- die Ware bekommen
- einwandfreie Ware bekommen
- Ärger vermeiden
- das Missverständnis klären

> Wenn der Kunde nicht zahlt, dann mahnen wir ihn, damit wir das Geld doch noch bekommen.

> Wenn die Ware nicht geliefert wird, dann ..., damit ...

② Was kann noch passieren? Was kann/muss man dann tun? Was will man erreichen?

B Was alles so passieren kann!

① Welcher Betreff passt zu den Mitteilungen 1 bis 3?

- Lieferumfang
- Zahlungsweise
- Fälligkeit

Von: maria.mauch@profitex.de
An: b.ziemsen@awa.com
Cc:
Gesendet: Mittwoch, 13. September 2006 14:53
Betreff: Mietkleidung

Sehr geehrte Frau Ziemsen,

wir bestätigen Ihnen den Eingang Ihrer Überweisung in Höhe von 804,52 € für die Kalenderwochen 23–26. Allerdings haben wir im Service-Vertrag von 11.05. d.J. Zahlung per Bankeinzug vereinbart und Ihr Konto schon entsprechend belasten lassen. Die Überzahlung können wir Ihnen erstatten oder mit der nächsten Zahlung verrechnen. Zahlen Sie bitte nicht mehr per Überweisung, um unnötigen Verwaltungsaufwand zu vermeiden. Vielen Dank für Ihr Verständnis.

Mit freundlichen Grüßen

Maria Mauch

1

Sehr geehrte Damen und Herren,

wir haben vereinbart, die fälligen Zahlungen bei Ihrer Bank einzuziehen. Leider mussten wir feststellen, dass bis heute keine Zahlung auf unserem Konto eingegangen ist. Ihre Bank hat uns mitgeteilt, dass sie das Konto 470 4293 nicht belasten konnte. Wir bitten Sie dringend, die Angelegenheit zu klären, damit wir Sie weiterhin wie vereinbart beliefern können. Wir hoffen, bis spätestens 15.08. von Ihnen zu hören.

Mit freundlichen Grüßen

Maria Mauch

Vertriebssekretariat

2

Guten Tag Frau Ziemsen,

wir haben Ihre Nachricht vom 11.09. bekommen. Sie fordern uns auf, die an Sie gelieferte Mietkleidung zukünftig ohne Namensschilder zu liefern. Sie kündigen an, den Rechnungsbetrag um diesen Posten zu kürzen. Innerhalb der Grundlaufzeit können wir Ihrem Wunsch jedoch nicht entsprechen. Wir bitten Sie um eine kurze Stellungnahme, um die Angelegenheit abschließend zu klären.

Mit freundlichen Grüßen
Maria Mauch

3

---

② Sie hören drei Dialoge. Auf welche Dialoge beziehen sich die Mitteilungen 1 bis 3?

Mitteilung 1 bezieht sich auf Dialog Nr. _____.

Mitteilung 3 bezieht sich auf Dialog Nr. _____.

Mitteilung 2 bezieht sich auf Dialog Nr. _____.

C Die Absichten von Profitex

❶ Was kann man den schriftlichen Mitteilungen und den Dialogen in Aufgabe B entnehmen? Formulieren Sie passende Aussagen.

1 Frau Mauch fragt bei AWA nach,
2 Profitex erinnert AWA an die fällige Zahlung,
3 AWA soll die monatlichen Rechnungen nicht mehr überweisen,
4 AWA soll sich bis zum 15. August melden,

a) damit es keinen Ärger gibt.
b) damit der Lieferumfang geklärt wird.
c) damit Profitex keine überflüssige Arbeit hat.
d) damit Profitex weiter liefern kann.

e) um den Lieferumfang zu klären.
f) um Doppelzahlungen zu vermeiden.
g) um weiter liefern zu können.
h) um Ärger zu vermeiden.

❷ Schreiben Sie Sätze mit *damit ...* und *um ... zu ...* in die Tabelle.

Wozu, zu welchem Zweck, mit welchem Ziel, mit welcher Absicht?				
Hauptsatz	**damit**	**...**		
Frau Mauch fragt bei AWA nach,	damit	der Lieferumfang	*geklärt*	*wird.*
		es keinen Ärger		*gibt.*
Hauptsatz	**um**	**...**	**zu + Infinitiv**	
Frau Mauch fragt bei AWA nach,	um	den Lieferumfang	zu klären.	
		Ärger	*zu vermeiden.*	

❸ Hat Profitex zu Recht gemahnt? Oder handelt es sich um ein Missverständnis? Überprüfen Sie den Vorgang anhand der Kontodaten im Auftrag auf S. 80 und im Schreiben von Frau Mauch auf S. 82.

D PARTNER Ⓐ benutzt Datenblatt A14, S. 176. PARTNER Ⓑ benutzt Datenblatt B14, S. 186.

E Projekte

❶ Outsourcing der Arbeitskleidung

Ist-Zustand: AWA hat festgestellt, dass ...   Reinigung teuer/unwirtschaftlich, ...

Soll-Zustand: Outsourcing der Arbeitskleidung, damit ...   Versorgung kostengünstiger,
zuverlässigen Partner finden, um ... zu ...   positives Firmenbild vermitteln, ...
...

Entscheidung/ AWA hat beschlossen, dass.../... zu ...   mit Profitex zusammenarbeiten,
Auftrag: AWA und Profitex haben vereinbart, dass .../zu ... Mitarbeiter mit Overalls und ...
ausstatten, Firmenlogo anbringen, ...

❷ Ihre dienstlichen oder privaten Projekte. Machen Sie Notizen. Berichten Sie.

- eine neue Spedition suchen
- die Ordnung im Lager verbessern
- die Mitarbeiter fortbilden
- ein neues Auto kaufen
- ...

Ist-Zustand: _____
_____

Soll-Zustand: _____
_____

Entscheidung: _____
_____

Zahlungsverkehr

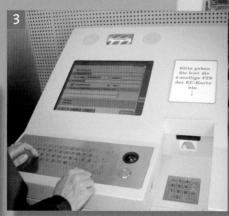

A Bar oder bargeldlos?

① Wo ist das? Wie zahlt man? Was bezahlt man?

Wo?
- im Restaurant
- am PC
- im Supermarkt
- auf der Bank
- am Kundenterminal
- am Telefon

Wie?
- per schriftlicher Überweisung
- per Kreditkarte
- per Barzahlung
- per Telefon-Banking
- per Online-Banking
- am Kundenterminal

Was?
- den Einkauf im Supermarkt
- eine Autoreparatur
- das Essen im Restaurant
- den Mietwagen
- das Flugticket
- …

> Um im Restaurant zu bezahlen, benutzt man oft eine Kreditkarte.

> Um eine Reparatur zu bezahlen, kann man eine schriftliche Überweisung nehmen.

> Um den Einkauf im Supermarkt zu bezahlen, …

② Was benötigt man dazu?

Um per Online-Banking zu zahlen, benötigt man ein Girokonto, eine PIN, eine TAN und manchmal auch ein Kennwort.
Um …

> Überweisungsformular · Girokonto · Bargeld · PIN · Kennwort · EC-Karte · Geheimnummer · Benutzername · Kreditkarte · Banknoten und Münzen · TAN ·

..., um ... zu ... / Um ... zu ..., ...				um ... zu ...
Man	braucht	ein Girokonto,		um per Überweisung zu zahlen.
Du	kannst	die Kreditkarte	benutzen,	um im Restaurant zu bezahlen.
Um ... zu ...				
Um per Überweisung zu zahlen,	braucht	man ein Girokonto.		
Um im Restaurant zu bezahlen,	kannst	du die Kreditkarte	benutzen.	

B Bankeinzug und Überweisung

❶ Wie zahlt AWA?

Was haben Profitex und die AWA GmbH vereinbart? Welches der beiden Formulare rechts benötigt man dazu? Füllen Sie das passende Formular anhand der Angaben auf S. 80 aus. Welche Angabe finden Sie dort nicht? Überlegen Sie sich eine Angabe.

Einzugsermächtigung

Hiermit ermächtigen wir Sie, von unten genanntem Konto monatlich _____ einzuziehen.

Kunden-Nummer (bitte unbedingt angeben)!

|_|_|_|_|_|_|_|_|_|_|_|_|

Firma _____   Geldinstitut in Deutschland _____

Niederlassung _____   Konto-Nr. (bitte kein Sparkonto angeben) |_|_|_|_|_|_|_|_|_|_|

Postleitzahl / Ort _____   Bankleitzahl |_|_|_|_|_|_|_|_|

Datum / Ort _____   Unterschrift _____

❷ Füllen Sie den Überweisungsauftrag aus.

Spedition Transko hat Elektro-Hiller 3,9 Tonnen Kleineisenteile geliefert. Die Frachtrechnung beläuft sich auf € 225,20.
Die Kundennummer ist 14 002, die Rechnungsnummer ist 03 287-j.
Firma Elektro-Hiller überweist den Rechnungsbetrag von ihrem Konto 7891 677 bei der Dresdner Bank Regensburg, Bankleitzahl 750 800 03. Die Bankverbindung von Transko ist: Commerzbank Nürnberg, Bankleitzahl 760 400 61, Kontonummer 3 041 782.

Überweisungsauftrag an

Dresdner Bank Aktiengesellschaft

Bankleitzahl des Auftraggebers

3709749

Bei Handschrift in Blockschrift und »GROSSBUCHSTABEN« ausfüllen.

Blatt 2 Kopie für Auftraggeber

Begünstigter: Name, Vorname / Firma (max. 27 Stellen)

Konto-Nr. des Begünstigten — Bankleitzahl

Kreditinstitut des Begünstigten

EUR — Betrag: Euro, Cent

Kunden-Referenznummer - Verwendungszweck, ggf. Name und Anschrift des Überweisenden - (nur für Begünstigten)

noch Verwendungszweck (insgesamt max. 2 Zeilen à 27 Stellen)

Kontoinhaber / Einzahler: Name, Vorname/Firma, Ort (max. 27 Stellen, keine Straßen- oder Postfachangaben)

Konto-Nr. des Kontoinhabers

28

Ueb012 (1-2) 08.2003

Dispositionsvermerk: ➤➤ Vergessen Sie bitte nicht das Datum und Ihre Unterschrift.

Datum — Unterschrift

C Carla Rivera ist sauer.

❶ Was ist schiefgegangen?

Carla Rivera war geschockt, als sie ihren Kontoauszug bekam. Ihre Bank hatte ihr Konto mit einem Betrag von 420,45 € belastet. Empfänger per Telefon-Banking war ein Warenversandhaus. Dort hatte sie aber nichts bestellt und auch keine Lieferung bekommen. Sie rief sofort bei der Bank an und reklamierte diesen Buchungsposten auf ihrem Kontoauszug. Aber die Mitarbeiterin der Bank lehnte jede Auskunft ab. Erst nach einer schriftlichen Beschwerde kam eine Antwort. Die Bank behauptete, dass Frau Rivera den Überweisungsauftrag an dem betreffenden Tag ihrem Direktservice telefonisch erteilt und mit ihrer Geheimnummer bestätigt hatte. Jetzt wurde Frau Rivera sauer. Zwar hatte das Versandhaus den Betrag inzwischen zurücküberwiesen. Aber sie wollte sichergehen und verlangte eine erneute Überprüfung des Vorgangs. Da kam plötzlich ein Schreiben der Bank: „Wir haben festgestellt, dass Sie tatsächlich nicht der Auftraggeber dieser Zahlung waren. Zu der Fehlbuchung ist es durch den bedauerlichen Irrtum eines Mitarbeiters gekommen. Wir möchten uns hiermit für das Versehen entschuldigen. Als Entschädigung für Ihre Kosten und Ihre Bemühungen schreiben wir Ihrem Konto den Betrag von 10,23 € gut.“

❷ Ergänzen Sie die fehlenden Angaben.

1 Es geht um eine Überweisung per *Telefonbanking* .

2 Belastung des Kontos: _____

3 Empfänger des Betrags: _____

4 Frau Rivera: 1. _____   Antwort der Bank: _____

              2. _____   Antwort der Bank: _____

              3. _____   Antwort der Bank: _____

5 Gutschrift für Frau Rivera: _____   als _____

D Ihr Zahlungsverkehr

Wie zahlen Sie Ihre Rechnungen? Für welchen Zweck benutzen Sie welche Zahlungsweise? Hatten Sie schon einmal Ärger bei der Abwicklung Ihrer Zahlungen?

A Gestern – heute, 20. Jahrhundert – 21. Jahrhundert

- Was trugen gewerbliche Mitarbeiter um 1950?
- Was trugen Mitarbeiter im Büro um 1920?
- Was fand man vor 80 bzw. 50 Jahren modern?
- Was fand man damals wichtig?
- Was gab es damals (noch nicht)?
- Wie war es damals?

- Was tragen sie heute?
- Was tragen sie heute?
- Was findet man heute modern?
- Was findet man heute wichtig?
- Was gibt es heute (nicht mehr)?
- Wie ist es heute?

> Komfort • Bequemlichkeit • Sicherheit • Eleganz • Förmlichkeit • Sauberkeit • Langlebigkeit • ...

> praktisch • leicht • sportlich • preiswert • modisch • ...

B Die AWA-Bilanz nach einem Jahr Profitex-Service

1 In welcher Reihenfolge werden die Punkte a) bis f) im Vortrag von Frau Ziemsen behandelt? Nummerieren Sie.

- ☐ a) Qualität
- ☐ b) Organisation / Management
- ☐ c) Zufriedenheit der Mitarbeiter
- ☐ d) Zusammenarbeit mit dem Lieferanten
- ☐ e) Anpassung ans Firmen-Image
- ☐ f) Wirtschaftlichkeit

2 Traf das früher schon zu oder trifft das erst seit der Lieferung durch Profitex zu? Kreuzen Sie an.

	früher	seit der Lieferung durch Profitex
1 Die Mitarbeiter vergessen den Kleidungstausch.	☒	☐
2 Die zuständige Abteilung verschiebt die Abholung.	☐	☐
3 Die Anlieferung der sauberen Garnituren verspätet sich.	☐	☐
4 Die Kosten liegen deutlich niedriger.	☐	☐
5 Das Preis-Leistungs-Verhältnis ist gut.	☐	☐
6 AWA gibt viel für das Kleidungsmanagement aus und spart an der Kleidung.	☐	☐
7 Die Kleidung besitzt hochwertige Qualität.	☐	☐
8 Die Mitarbeiter finden die Versorgung mit Arbeitskleidung durch die Firma gut.	☐	☐
9 Die Mitarbeiter tragen die Kleidung gern.	☐	☐
10 Der Service ist zuverlässig und pünktlich.	☐	☐
11 Die Kleidung unterstützt die Corporate Identity.	☐	☐

❸ Was sagt Frau Ziemsen zu den Punkten 1 bis 11? Machen Sie zu jedem Punkt wenigstens eine zusätzliche Notiz.

❹ Fassen Sie den Vortrag von Frau Ziemsen zusammen. So können Sie beginnen:

Früher vergaßen die Mitarbeiter oft den wöchentlichen Kleidungstausch. Heute denken sie daran, weil das Schranksystem gut funktioniert. Früher musste die zuständige Abteilung oft ...

Präteritum

	regelmäßige Verben			unregelmäßige Verben			gemischte Verben		
ich	machen	→	mach **te**	tragen	→	trug	–	bringen	→	brach **te**
du	holen	→	hol **test**	geben	→	gab	**st**	denken	→	dach **test**
er/sie/es	kosten	→	koste **te**	laufen	→	lief	–	nennen	→	nann **te**
wir	arbeiten	→	arbeite **ten**	verschieben	→	verschob	**en**	kennen	→	kann **ten**
ihr	brauchen	→	brauch **tet**	kommen	→	kam	**t**	wissen	→	wuss **tet**
sie/Sie	...	→	**ten**	...	→		**en**	...	→	**ten**

C Kleine Fallstudie: Der Geschäftsfall Profitex

Präsens, Präteritum, Perfekt oder Infinitiv mit *zu*? Schreiben Sie den Text.

Vor anderthalb Jahren *versorgte* die Firma AWA ihre Mitarbeiter noch selbst mit Arbeitskleidung. Dann ..., diesen Service ...
Um den besten und preisgünstigsten Dienstleister ..., ... an verschiedene Anbieter.
Profitex ... ausführliche Service-Informationen
AWA ... die Unterlagen interessant
Vertriebsleiter von Profitex ... zu Beratungsgespräch
Gespräch ... drei Wochen nach Anfrage

Um Akzeptanz bei den Beschäftigten ..., ... Profitex Mitarbeiterbefragung zu dem Projekt
Die Geschäftsführung ... die Ergebnisse bei ihren Entscheidungen
Vier Wochen später ... Servicevertrag
AWA und Profitex ... Vertragsdauer von drei Jahren

In Zwischenevaluierung nach 12 Monaten ...:
- Kosten ...
- Zufriedenheit der Mitarbeiter ...
- Austausch der Kleidung am Ende der Arbeitswoche ... gut
- neue Arbeitskleidung ... für hohen Tragekomfort
- AWA ... Vertragsdauer ...

~~versorgen~~ ·
beschließen ·
outsourcen ·
ermitteln ·
schreiben ·
schicken ·
finden ·
einladen ·
stattfinden ·

erhöhen ·
vorschlagen ·
berücksichtigen ·
abschließen ·
vereinbaren ·

feststellen ·
sinken ·
steigen ·
funktionieren ·
sorgen ·
planen ·
verlängern ·

D Berichte

Schreiben Sie über die Entwicklung „Ihres" Unternehmens oder über Ereignisse, Projekte, Abläufe aus Beruf, Ausbildung oder Privatleben und tragen Sie Ihre Berichte vor.

Ein Projekt
- Vergangenheit: früherer Ist-Zustand
- Lage: heutiger Ist-Zustand
- Plan: Soll-Zustand
- Entscheidungsfindung
- Umsetzung
- Evaluierung: heutiger Ist-Zustand

Die Entwicklung Ihres Unternehmens
- Gründung
- Beschäftigte
- Produkte
- Umsatz
- Auslandskontakte
- ....

Ihre Ausbildung Ihre Familie
- Im Jahr ...
- Vor ... Jahren ...
- Seit ...
- Von ... bis ...
- Heute ...
- Ab ...

Leasing

① Lesen Sie den Informationstext zum Thema Leasing. Beantworten Sie die Fragen:

- Wer least was von wem?
- Was steht in einem Leasingvertrag?

② Erklären Sie die Wörter *Rate, auf Zeit, Laufzeit, Anzahlung, Zahlungsverpflichtung*. Unterstreichen Sie die Wörter im Text.

+ + + INFO: LEASING + + +

Der englische Begriff *to lease* heißt übersetzt vermieten, verpachten. Leasing ist eine besondere Form der Finanzierung, bei der das Leasingobjekt vom Leasinggeber dem Leasingnehmer gegen Zahlung einer Rate zur Nutzung auf Zeit überlassen wird. Der Leasingvertrag regelt dabei neben der Laufzeit vor allem die Höhe einer Anzahlung, die Höhe der (meist) monatlich zu zahlenden Leasingrate und die Höhe einer etwaigen Zahlungsverpflichtung des Leasingnehmers am Vertragsende.

Nach Ende des Leasingvertrags geht das Leasingobjekt an den Leasinggeber zurück oder wird an den Leasingnehmer oder einen Dritten verkauft.

leasing.de AG

LEASING-VERTRAG (VA)   Nr.:

Die **leasing.de AG** als Leasinggeber – nachfolgend LG genannt - verleast nach Annahme dieses Vertrages zu nachstehenden und **umseitigen Bedingungen** die nachbezeichneten Leasingobjekte **zur** ausschließlich betrieblichen Nutzung:

Leasingnehmer – nachfolgend LN genannt -:

zuständig:	Telefon:
Selbständige Tätigkeit / Gewerbe:	seit:
Bankverbindung:	Bankleitzahl: Konto-Nr.:

Leasing-Objekt - nachfolgend LO genannt - :

Nr.	Anzahl	Typ / Modell	genaue Beschreibung (mit Zubehör)

Voraussichtlicher Liefertermin:		Aufstellungs- / Zulassungsort:	
Netto-Berechnungs-Grundlage: €		Vertragslaufzeit: Monate	
Anzahlung: €		Leasingrate: €	
16 % Mwst.: €		16 % Mwst.: €	
Endbetrag: €		Endbetrag: €	

Zwischen dem LN und dem LG wird ein Leasingvertrag auf der Grundlage der sich aus der Vorder- und Rückseite dieses Formulars ergebenden Vertragsbedingungen geschlossen. Der LN hält sich an das Vertragsangebot 1 Monat nach Eingang beim LG gebunden. Das LO wird vom LG auf Wunsch des LN erworben, zu den Verkaufs-, Lieferungs- und Gewährleistungsbedingungen des Herstellers oder Lieferanten. **Der LN wird darauf hingewiesen, dass der Lieferant/Hersteller in keiner Weise als Vertreter, Erfüllungsgehilfe oder Ähnliches des LG tätig ist.** Der LN wird darauf hingewiesen, dass etwaige Nebenabreden, die vom Kaufvertrag oder diesem Leasingvertrag abweichen, den LG nicht binden und dass der LG das LO weder herstellt noch irgendwie vertreibt. Der LN kann sich daher wegen irgendwelcher Gewährleistungsansprüche nur nach Maßgabe des §4 der umseitigen Vertragsbedingungen an den Lieferanten und/oder Hersteller halten.

Der LN und seine eventuellen Bürgen sind damit einverstanden, dass der LG die ihm bekannt gewordenen personenbezogenen Daten – soweit sie für die Bearbeitung des Leasingvertrages anfallen – speichert und an Versicherungen, Refinanzierer, SCHUFA (Schutzgemeinschaft für allgemeine Kreditsicherung) sowie Auskunftsstellen, welche diese Daten üblicherweise in Anspruch nehmen, übermittelt. Der LN und seine eventuellen Bürgen ermächtigen den LG hiermit zur Einholung von Bankauskünften und zur Abbuchung der vereinbarten Leasingraten und anderer sich aus dem Vertrag ergebenden Zahlungsverpflichtungen.

Die vorstehenden und umseitigen **Bedingungen dieses Vertrages werden hiermit von den Vertragsparteien anerkannt.**

München, den   ,den

leasing.de **AG**
85627 Grasbrunn, Bretonischer Ring 15

_____ Leasinggeber   _____ Leasingnehmer

Annahme der Bürgschaft: **BÜRGSCHAFT:** Hiermit übernehme/n ich/wir die **selbstschuldnerische Bürgschaft** für die Verpflichtungen aus diesem Leasingvertrag zu den vorstehenden und umseitigen Vertragsbedingungen.

leasing.de **AG**

(05/03)   Leasinggeber   Rechtsverbindliche Unterschrift(en) des/der Bürgen

③ Vor- und Nachteile des Leasings. Sortieren Sie die unten genannten Argumente in die Tabelle. Was sind Vorteile? Was sind Nachteile? Diskutieren Sie Ihre Lösungen im Kurs.

④ Wäre das Leasing eine gute Alternative zum Kauf in Ihrem Unternehmen oder für Sie? Warum? Warum nicht?

- Leasingraten sind steuerlich absetzbar.
- Der Leasingnehmer erwirbt kein Eigentum. Bei eventueller Nichtnutzung kann er daher das Leasingobjekt nicht verkaufen.
- Die Liquidität wird geschont, da die finanzielle Belastung auf mehrere Perioden verteilt wird.
- Die Kosten für die Leasing-Raten erhöhen sich nicht und sind damit über die Vertragslaufzeit fest kalkulierbar.
- Der Leasingnehmer ist an die Vertragslaufzeit gebunden. Auch bei Nichtnutzung muss er weiterhin zahlen.
- Das Leasingobjekt wird nach der Leasingzeit an den Leasinggeber zurückgegeben. Die Entsorgung leistet der Leasinggeber.
- Die Kosten des Leasings sind, auf den gesamten Nutzungszeitraum gesehen, um 20 % – 40 % höher als beim Kauf eines Objektes.
- Leasingverpflichtungen müssen nicht in der Bilanz ausgewiesen werden.

Vorteile	Nachteile
Leasingraten steuerlich absetzbar	

Gewährleistung und Garantie

① Was bedeuten die Wörter *Händler, Mangel, Nachbesserung, Ersatz, Minderung, Anspruch, Gewährleistung*? Unterstreichen Sie die Wörter im Text und klären Sie sie im Kurs.

Das schnurlose Telefon OLYMPIA: Gesetzliche Gewährleistung

Ihre Ansprechstelle für Leistungen aus Gewährleistungsverpflichtungen ist der Fachhändler, bei dem Sie das Gerät erworben haben. Der Fachhändler leistet für Material und Herstellung des Telekommunikationsendgerätes eine Gewährleistung von 24 Monaten ab der Übergabe.

Dem Käufer steht im Mangelfall zunächst nur das Recht auf Nacherfüllung zu. Die Nacherfüllung beinhaltet entweder die Nachbesserung oder die Lieferung eines Ersatzproduktes. Ausgetauschte Geräte oder Teile gehen in das Eigentum des Fachhändlers über.

Bei Fehlschlagen der Nacherfüllung kann der Käufer entweder Minderung des Kaufpreises verlangen oder von dem Vertrag zurücktreten und, sofern der Mangel von dem Fachhändler zu vertreten ist, Schadenersatz verlangen. Der Käufer hat festgestellte Mängel dem Fachhändler unverzüglich mitzuteilen. Der Nachweis des Gewährleistungsanspruchs ist durch eine ordnungsgemäße Kaufbestätigung (Kaufbeleg, ggf. Rechnung) zu erbringen.

② Lesen Sie den Text und beantworten Sie die Fragen. Manchmal sind zwei Antworten richtig.

1 Wer muss die Gewährleistung erbringen?
a) der Hersteller des Produkts b) der Verkäufer des Produktes c) der Käufer des Produkts

2 Wie lange besteht die Gewährleistung?
a) ein Jahr b) zwei Jahre c) drei Jahre

3 Ist an dem Produkt ein Mangel aufgetreten, hat der Käufer zunächst das Recht auf ...
a) Reparatur des Mangels. b) das gleiche Produkt ohne Mängel. c) ein anderes Produkt.

4 Kann das Produkt nicht repariert oder neu beschafft werden, kann der Käufer ...
a) nichts mehr machen. b) das Produkt zurückgeben. c) weniger bezahlen.

5 Damit der Käufer einen Anspruch auf die Gewährleistung hat, muss er ...
a) einen Mangelnachweis haben. b) den Verkäufer kennen. c) eine Quittung haben.

③ Lesen Sie den Text rechts. Markieren Sie die Stellen im Text, bei denen es um folgende Punkte geht:

- Leistungen: freiwillig oder nicht freiwillig?
- Wer erbringt Leistung?
- Zeitpunkt, wann der Mangel vorlag?

④ Erklären Sie den Unterschied zwischen *Gewährleistung* und *Garantie*.

Der Unterschied zwischen Gewährleistung und Garantie

Gewährleistung bedeutet, dass der Händler gesetzlich dafür einstehen muss, dass die gehandelte Ware frei von Sach- und Rechtsmängeln ist. Der Händler haftet daher für alle Mängel, die schon zum Zeitpunkt des Verkaufs bestanden haben, auch für solche, die sich erst später bemerkbar gemacht haben (sog. versteckter Mangel). Der Zustand der Ware zum Zeitpunkt der Übergabe ist dabei entscheidend.
Eine Garantie ist eine zusätzliche, freiwillige Leistung des Händlers und/oder des Herstellers. Die Garantiezusage bezieht sich immer auf die Funktionsfähigkeit bestimmter Teile (oder des gesamten Geräts) über einen bestimmten Zeitraum. Bei einer Garantie spielt der Zustand der Ware zum Zeitpunkt der Übergabe an den Kunden keine Rolle, da ja die Funktionsfähigkeit der besagten Teile (oder des gesamten Geräts) für den Zeitraum garantiert wird.

Kapitel 5 Grammatik

Komparativ und Superlativ → S. 76,79

	Komparativ / Superlativ	Komparativ / Superlativ + Adjektivendung
Die Reinigung ist teuer.	Sie soll günstiger sein.	Wir brauchen eine günstigere Reinigung.
	Firma PROP ist am günstigsten.	Firma PROP ist die günstigste Reinigung.
Der Service ist unzuverlässig.	Er soll zuverlässiger sein.	Wir brauchen einen zuverlässigeren Service.
	Firma PROP ist am zuverlässigsten.	Firma PROP hat den zuverlässigsten Service.

Die Adjektivendungen beim Komparativ und Superlativ entsprechen den sonstigen Adjektivendungen (→ Kapitel 2 Grammatik, S. 42).

Passiv: Wer macht das? → Von wem wird das gemacht? → S. 77

	werden	von ...			Partizip Perfekt
Die schmutzigen Garnituren	werden	von den Profitex-Wagen	bei den Kunden		abgeholt
Die sauberen Garnituren	werden	vom Profitex-Service	in die Schließfächer		gelegt.
Beschädigte Kleidung	wird	von der Reparaturabteilung			repariert.

Indirekte Fragen mit Fragewort und mit *ob* → S. 79

Frage	Indirekte Frage					Antwort
Wie viel kostet das?	Wir fragen,	wie viel	das		kostet.	100 €.
Wann wird geliefert?	Sie erkundigt sich,	wann		geliefert	wird.	Bald.
Ist das teuer?	Herr Mohr fragt,	ob	das teuer		ist.	Ja. / Nein.
Wird das geliefert?	Wir möchten wissen,	ob	das	geliefert	wird.	

dass-Sätze / Infinitivsätze mit *zu* → S. 81

Wir haben vereinbart: Profitex liefert ab 5. Juni 2006.
Wir haben vereinbart, **dass** Profitex ab 5. Juni 2006 **liefert**.

Wir haben vereinbart: Wir liefern ab 5. Juni 2006.
Wir haben vereinbart, ab 5. Juni 2006 **zu liefern**.

Der Service-Auftrag verpflichtet den Auftraggeber, **dass er** die nötigen Systemschränke aufstellt.
Der Service-Auftrag verpflichtet den Auftraggeber, die nötigen Systemschränke **aufzustellen**.

Wozu, zu welchem Zweck, mit welchem Ziel, mit welcher Absicht? → S. 83/84

AWA zahlt die Rechung. Profitex liefert wieder.
AWA zahlt die Rechnung, **damit** Profitex wieder **liefert**.

AWA mietet die Kleidung von Profitex. AWA erhält einen besseren Service.
AWA mietet die Kleidung von Profitex, **um** einen besseren Service **zu bekommen**.

..., um ... zu ... / Um ... zu ..., ... → S. 83/84

			um ... zu ...
Frau Mauch	telefoniert	mit AWA,	um das Problem zu lösen.
AWA	möchte	Firmenlogos an der Kleidung,	um die Corporate Identity zu verbessern.
Profitex	kommt	am Donnerstag,	um die Systemschränke aufzubauen.

Um ... zu ...		
Um das Problem zu lösen,	telefoniert	Frau Mauch mit AWA.
Um die Corporate Identity zu verbessern,	möchte	AWA Firmenlogos an der Kleidung.
Um die Systemschränke aufzubauen.	kommt	Profitex am Donnerstag.

Präteritum → S. 87

	regelmäßige Verben			unregelmäßige Verben			gemischte Verben		
ich / er / sie / es	notieren	notier	te	fahren	fuhr	–	mögen	moch	te
du	bestellen	bestell	test	sprechen	sprach	st	denken	dach	test
wir / sie / Sie	zahlen	zahl	ten	schreiben	schrieb	en	nennen	nann	ten
ihr	antworten	antworte	tet	fliegen	flog	t	wissen	wuss	tet

– Verwaltungsvorgänge
– Das Personalwesen
– Die Zielvereinbarung
– Die Führung
– Die Beurteilung
– Zeit und Geld

KAPITEL 6

DER MITARBEITER IM BETRIEB

Das lernen Sie hier:
– über das Personalwesen sprechen
– Wünsche, Vorsätze, Ziele ausdrücken
– Inhalte präsentieren
– Mitarbeiter und Vorgesetzte beurteilen
– ein Mitarbeitergespräch führen
– Zielvereinbarungen treffen
– Arbeitszeiten und Gehälter vergleichen

Verwaltungsvorgänge

1

Herr Geier erledigt alle seine Aufgaben zu unserer vollsten Zufriedenheit selbstständig, gewissenhaft und pünktlich. Bei unseren Kunden ist er als kompetenter und freundlicher Berater anerkannt und beliebt. Sein Verhalten gegenüber Mitarbeitern und Vorgesetzten ist stets korrekt.

Dieses Zwischenzeugnis wird anlässlich eines Vorgesetztenwechsels erstellt.

ZLE GmbH Anlagenbau
Personalabteilung

F. Müller

F. Müller

2

ZLE GmbH Anlagenbau
Lindestraße 12 · 81737 München

23.09.2006

Personalabteilung

Sehr geehrter Herr Geier,

anlässlich des Wechsels Ihres Vorgesetzten werden wir Ihnen wunschgemäß ein Zwischenzeugnis ausstellen. Zur Kenntnisnahme und für Ihre Vorbereitung auf das Gespräch mit Ihrem bisherigen Gruppenleiter, Herrn Moosmann, legen wir unseren Beurteilungsbogen bei. Er wird als Basis für das Beurteilungsgespräch und für das Zwischenzeugnis dienen.

Mit freundlichen Grüßen

F. Müller

F. Müller

3

Lieber Herr Moosmann,

noch einmal herzlichen Glückwunsch zur Übernahme der Abteilungsleitung! Schade ist nur, dass ich nicht mehr direkt mit Ihnen zusammenarbeiten kann. Ich habe noch eine Bitte: Beim Wechsel des Vorgesetzten wird normalerweise ein Zwischenzeugnis ausgestellt. Darüber würde ich gern mit Ihnen sprechen. Ich würde mich freuen, wenn Sie mir einen Termin für ein Gespräch geben könnten.

Mit freundlichen Grüßen
J. Geier

4

ZLE GmbH Anlagenbau
Lindestraße 12 · 81737 München

ZEUGNIS

29.09.2006

Frau Elvira Günthner, geboren am 25.12.1975 in Bietigheim, war seit dem 01.01.2003 als Ingenieurin in unserer Service-Abteilung eingesetzt. Sie hat unsere Kunden beraten und war für die vertragliche Wartung der Anlagen zuständig, die wir geliefert und montiert haben. Die Tätigkeit in den Gruppen der Serviceabteilung verlangt von den Mitarbeitern eine genaue Kenntnis der Mess-, Steuer- und Regeleinrichtungen und die Fähigkeit, auftretende Probleme zu analysieren und selbstständig Maßnahmen zu

5

Name: _____ Vorname: _____ Geburtsdatum: _____

Abteilung: _____ Stellenbezeichnung: _____ Name des Beurteilers: _____

1. Arbeitsgüte / Arbeitsausführung	Beurteilungsskala				
	1 entspricht nicht immer den Mindestanforderungen	**2** entspricht im Großen und Ganzen den Anforderungen	**3** gut, entspricht voll und ganz den Anforderungen	**4** sehr gut, übertritt deutlich die Anforderungen	**5** außergewöhnlich gut, übertritt in außergewöhnlichem Maße die Anforderungen
☐ Fachkenntnisse					
☐ Richtigkeit / Verwendbarkeit der Arbeitsergebnisse					
☐ Selbstständigkeit					
☐ Vielseitige Einsetzbarkeit					
☐ Berufliche Geschicklichkeit (z.B. Handfertigkeit, Verhandlungs-, Organisationsgeschick, Geschick beim Umgang mit Kunden)					
☐ Einhaltung von Vorschriften und Anweisungen					
☐ Sorgfältige Behandlung von Betriebsmitteln					
2. Arbeitsmenge / Arbeitstempo					
☐ Zeitaufwand für einwandfreie Arbeit					
☐ Stetigkeit der Leistung, Ausdauer					
☐ Termineinhaltung					

A Dokumente

❶ Sehen Sie sich die Dokumentauszüge oben an. Lesen Sie noch nicht. Worum geht es hier?

❷ Überfliegen Sie die Dokumente. Worum handelt es sich?

1 Schreiben der Personalabteilung Text __2__
2 Mitteilung an den Vorgesetzten Text _____
3 Arbeitszeugnis Text _____
4 Beurteilungsbogen Text _____
5 Zwischenzeugnis Text _____

❸ Haben Sie schon ein Arbeitszeugnis bekommen? Hatten Sie schon einmal ein Beurteilungsgespräch? Berichten Sie!

❹ Vier Dokumente gehören zu einem Vorgang. Welche? In welcher Reihenfolge?

⑤ Erklären Sie den Ablauf und notieren Sie, wenn möglich, die Nummer des passenden Dokuments auf der linken Seite.

Dokument

1 _Zuerst bittet Herr Geier seinen Vorgesetzten um_   _3_

ein Zwischenzeugnis.

2 _Dann_ _____

3 _Als Nächstes_ _____

4 _Dann_ _____

5 _Danach_ _____

6 _Schließlich_ _____

| Vorgesetzter: den ausgefüllten Beurteilungsbogen an die Personalabteilung schicken |

| Mitarbeiter und Vorgesetzter: Beurteilungsgespräch führen |

| Personalabteilung: Zwischenzeugnis schreiben |

| Geier: seinen Vorgesetzten um ein Zwischenzeugnis bitten |

| Personalabteilung: an den Mitarbeiter und seinen Vorgesetzten einen Beurteilungsbogen schicken |

| Vorgesetzter: die Personalabteilung über den Wunsch informieren |

⑥ Tragen Sie den Ablauf mündlich vor.

B Zukunft

① Welche Funktion hat *werden* in den Sätzen 1 bis 3: Hilfsverb für Passiv, Hilfsverb für Futur (Zukunft), Ausdruck einer Veränderung?

1 Herr Moosmann wird Abteilungsleiter. _____

2 Herr Geier wird zu einem Beurteilungsgespräch eingeladen. _____

3 Wir werden Ihnen so schnell wie möglich ein Angebot vorlegen. _____

② In den Dokumenten 2 und 3 in Aufgabe A finden Sie dreimal *werden*. Welche Funktion hat es dort?

1 Dokument 2: _____

2 Dokument 3: _____

Der Gebrauch von *werden*	
als Vollverb = Veränderung	Sie wird morgen 51. Er ist Abteilungsleiter geworden.
werden + Partizip Perfekt = Passiv	Das Zeugnis wird vom Personalleiter unterschrieben. Herr Moosmann wird zum Abteilungsleiter befördert.
werden + Infinitiv = Futur	Herr Moosmann wird das Beurteilungsgespräch mit Ihnen führen.

③ Schreiben Sie die folgenden Sätze im Futur.

1 Wir senden Ihnen das Zwischenzeugnis Ende des Monats zu.
2 Sie übernehmen Ihre neue Aufgabe Anfang des nächsten Quartals.
3 Herr Müller ruft Sie morgen wegen des Zeugnisses für Herrn Mohn an.
4 Wir hoffen, dass Sie sich bei uns wohl fühlen.
5 Sie erhalten ein Zwischenzeugnis, weil Sie in eine andere Abteilung wechseln.

Zukunft TIPP
Normalerweise benutzen wir für einen Vorgang in der Zukunft Präsens, oft mit einer Zeitangabe: *Herr Geier kommt morgen zu einem Gespräch zu mir.*
Futur mit *werden* kommt selten und vor allem in formellen oder offiziellen Texten vor. Sie brauchen das Futur also selbst nicht zu benutzen!

C Abläufe in der Personalbeurteilung

Welche Abläufe für die Erstellung von Beurteilungen und Zeugnissen haben Sie kennen gelernt?
Wer war beteiligt? Finden Sie diese Abläufe gut?
Wie sieht nach Ihrer Meinung ein gutes Beurteilungssystem aus?

Das Personalwesen muss neu ausgerichtet werden

A So hätten wir es gern.

Was erwarten Sie von einem guten Beurteilungssystem? Was sollte es ermöglichen, was vermeiden? Wählen Sie einige der Begriffe rechts aus und erklären Sie die Auswahl.

> Gerechtigkeit • Kontrolle • Motivation • Gehorsam •
> Bezahlung nach Leistung • Förderung der Potenziale der Mitarbeiter •
> Weiterbildung • Karriereplanung • Selbstständigkeit •
> Angst vor Entlassung • Orientierung auf die Unternehmensziele •
> Abhängigkeit von Vorgesetzten

B Das kann die Personalabteilung nicht allein machen.

❶ Beantworten Sie die Fragen anhand des Notizzettels.

1 Wer hat ihn geschrieben?
2 Mit wem möchte er/sie sprechen?
3 Worüber möchte er/sie sprechen?

❷ Steht das auf dem Notizzettel?
Was ist richtig ⟨r⟩? Was ist falsch ⟨f⟩?

1 Das Unternehmen möchte ein Personalbeurteilungssystem einrichten. _____ ⟨f⟩
2 Es geht vor allem um Qualität. _____ ☐
3 Um die Qualität zu verbessern, müssen die Fähigkeiten der Mitarbeiter entwickelt werden. _____ ☐
4 Weiterbildung hat mit Qualität nichts zu tun. _____ ☐
5 Man hat mit den Mitarbeitern bisher keine Ziele
vereinbart. _____ ☐
6 Es soll gefragt werden, welche persönlichen Wünsche
und Ziele die Mitarbeiter haben. _____ ☐

❸ Hören Sie das Gespräch zwischen Geschäftsführer
und Personalleiter.

1 Streichen Sie auf dem Notizzettel des Personalleiters
alle Punkte, die er nicht anspricht.
2 Ist der Geschäftsführer mit den Vorschlägen des
Personalleiters einverstanden?
3 Wann soll die Projektgruppe mit der Arbeit beginnen?

Besprechung mit GF:

Qualität! dafür:
→ Motivation stärken
→ Potenziale entfalten
→ MA mit Führungspotenzial finde
→ Personaleinsatz verbessern
→ Weiterbildung verbessern
  + systematisieren

Mittel: Zielsystem
Unterstützung durch Personalwesen!

Wichtigster/erster Schritt → Reform vom
Beurteilungssystem:
1. Zielvereinbarung wichtiger und klarer
2. Entwicklungsziele/-wünsche der MA
   ermitteln
3. Potenziale der MA ermitteln:
   • fachliche Potenziale
   • Führungspotenziale
4. Karriereplanung! → in Beurteilungsbogen
   dokumentieren!
5. Weiterbildung festlegen
6. Abläufe in Beurteilungssystem ändern
7. Beurteilungsbogen ändern

Projektgruppe einrichten:
• Jede Abteilung 1 MA
• Leitung: ich
• Beginn KW 14
• Einladungsschreiben von mir an alle AL

C Jede Menge Aufgaben!

1 Kreuzen Sie die drei Aussagen an, die im Gespräch zwischen Geschäftsführer und Personalleiter nicht vorkommen.

1 Höhere Qualität kann mit der Einführung eines Zielsystems erreicht werden. _____ ☐
2 Die Weiterbildung muss rechtzeitig den neuen Produkten angepasst werden. _____ ☐
3 Der Gewinn muss erhöht werden. _____ ☐
4 Das Beurteilungssystem muss reformiert werden. _____ ☐
5 Mit jedem Mitarbeiter müssen klarer als bisher Ziele vereinbart werden. _____ ☐
6 Etwa 100 Stellen können sofort gestrichen werden. _____ ☐
7 Die Mitarbeiterwünsche und der Bedarf des Unternehmens müssen zusammengebracht werden._ ☐
8 Die Arbeitskosten müssen in den nächsten zwei Jahren deutlich gesenkt werden. _____ ☐
9 Die Abläufe in unserem Beurteilungssystem müssen verändert werden. _____ ☐
10 Die Reform soll ab der 13. Kalenderwoche durchgeführt werden. _____ ☐

2 Was kann / muss / soll man tun? Formulieren Sie die Sätze 1 bis 10 um.

Höhere Qualität kann man mit der Einführung eines Zielsystems erreichen. _____

_____

Passiv mit Modalverben				
	Modalverb		Partizip Perfekt	werden
Die Weiterbildung	muss	rechtzeitig den neuen Produkten	angepasst	werden.
Die Reform	kann	nicht allein von der Personalabteilung	durchgeführt	werden.
Das Projekt	durfte	nicht	verzögert	werden.

D Die erste Sitzung der Projektgruppe

ZLE GmbH Anlagenbau

Was wir wollen:
➤ Stärkung der Motivation
➤ Entfaltung der Potenziale der MA
➤ Verbesserung des Personaleinsatzes
➤ Systematisierung der Weiterbildung

Methode: **Zielsystem**

Im Personalwesen:
Reform des Beurteilungssystems

ZLE GmbH Anlagenbau

Reform des Beurteilungssystems:
➤ Stärkung der Zielvereinbarungen
➤ Einbeziehung der persönlichen Ziele der MA
➤ Ermittlung der Potenziale der MA
➤ Fokussierung der Weiterbildung
➤ Änderung der Abläufe im Beurteilungssystem

1 Der Personalleiter, Herr Schröder, präsentiert die wichtigsten Punkte zu der Arbeit der Projektgruppe. Spielen Sie seine Rolle und sprechen Sie anhand der Präsentationsvorlage.

Liebe Kolleginnen und Kollegen,
ich möchte zu Beginn noch
einmal zusammenfassen, was …
Wir müssen die Motivation
unserer Mitarbeiter stärken.
Die Potenziale der Mitarbeiter
müssen …
Der Personaleinsatz muss …

2 Protokollieren Sie die Präsentation des Personalleiters.

Die Zielvereinbarung

A Ziele, Vorsätze und Wünsche

❶ Sie hören vier kurze Dialoge. Welche Wünsche, Vorsätze oder Ziele haben die Leute?

Dialog 1: _____

Dialog 2: _____

Dialog 3: _____

Dialog 4: _____

> nicht mehr rauchen •
> Urlaub am Meer machen • abnehmen •
> regelmäßig schwimmen gehen •
> Gruppenleiter werden • eine Stelle in Rom finden •
> eine Sprache lernen • im Lotto gewinnen •
> ein MBA-Studium machen • heiraten •
> eine Gehaltserhöhung bekommen •
> das Leben besser organisieren • Klavier spielen lernen

❷ Was sind eher Wünsche, Vorsätze oder Ziele?

❸ Welche Ziele, Vorsätze oder Wünsche haben Sie? Welche hatten Ihre Kollegen, Ihre Freunde beim letzten Jahreswechsel oder beim letzten Geburtstag?

Ich	wünsche mir, nehme mir vor, plane, habe das Ziel,	dass ich eine Gehaltserhöhung bekomme. regelmäßig schwimmen zu gehen.
Sie/Er	hat sich gewünscht, hat sich vorgenommen, hat geplant, hat sich zum Ziel gesetzt,	dass sie/er eine Stelle in Rom findet. Gruppenleiter zu werden.

B Ziele motivieren

❶ Überfliegen Sie den folgenden Text. Um was für Ziele geht es hier?

Mitarbeiter motivieren durch Ziele und variable Vergütung

Sehr geehrter Herr Schröder,
durch Ziele, die gemeinsam vereinbart werden, erhöhen sich die Motivation und Zufriedenheit der Mitarbeiter deutlich. Folge: Die Mitarbeiter und dadurch das gesamte Unternehmen erreichen Spitzenleistungen. Dabei dienen Zielvereinbarungen als Basis für eine variable Entlohnung.

Sie lernen beim Tagesseminar,
• wie Sie in Ihrem Unternehmen Zielprozesse einführen;
• messbare und realisierbare Ziele zu formulieren;
• regelmäßige Mitarbeitergespräche durchzuführen;
• wie Sie die Zielerreichung mit der Vergütung verknüpfen.

Teil des Seminars ist übrigens ein Betriebsrundgang bei der Firma POZ GmbH. Der Seminarleiter sowie der Geschäftsführer der Firma POZ GmbH zeigen Ihnen an einem praktischen Beispiel, wie Zielvereinbarungsprozesse inklusive Gehaltsanbindung zum Erfolg führen.
Nächster Termin: 18. Oktober in Hannover, 9.00–17.30 Uhr

Ihr Consulting & Training

2 Suchen Sie die Antworten in der Einladung in Aufgabe B1.

1 An wen richtet sich diese Einladung?
2 Was möchte der Absender mit seiner Einladung erreichen?
3 Wozu führen Zielvereinbarungen im Unternehmen?
4 Wer trifft die Zielvereinbarungen?
5 Welche Wörter (Synonyme) für *Gehalt* finden Sie im Text?
6 Was haben Ziele mit dem Gehalt zu tun?
7 Was kann man im Seminar lernen?
8 Warum wird die Firma POZ GmbH erwähnt?

C Die Präsentation

1 Sehen Sie sich die beiden Abbildungen an. Erklären Sie die Überschriften.

Ablauf eines Zielvereinbarungsprozesses

1.
2.
4.
3. Umsetzung der Ziele

Kriterien für Ziele

- präzise und eindeutig
- messbar und kontrollierbar
- terminierbar
- bedeutsam und unverzichtbar
- realisierbar, aber schwierig
- akzeptabel und möglichst vereinbart

2 Wohin gehören die folgenden Punkte im Schaubild *Ablauf eines Zielvereinbarungsprozesses*?

Bewertung der Zielerreichung · Zielvereinbarung treffen ·
Vorbereitung der Zielvereinbarung · ~~Umsetzung der Ziele~~

 3 Hören Sie die Präsentation.

1 Welche Abbildung verwendet der Redner zuerst?
2 Von welchem Kriterium spricht er?
3 Welches Beispiel gibt er?
4 Von welchem Punkt der anderen Abbildung spricht der Redner dann?
5 Welche Frage beantwortet er damit?

Adjektive mit *-bar*		
messen + -bar → messbar	**Man kann …**	**… kann gemacht werden**
Das Ziel ist messbar.	Man kann das Ziel messen.	Das Ziel kann gemessen werden.
Es ist auch kontrollierbar.	Man kann es auch kontrollieren.	Es kann auch kontrolliert werden.
Wir brauchen messbare Ziele.	Wir brauchen Ziele, die man messen kann.	Wir brauchen Ziele, die gemessen werden können.

D Das Ziel muss messbar und kontrollierbar sein.

1 Erläutern Sie, wie sinnvolle Ziele sein müssen.
2 Präsentieren Sie einen Zielvereinbarungsprozess und eine gute Zielformulierung mithilfe der Abbildungen in Aufgabe C1.
3 Was halten Sie von Zielvereinbarungen im Unternehmen?

Führung

A Vorgesetzte

Was für Chefinnen oder Chefs haben Sie schon erlebt?
Was war positiv, was negativ?

> höflich • mischte sich in alles ein •
> misstrauisch • vertraute mir •
> konnte nicht zuhören •
> konnte motivieren • arrogant • ...

B Vertrauen ist gut ...

❶ Herr Brüggemann, Gruppenleiter, berichtet dem Abteilungsleiter über drei Mitarbeiter in seiner Gruppe. Mit welchem Mitarbeiter ist er am zufriedensten? Mit wem hat er die meisten Probleme?

Herr Bayer wird leider immer mehr ein Problem für meine Gruppe. Seine Aufgaben sind nicht sehr schwierig. Trotzdem kommt er ständig zu mir und fragt, wie er dieses oder jenes machen soll. Er spricht zwar immer von Selbstständigkeit bei der Arbeit, aber er trifft nie selbstständig Entscheidungen.

Obwohl Herr Bönzli ziemlich neu bei uns ist, kennt er sich schon sehr gut aus. Er passt prima in das Team. Fachlich ist er sehr kompetent. Er arbeitet selbstständig, aber er informiert mich ständig in klarer und einfacher Form, wie sein Projekt läuft. So gibt er mir die Sicherheit, dass alles gut läuft, und ich kann mich in Ruhe um andere Aufgaben kümmern.

Herr Hildebrand ist zwar ein sehr qualifizierter Mann, aber es ist nicht leicht, mit ihm zu kommunizieren. Obwohl seine Berichte formal in Ordnung sind, geben sie mir kein vollständiges Bild von seinem Projekt. Wenn ich dann nachfrage oder einen Tipp gebe, reagiert er zwar korrekt, aber abweisend. Er hält das vermutlich für Einmischung. Dabei lasse ich ihm wie jedem in der Gruppe viel Freiheit.

❷ Wie stellen Sie sich Herrn Brüggemann vor? Macht er auch Fehler?

 ❸ Hören Sie ein Gespräch zwischen einer Kollegin und einem der drei Mitarbeiter.

1 Spricht Herr Bayer, Herr Bönzli oder Herr Hildebrand mit der Kollegin?
2 Welcher der drei Herren verhält sich gegenüber Herrn Brüggemann ähnlich wie die Kollegin?

C Gegensätze und Widersprüche

❶ Suchen Sie Gegensätze in den Texten in Aufgabe B1 und benutzen Sie jeweils eine andere Ausdrucksmöglichkeit.

Gegensätze und Widersprüche		
Herr Bönzli ist ziemlich neu bei uns.	≠	Er kennt sich schon sehr gut aus.
Herr Bönzli ist zwar ziemlich neu bei uns,		aber er kennt sich schon sehr gut aus. trotzdem kennt er sich schon sehr gut aus.
Obwohl Herr Bönzli ziemlich neu bei uns ist,		kennt er sich schon sehr gut aus.
Herr Bönzli kennt sich schon sehr gut aus,		obwohl er ziemlich neu ist.

❷ Sprechen Sie über die drei Mitarbeiter und ihren Chef, Herrn Brüggemann.

- Brüggemann: möchte selbstständige MA ≠ mischt sich ein / will genaue Berichte ≠ will nicht zu oft gefragt werden
- Bayer: Aufgaben einfach ≠ fragt ständig den Chef / ...
- Bönzli: ...
- Hildebrand: ...

❸ Sprechen Sie über Ihren Chef, Ihren Lehrer, Ihren Kollegen.

> Obwohl mein Chef arrogant war, war er sehr gerecht.

> Mein Lehrer konnte gut erklären, trotzdem war er nicht beliebt.

D Gute Zusammenarbeit

❶ Betrachten Sie die Abbildungen 1 und 2. Wo finden Sie die Probleme aus Aufgabe B?

❷ Suchen Sie im Text links: Welcher Abschnitt gehört zu welcher Abbildung? Begründen Sie, warum.

1400 Teilnehmer an Seminaren eines Großunternehmens wurden gefragt: Welche Probleme behindern Sie in Ihrer täglichen Arbeit am meisten? Neben Kommunikationsproblemen nannten die Teilnehmer vor allem Mängel in der Führung, weit vor technischen und organisatorischen Problemen. Als Kommunikationsmängel wurden etwa Konkurrenz zwischen den Abteilungen und schlechte Teamfähigkeit der Kollegen genannt. Die Führungsmängel konnten darin zusammengefasst werden, dass die offiziellen Führungsgrundsätze nicht real umgesetzt wurden.

Entscheidendes Mittel zur Änderung dieser Situation ist es, den Mit-Arbeiter zum Mit-Unternehmer zu machen. Dafür muss er die strategische Ausrichtung seines Unternehmens kennen und Informationen über das Zusammenspiel der Abteilungen haben. Natürlich braucht er auch fachliche und soziale Kompetenz, die gegebenenfalls durch Weiterbildung und Training gefördert werden müssen. Zusammen mit Zielvereinbarungen und positivem Feedback führt das zur Motivation des Mitarbeiters. Vor allem aber braucht er auch Entscheidungskompetenz für seine Aufgaben und Ziele: Er muss „dürfen"!

1
Kennen — GUTE ZUSAMMEN-ARBEIT — Dürfen
Können — Wollen

2
Führungsgrundsätze ≠ Praxis

Wir haben Vertrauen in unsere Mitarbeiter...
aber wir kontrollieren sie täglich!

Wir delegieren Verantwortung...
aber nicht die nötige Entscheidungsfreiheit!

Wir sehen Probleme als Weg zur Lösung...
aber wir suchen den Schuldigen!

Wir führen unsere Mitarbeiter mit Zielen...
aber wir geben den Weg vor!

Wir informieren unsere Mitarbeiter gezielt...
aber nur auf ihren Arbeitsbereich begrenzt!

❸ Markieren Sie im Text die Sätze, die zu den vier Verben in Abbildung 1 gehören. Notieren Sie die Formulierungen.

wollen: _Motivation des Mitarbeiters_   dürfen: _____

können: _____   kennen: _____

❹ In Abbildung 2 wird ein Gegensatz zwischen Ideal und Wirklichkeit dargestellt. Mitarbeiter eines Großbetriebs haben ihn so aufgeschrieben. Formulieren Sie, was die Mitarbeiter gesagt haben. Benutzen Sie kein *aber*!

▶ Obwohl unser Chef angeblich Vertrauen in uns hat, kontrolliert er uns täglich.
▶ Die Führungskräfte sagen, dass sie uns vertrauen. Trotzdem ...

❺ Kennen Sie diese Probleme? Haben Sie eigene Erlebnisse oder Beispiele? Berichten Sie.

E Wie soll die Führungskraft von heute sein?

Diskutieren Sie in Gruppen einige der folgenden Fragen und tragen Sie die Antworten in der Klasse vor.

1 Welche Eigenschaften soll der Manager von heute haben? Welche soll er nicht haben?
2 Was muss er können?
3 Wie soll er führen?
4 Welche Ausbildung soll er haben?
5 Sollte der Manager besser eine Managerin sein?
6 Möchten Sie gern Führungskraft sein?

selbstbewusst
flexibel
diszipliniert
entscheidungsfreudig
durchsetzungsstark
rücksichtslos
kompetent
informiert
raffiniert

ehrlich
hilfsbereit
freundlich
sympathisch
glaubwürdig
pünktlich
fleißig
sparsam
sozial

kann:
• motivieren
• überzeugen
• überreden
• zuhören

Die Beurteilung

Mitarbeiter/in:	Herr Bölli	Frau Pfundstein	Herr Rapp
Kriterien:			
a) Arbeitsgüte, Arbeitsmenge, Arbeitstempo	IV	II	III
b) Selbstständigkeit, Verantwortungsbereitschaft	II	II	IV
c) Kreativität, Innovationsbereitschaft	I	III	II
d) Sozialverhalten (im Team, gegenüber Kunden)	II	IV	II

A Mitarbeiter

① Was bedeuten die Beurteilungskriterien oben? Ordnen Sie die Buchstaben a) bis d) zu.

1 Arbeitet der/die Mitarbeiter/in selbstständig? Ist er/sie bereit, Verantwortung zu übernehmen? **b**
2 Arbeitet der/die Mitarbeiter/in gut im Team? Ist er/sie gegenüber Kunden freundlich? _____ ☐
3 Ist der/die Mitarbeiter/in kreativ? Findet er/sie Innovationen gut? _____ ☐
4 Wie arbeitet der/die Mitarbeiter/in? Gut? Viel? Schnell? _____ ☐

② Was bedeuten die Stufen in der Beurteilungsskala? Ordnen Sie die Erklärungen a) bis e) zu.

Beurteilungsskala:

0 = erfüllt die Anforderungen im Wesentlichen nicht
I = erfüllt die Anforderungen mit kleinen Defiziten
II = erfüllt die Anforderungen uneingeschränkt
III = übertrifft die Anforderungen
IV = übertrifft die Anforderungen in außergewöhnlichem Maß

a) hervorragend
b) durchschnittlich
c) gut
d) nicht akzeptabel
e) unterdurchschnittlich

③ Sprechen Sie über die drei Mitarbeiter.

▶ Bei Herrn Bölli ist die Arbeitsgüte am besten./Herr Bölli arbeitet sehr gut.
▶ Aber er ist zu wenig … Sein Sozialverhalten ist …
▶ Frau Pfundstein hat zwar ein hervorragendes Sozialverhalten, aber …

④ Treffen Sie arbeitsteilig in Gruppen folgende Personalentscheidungen.

Von diesen drei Mitarbeitern soll eine/r
a) entlassen werden.
b) zum Gruppenleiter befördert werden.
c) zum Kundendienst versetzt werden.

B Beurteilungsgespräch

① Hören Sie das Gespräch und tragen Sie in den Beurteilungsbogen rechts ein, was Sie hören.

Personalbeurteilung

für:
Name, Vorname: _Hörbiger, Renate_
Personalnummer: _1730_
Abteilung: _Firmenkundenberatung_
Niederlassung: _Kantone Zürich/Aargau_
Funktion: _Kundenberaterin_
Seit: _2005_
Führungskraft: _Paul Würgler_
Beurteilungszeitraum: _2005_

Beurteilungsmerkmale
☐ Arbeitsergebnisse
☐ Selbstständigkeit
☐ Kooperation
☐ Kreativität
☐ Leistungsmotivation
☐ Fachkompetenz
☐ Kundenorientierung
☐ Flexibilität
☐ Wirtschaftlichkeit

Zielvereinbarungen
1 _____
2 _____
3 _____
4 _____

2 Setzen Sie die fehlenden Satzteile so ein, wie es dem Hörtext in Aufgabe B1 entspricht.

> für überdurchschnittlich • sehr gut • nicht so positiv •
> ~~positivsten~~ • so positiv • verbessern

▶ Kundenorientierung: In diesem Punkt beurteile ich Sie am

_positivsten_____! Und Ihre Kooperation mit den

Kollegen finde ich auch _____. Nur Ihre

Selbstständigkeit bewerte ich _____. Die

müssen Sie noch _____. Aber Ihre fachliche

Kompetenz halte ich _____.

▶ Ich freue mich, dass Sie mich _____

beurteilen.

C Beurteilungs- und Zielvereinbarungsgespräche

Spielen Sie Beurteilungs- und Zielvereinbarungsgespräche. Wählen Sie Inhalte und Bewertungen aus der Bewertungsskala in Aufgabe A und dem Beurteilungsbogen in Aufgabe B.

Der jeweilige Vorgesetzte spricht mit:
- Abteilungssekretärin   *Ziele*: 95% fehlerfreie Briefe, Sicherung des Info-Flusses in Abteilung, Neuorganisation der Ablage
- Leiter Monteurgruppe   *Ziele*: Einhaltung der Zeitpläne auf 90% verbessern, Dokumentation aller auftretender Fehler für Konstruktionsabteilung
- Verkäufer Autokundenzentrum   *Ziele*: Kunden sofort begrüßen, Stammkunden immer mit Namen begrüßen, Umsatzsteigerung des neues Modells um 10%

▶ Kommen wir zum nächsten Punkt, zu.... In diesem Punkt beurteile ich Sie sehr positiv. Ihre ... halte ich für ... Schreiben wir hier ... Ihre ... bewerte ich mit ...	▶ Danke! Ich freue mich, dass Sie mich so positiv beurteilen. Ich bin froh, dass Sie meine Arbeit so positiv bewerten.
▶ Dagegen finde ich Ihre ... nicht so gut.	▶ Wissen Sie, Frau/Herr...,
▶ Mein Eindruck ist da etwas anders. Also ich meine, das könnten Sie noch etwas verbessern.	▶ Also gut, ich werde mich bemühen.
▶ Ich schreibe hier also ..., einverstanden?	▶ Könnten wir uns nicht auf ... einigen?
▶ ... ist nicht schlecht! In einem halben Jahr können wir ja noch einmal darüber sprechen.	▶ Einverstanden.
▶ Welche Ziele haben Sie für Ihre Arbeit?	▶ Ich dachte an ... und an ...
▶ Ich glaube, Sie könnten auch .... Meinen Sie nicht, Sie könnten auch ...?	▶ Das ist nicht leicht. Können wir nicht ... Ich werde mich bemühen.
▶ Haben Sie auch persönlich ein Ziel, das für das Unternehmen nützlich ist?	▶ Ja, ich würde gern ...

D PARTNER **A** benutzt Datenblatt A15, S. 176. PARTNER **B** benutzt Datenblatt B15, S. 186.

E Ihr Beurteilungs- und Zielvereinbarungsgespräch

Partnerarbeit: Verwenden Sie Ihre Erfahrungen in Ausbildung und Beruf. Legen Sie mit Ihrem Partner einen bestimmten Beruf / eine bestimmte Aufgabe fest (Assistent, Gruppenleiter, ...). Notieren Sie Ihre Beurteilung und Zielvorstellungen. Spielen Sie dann das Gespräch mit wechselnden Rollen.

Zeit und Geld

Kollege •
Abteilungsleiter •
Praktikant •
Personalleiter •
neuer Mitarbeiter •
Geschäftsführer •
Trainee •

A Arbeitszeiten

1 Sie hören den Anfang eines Gesprächs. Welche Funktion haben die beiden Gesprächspartner?

Herr Grimm: _____   Herr Miller: _____

2 Sie hören nun den Rest des Gesprächs. Um welche Themen geht es?

3 Setzen Sie die Wörter aus dem Kasten und die fehlende Zahlen in die Lücken ein.

> Kernzeit • Überstunden • Mittagspause • ~~Schichtarbeit~~ • Feiertage •
> gleitende Arbeitszeit • Urlaub • Feierabend • Wochenarbeitszeit

In der Produktion gibt es _Schichtarbeit_ , 38,5 Stunden pro Woche. Bei uns beträgt die

_____ ebenfalls _____ Stunden, ohne _____.

Wir haben _____. Die _____ geht von 9 bis 16 Uhr. Morgens

können Sie frühestens um _____ Uhr rein und abends müssen Sie spätestens um _____ Uhr raus.

Da macht der Pförtner _____.

Das gilt auch am Freitag. Da endet die Kernzeit allerdings schon um _____ Uhr.

Bei manchen Projekten gibt es ziemlich viele _____. Aber Sie können maximal

_____ Stunden pro Woche aufschreiben und sie dann abfeiern oder auszahlen lassen.

Wir hoffen, dass unsere Mitarbeiter nicht den ganzen _____ von _____

Tagen am Stück nehmen. So können wir sicherstellen, dass alles gut läuft in der Abteilung. Aber

_____ darf man mit Urlaub verbinden.

4 Benutzen Sie nur die folgenden Stichpunkte und spielen Sie das Gespräch nach.

• Wochenarbeitszeit   • Arbeitszeiten   • Überstunden   • Urlaub

B

PARTNER **A** benutzt Datenblatt A16, S. 177.
PARTNER **B** benutzt Datenblatt B16, S. 187.

C Teure Überstunden

1 Beantworten Sie mithilfe des Textes
und des Schaubilds die folgenden Fragen.

1 Welche Länder in der Tabelle kennen Sie?
2 Versuchen Sie, die Begriffe *Tarifvertrag*
und *tarifliche Wochenarbeitszeit* zu erklären.
3 In welchem Land arbeitet man am kür-
zesten, in welchem Land am längsten?
4 Wie viele Stunden arbeiten die Deutschen, die Österreicher und die Schweizer pro Woche?
5 Verdient man für Überstunden mehr?

Im Durchschnitt arbeitet ein Arbeitnehmer in Deutschland im Jahr fast 100 Stunden mehr, als es der Tarifvertrag vorsieht. Etwa ein Drittel der Differenz zwischen tariflicher und tatsächlicher Arbeitszeit ist zuschlagspflichtig. In der Regel fällt ein Zuschlag von 25 Prozent an, an Sonn- und Feiertagen können es bis zu 150 Prozent sein.

Die Arbeitswoche in Europa
Wochenarbeitszeit in Stunden

	Tarifliche	Tatsächliche
CH	40,5	
GR	40,0	42,0
PL	40,0	44,4
SLO	40,0	43,4
H	40,0	42,6
IRL	39,0	41,4
S	38,8	41,0
E	38,6	40,8
A	38,5	41,6
I	38,0	41,5
D	**37,7**	40,5
FIN	37,5	41,0
UK	37,2	40,6
DK	37,0	43,8
NL	37,0	40,3
F	35,5	40,6
		40,7

② Ordnen Sie die Länder in der Reihenfolge der tatsächlichen Arbeitszeiten. An welcher Stelle stehen dann die Schweiz, Österreich und Deutschland?

③ Vergleichen Sie die Arbeitszeit in Ihrem Land mit den deutschsprachigen Ländern.

D Wie viel verdienen denn Sie?

① Herr Miller sitzt zufällig mit Herrn Walisch, Elektroniker in der Montage, beim Mittagessen in der Kantine. Hören Sie das Gespräch und beantworten Sie die Fragen.

1 Wie hoch ist jetzt das 13. Gehalt? Wie hoch war es davor?
2 Was für ein Gehaltsbestandteil wird neu eingeführt?
3 Wie viel verdient Herr Miller?
4 Welche Punkte auf der Gehaltsberechnung rechts kommen im Gespräch vor?
5 Steht rechts die Gehaltsberechnung von Herrn Miller oder die von Herrn Walisch?

② Was denken Sie: Warum sagt Herr Walisch nicht, wie viel er verdient?

③ Wie errechnet sich das Nettoeinkommen? Sprechen Sie über die Gehaltsberechnung rechts.

brutto	
	2.641,00
Lohnsteuer	- 168,50
Krankenversicherung	- 188,83
Pflegeversicherung	- 29,05
Gesetzliche Rentenversicherung	- 257,50
Arbeitslosenversicherung	- 85,83
Betriebsrente	- 26,00
netto	**1.885,29**
Kindergeld	+ 154,00
Nettoeinkommen	**2.039,29**

E Steuern und Sozialabgaben in Deutschland

① Lesen Sie das Schaubild und den Text.

1 Welches der Beispiele passt zu der Gehaltsberechnung oben?
2 Schätzen Sie grob, wie viel Herr Miller netto verdient.
3 Halten Sie einen kleinen Vortrag über den Inhalt des Schaubilds.

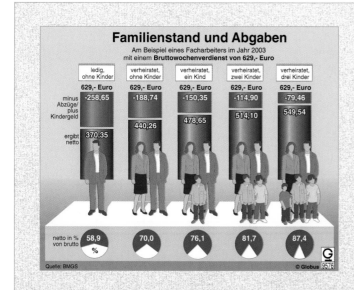

Die Ehe lohnt sich – das gilt zumindest dann, wenn nur einer der beiden Ehepartner verdient. Durch das so genannte Steuersplitting sinkt die steuerliche Belastung, und der Partner ohne Einkommen kann in der Krankenkasse kostenfrei mitversichert werden. Auch Kinder sind beitragsfrei mitversichert. Mit der Zahl der Kinder sinkt die Höhe der Steuern weiter. Für eine fünfköpfige Facharbeiterfamilie beträgt die Abgabequote schließlich nur noch 12,6 % – von 629 Euro brutto bleiben fast 550 Euro netto übrig. Hinzu kommt außerdem noch das Kindergeld, das der Staat an die Eltern zahlt.

② Sammeln Sie Informationen über Sozialabgaben in Österreich und der Schweiz.

F Vergleiche

Vergleichen Sie in Gruppen- oder Partnerarbeit Ihre Länder mit einem deutschsprachigen Land.

- Gehalt
- Abgaben
- Sozialversicherungen
- Arbeitszeit
- Urlaub
- Tarifverträge

Gehalt TIPP

In Deutschland findet man die Frage nach dem persönlichen Einkommen normalerweise indiskret. Auch in der gleichen Abteilung oder Gruppe wissen die Angestellten oft nicht, was die Kollegen verdienen.
Trotzdem ist das Gehalt natürlich sehr wichtig. Man redet aber eher allgemein darüber: Wie viel verdient man in welcher Branche, in welchem Unternehmen, auf welcher Position?

Arbeitszeugnisse

Die Geheimcodes der Arbeitszeugnisse

Wer ein Unternehmen verlässt, hat einen Rechtsanspruch auf ein Arbeitszeugnis. Diese Regel gilt, seitdem das Bürgerliche Gesetzbuch (BGB) am 1. Januar 1900 in Kraft getreten ist. Gesetzlich festgehalten ist außerdem, dass das Zeugnis keine Formulierungen enthalten darf, die dem Arbeitnehmer Steine in den weiteren Berufsweg legen. Gleichzeitig ist man jedoch zur Wahrheit verpflichtet.
Die Wirklichkeit sieht oft anders aus. Es haben sich Floskeln etabliert, die für den Arbeitnehmer nicht einfach zu erschließen sind. Viele Sätze hören sich vordergründig positiv an, Experten lesen jedoch zwischen den Zeilen und erkennen mehr, als auf den ersten Blick zu sehen ist. Zum Beispiel die Formulierung „Er verfügt über Fachwissen und zeigt ein gesundes Selbstvertrauen." ist wenig freundlich gemeint, denn sie beschreibt eine Person, die nicht viel weiß, aber von sich selbst überzeugt ist.

Wir stellen Ihnen hier einige weitere verschlüsselte Botschaften vor, damit Sie wissen, was in Ihrem Arbeitszeugnis wirklich steht:
- Er/Sie war bemüht, seinen Aufgaben gerecht zu werden.
- Wir wünschen ihm/ihr für die Zukunft viel Erfolg.
- Wir wünschen ihm/ihr für die Zukunft viel Erfolg.
- Wir wünschen ihm/ihr für die Zukunft viel Erfolg.
- Er/Sie verstand es, Aufgaben mit Erfolg zu delegieren.
- Er/Sie hat die ihm übertragenen Aufgaben stets zu unserer vollsten Zufriedenheit erledigt.
- Seine/Ihre Pünktlichkeit war vorbildlich.
- Die Zusammenarbeit mit Vorgesetzten und Kollegen war stets sehr gut.
- Wir haben uns im gegenseitigen Einvernehmen getrennt.
- Wir wünschen ihm/ihr für die Zukunft weiterhin viel Erfolg.
- Er/Sie zeigte ein einwandfreies Verhalten gegenüber den Kollegen.

① Lesen Sie die Überschrift vom Text. Was ist das Thema?

② Lesen Sie den ganzen Text. Was ist im Zusammenhang mit dem Arbeitszeugnis per Gesetz geregelt? Wie ist es in der Realität?

③ Ordnen Sie die Floskeln im Zeugnis ihrer wahren Bedeutung unten in der Tabelle zu. Achten Sie auf sprachliche Nuancen. Diskutieren Sie die Lösungen im Kurs.

	Spezial-Code	gemeint ist …
1	Er/Sie verstand es, Aufgaben mit Erfolg zu delegieren.	Er/Sie hat seine/ihre Aufgaben nicht freiwillig selbst erledigt.
2		Er/Sie hat es nicht geschafft, seinen Aufgaben gerecht zu werden.
3		Seine/Ihre Arbeitsleistung war sehr gut.
4		Er/Sie war pünktlich, mehr allerdings nicht.
5		Ihm/Ihr wurde nahe gelegt, selbst zu kündigen, sonst wäre ihm/ihr gekündigt worden.
6		In dieser Firma hatte er/sie keinen Erfolg, vielleicht ja in der Zukunft.
7		Er/Sie war in der Firma erfolgreich und man wünscht ihm/ihr auch weiterhin viel Erfolg.
8		Er/Sie hat sich gut mit den Kollegen verstanden, aber nicht mit den Vorgesetzen.
9		Es gab keine Probleme mit den Vorgesetzen und Kollegen.

Steuern und Sozialabgaben im Vergleich

1. Lesen Sie den Text und ergänzen Sie die fehlenden Angaben im Schaubild.

2. Welche Wörter im Text stehen für *arbeiten*?

3. Welche Gründe gibt es für Unterschiede bei Steuern und Sozialabgaben?

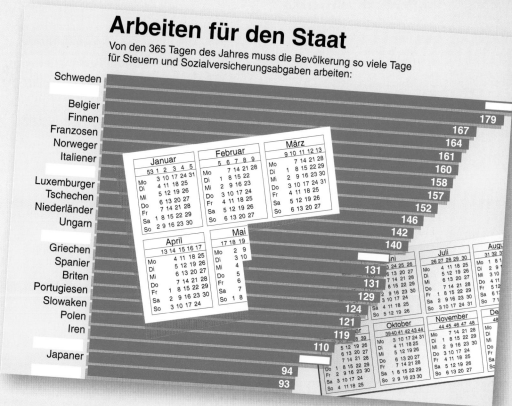

Arbeiten für den Staat

Von den 365 Tagen des Jahres muss die Bevölkerung so viele Tage für Steuern und Sozialversicherungsabgaben arbeiten:

Schweden	
Belgier	
Finnen	179
Franzosen	167
Norweger	164
Italiener	161
	160
Luxemburger	158
Tschechen	157
Niederländer	152
Ungarn	146
	142
	140
Griechen	
Spanier	131
Briten	131
Portugiesen	129
Slowaken	124
Polen	121
Iren	119
	110
Japaner	
	94
	93

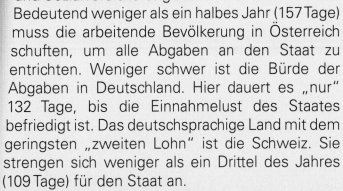

Wie viel will der Staat haben?

Die Schweden arbeiten über die Hälfte des Jahres, nämlich 185 Tage, für ihren Staat. Das ergibt sich, wenn man die Belastung der Bürger und Unternehmen mit Steuern und Sozialabgaben auf die 365 Tage des Jahres bezieht. Erst ab dem 186. Tag des Jahres fließt der Lohn für die Leistung der Schweden in die eigene Tasche. Ähnlich geht es in Dänemark zu. Für Abgaben in Höhe von 49 Prozent rackern sich die Dänen 179 Tage des Jahres für Fiskus und Sozialversicherung ab.

Bedeutend weniger als ein halbes Jahr (157 Tage) muss die arbeitende Bevölkerung in Österreich schuften, um alle Abgaben an den Staat zu entrichten. Weniger schwer ist die Bürde der Abgaben in Deutschland. Hier dauert es „nur" 132 Tage, bis die Einnahmelust des Staates befriedigt ist. Das deutschsprachige Land mit dem geringsten „zweiten Lohn" ist die Schweiz. Sie strengen sich weniger als ein Drittel des Jahres (109 Tage) für den Staat an.

Am besten kommen die Steuerbürger in Japan und in den USA davon. In diesen beiden Ländern sind Steuern und Sozialabgaben schon in weniger als 100 Tagen erarbeitet. Über zwei Drittel des Jahres dürfen Japaner und Amerikaner damit für den Eigenbedarf sorgen.

Kapitel 6 Grammatik

Der Gebrauch von *werden* → S. 93

als Vollverb = Veränderung	Sie wird morgen 51. Er ist Abteilungsleiter geworden.
werden + Partizip Perfekt = Passiv	Das Zeugnis wird vom Personalleiter unterschrieben. Herr Moosmann wird zum Abteilungsleiter befördert.
werden + Infinitiv = Futur	Herr Moosmann wird das Beurteilungsgespräch mit Ihnen führen. Wir werden Ihnen das Zwischenzeugnis Ende des Monats zusenden.

Konjugation von *werden* → S. 93

	werden		Infinitiv / Partizip Perfekt
Ich	werde	meinen Vorgesetzten bald um ein Zwischenzeugnis	bitten.
Du	wirst	zu einem Mitarbeitergespräch	eingeladen.
Herr Geier	wird	nächste Woche eine Beurteilungsgespräch	führen.
Wir	werden	von unserem Vorgesetzten	beurteilt.
Ihr	werdet	im nächsten Quartal eine neue Aufgabe	übernehmen.
Die Zeugnisse	werden	den Mitarbeitern morgen	zugesandt.

Passiv mit Modalverben → S. 95

	Modalverb		Partizip Perfekt	werden
Die Weiterbildung	muss	rechtzeitig den neuen Produkten	angepasst	werden.
Die Reform	kann	nicht allein von der Personalabteilung	durchgeführt	werden.
Das Projekt	durfte	nicht	verzögert	werden.
Letzte Woche	sollte	eine Projektgruppe	eingerichtet	werden.

Adjektive mit *-bar* → S. 97

messen + -bar ⇒ messbar	Man kann ...	... kann gemacht werden
Das Ziel ist messbar.	Man kann das Ziel messen.	Das Ziel kann gemessen werden.
Es ist auch kontrollierbar.	Man kann es auch kontrollieren.	Es kann auch kontrolliert werden.
Wir brauchen messbare Ziele.	Wir brauchen Ziele, die man messen kann.	Wir brauchen Ziele, die gemessen werden können.

Gegensätze und Widersprüche → S. 98

Herr Bönzli ist ziemlich neu bei uns.	≠ Er kennt sich schon sehr gut aus.
Herr Bönzli ist zwar ziemlich neu bei uns,	aber er **kennt** sich schon sehr gut aus. trotzdem **kennt** er sich schon sehr gut aus.
Obwohl Herr Bönzli ziemlich neu bei uns **ist**,	**kennt** er sich schon sehr gut aus.
Herr Bönzli **kennt** sich schon sehr gut aus,	obwohl er ziemlich neu **ist**.
Herr Bayer spricht von Selbstständigkeit.	≠ Er trifft nie selbstständige Entscheidungen.
Herr Bayer spricht zwar von Selbstständigkeit,	aber er **trifft** nie selbstständige Entscheidungen. trotzdem **trifft** er nie selbstständige Entscheidungen.
Obwohl Herr Bayer von Selbstständigkeit **spricht**,	**trifft** er nie selbstständige Entscheidungen.
Herr Bayer **trifft** nie selbstständige Entscheidungen,	obwohl er von Selbstständigkeit spricht.

- Die Vertriebskonferenz
- Die Umsatzziele der Bäder Bauer GmbH
- Wir brauchen Unterstützung vom Vertrieb.
- Der Weg zum Kunden
- Bäder Bauer-Service: Das Montage-seminar
- Ist bei Ihnen der Kunde König?

KAPITEL 7

VERKAUFEN, VERKAUFEN, VERKAUFEN!

Das lernen Sie hier:
- Umsatzziele und Maßnahmen vorschlagen und vereinbaren
- Marketingstrategien besprechen
- Vorschläge machen, zustimmen, widersprechen
- Verkaufsverhandlungen führen
- Aufträge abwickeln
- planen, organisieren, evaluieren

Die Vertriebskonferenz

A Besprechen Sie Ihre Marktstrategie.

Welchen Preis können Sie auf Ihrem Markt erzielen für ...

- Badewannen?
- Waschbecken?
- Duschkabinen?
- Duschbatterien?

- Hebelmischer?
- Handtuchhalter?
- Badetuchhalter?
- Badezimmerspiegel?

Welchen Vertriebsweg wählen Sie?

- Einzelhandel:
  – Fachhandel?
  – Baumärkte?
- Großhandel?
- Handwerk?

Welches Produktprofil hat Ihre Marke?

- Zielgruppe?
- Qualitäts- oder Massenprodukt?
- viel oder geringe Beratung beim Kauf?

- umfangreicher oder kein Service?
- großzügige oder gesetzliche Garantieleistungen?
- niedriger oder hoher Preis?

B Programm und Tagesordnung

Bäder ◆◆◆ Bauer Großhandels GmbH

Jahresvertriebskonferenz, 12.–14.12. Hotel Kornmühle, Konstanz
Teilnehmer: Mitarbeiter Zentraler Vertrieb, Vertrieb
Niederlassungen Süd, Ost und West

12.12.	bis 18.00	Anreise
	19.00	gemeinsames Abendessen
13.12.	9.00–10.00	Das letzte Jahr: Rückblick (Gunter Holzmann, Geschäftsführung) Kaffeepause
	10.30–11.30	Das kommende Jahr: Unsere Ziele (Ltg. ZV, Andrea Wiszniewski)
	11.30–12.00	Aussprache Mittagspause
	13.30–15.00	Umsetzung der Ziele (Gruppenarbeit) Kaffeepause
	15.30–18.00	Vortrag der Arbeitsgruppen-Ergebnisse
	19.00	gemeinsames Abendessen, gemütliches Beisammensein
14.12.		Abreise

① Wie finden Sie ...

- die Tagungsdauer?
- den Tagungsablauf?
- die Arbeitsformen?
- das Rahmenprogramm?

② Zu welchen Tagesordnungspunkten passen die folgenden Äußerungen?

1 Ich glaube nicht, dass wir die Zahl unserer Kunden so vergrößern können wie geplant.
2 Wir planen, den Umsatz von 15,2 auf 17 Millionen Euro zu steigern.
3 Wir schlagen vor, unsere Werbung zu verbessern, um die Umsatzziele zu erreichen.
4 Wir konnten den Umsatz um 12 Prozent erhöhen, aber die Zahl der Kunden stagniert.

C Auf der Tagung

① Zu welchem Tagungsordnungspunkt gehört die Flipchart-Darstellung rechts?

② Was ist positiv, was ist negativ? Sprechen Sie über die Entwicklung bei der Bäder Bauer GmbH.

Die Bäder Bauer Großhandels GmbH hat den Umsatz um 12 Prozent erhöht.
Der Kundenkreis konnte nicht erweitert werden. ...

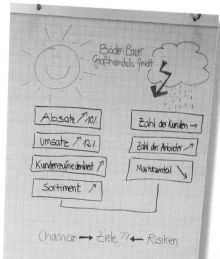

Adjektiv → Verb		
er/ver/...ern	**er/ver/...en**	**...isieren**
weit → erweitern besser → verbessern breit → verbreitern gering → verringern schön → verschönern ...	hoch → erhöhen stark → verstärken ...	aktuell → aktualisieren modern → modernisieren stabil → stabilisieren ...

D Ist das realistisch?

1 Hören Sie den Diskussionsbeitrag von Herrn Winterfeld und die Antwort von Frau Wiszniewski und beantworten Sie die Fragen.

1 Welcher Tagesordnungsordnungspunkt wird gerade behandelt?
2 Welcher Tagesordnungspunkt folgt als nächster?
3 Um wie viel Prozent soll der Umsatz gesteigert werden?
4 Rechnen Sie: Auf welchen Betrag soll der Umsatz erhöht werden?
5 Was glauben Sie? Kann Frau Wiszniewski Herrn Winterfeld überzeugen?

2 Was glauben Sie? Warum ist Frau Wiszniewski optimistisch? Ordnen Sie zu.

1 Die Vertriebsmitarbeiter haben gute Bedingungen geschaffen,
2 Die Bäder Bauer GmbH hat Produkte,
3 Das Unternehmen hat einen ausgezeichneten Außendienst,
4 Das Unternehmen hat ein Ziel,

a) für das es seine Mitarbeiter und Abnehmer mobilisieren kann.
b) auf denen das Unternehmen aufbauen kann.
c) mit dem es auch in schwieriger Lage seine Marktanteile vergrößern kann.
d) mit denen die Kunden sehr zufrieden sind.

3 Frau Wiszniewski fragt, ob das Unternehmen ...

1 sich um einige _Bereiche_ zu wenig gekümmert hat.

2 auf manche _____ zu wenig geachtet hat.

3 für einige _____ mehr tun könnte.

4 auf manchen _____ nicht aktiv genug war.

4 Berichten Sie.

Frau Wiszniewski denkt, dass es einige Bereiche gibt, um die sich die Bäder Bauer GmbH zu wenig gekümmert hat. Es gibt manche Anbieter, auf ... Es gibt ...

Relativsätze mit Präpositionen					
	Präp.	**Relativpron.**			
Bäder Bauer hat Produkte,	mit	denen	die Kunden sehr zufrieden		sind.
Frau Wiszniewski hat Fragen,	auf	die	die Arbeitsgruppen	antworten	müssen.
Gibt es einen Bereich,	um	den	wir uns zu wenig	gekümmert	haben?

E Sie wollen die Arbeitsergebnisse verbessern.

Was brauchen Sie dafür?

moderne Maschinen • hochwertige Materialien •
qualifizierte Mitarbeiter •
gutes Management • eine neue Software • ...

Was für (ein-) brauchen Sie dafür?

Mit ihr kann man Statistiken erstellen. •
Sie arbeiten schnell und präzise. •
Es hat klare und realistische Ziele. •
Aus ihnen kann man Qualitätsprodukte herstellen. •
Auf sie kann man sich verlassen. • ...

Dafür brauchen wir moderne Maschinen, die schnell und präzise arbeiten.
Wir brauchen dafür auch ..., aus denen ...

Die Umsatzziele der Bäder Bauer GmbH

UMSATZERHÖHUNG

	von ...	auf ...
zentraler Vertrieb	5,0	5,5 Mio €
Niederlassung OST	2,5	2,9 Mio €
Niederlassung WEST	4,7	5,2 Mio €
Niederlassung SÜD	3,0	3,4 Mio €

Ziele:
• messbar
• umsetzbar
• vereinbart
• terminiert

neue Prospekte •
Rabattaktionen •
Mailing-Aktionen •
Service verbessern •
Erweiterung des Sortiments •
neue Märkte erschließen •
Messebeteiligung •
Verkaufsförderung für
Wiederverkäufer • ...

A Die Vorgaben der Zentrale

Machen Sie Vorschläge ...

• für Maßnahmen, mit denen sich die Ziele umsetzen lassen?
• für Maßnahmen, mit denen man Neukunden gewinnen kann?
• für Maßnahmen, durch die man Bestandskunden zu mehr Bestellungen motivieren kann?

> Ich schlage vor, dass wir ... / ... zu ...

Das halte ich nicht für geeignet. Ich schlage vor, ...	Das halte ich auch für eine geeignete Maßnahme. Ich bin für diesen Vorschlag.

B Die Arbeitsgruppen präsentieren ihre Ergebnisse.

❶ Hören Sie: Für welche Niederlassung spricht Herr Winterfeld?

❷ Was ist richtig: a) oder b)?

1 a) Der Sprecher berichtet zuerst über die Marktsituation und dann über die Planung.
   b) Der Sprecher berichtet zuerst über die Planung und dann über die Marktsituation.

2 a) Die Arbeitsgruppe ist für verstärkte Bemühungen um die Kunden im Fachhandwerk.
   b) Die Arbeitsgruppe ist für verstärkte Bemühungen um die Endverbraucher.

3 a) Die Gruppe hat sich gegen eine Rabattaktion entschieden.
   b) Die Gruppe hat sich für eine Rabattaktion entschieden.

4 a) Die Niederlassung unterschreitet die Zielvorgaben der Zentrale.
   b) Die Niederlassung überschreitet die Zielvorgaben der Zentrale.

❸ Vergleichen Sie die Flipchart-Präsentation der Arbeitsgruppen Süd und Ost auf der nächsten Seite: Worin unterscheiden sich ihre Marktsituation und ihre Planungen von Herrn Winterfelds Vortrag?

Die Marktsituation Die Umsatzplanung	der Arbeitsgruppe ... und ... der Niederlassung ... und ...	unterscheiden sich in ... stimmen in ... überein. stimmen darin überein, unterscheiden sich darin,	dass ...

Die Marktsituationen der Niederlassung West und der Niederlassung Süd stimmen darin überein, dass die Nachbarländer für den Umsatz wichtig sind. Die Planungen der Arbeitsgruppe West und der Arbeitsgruppe Ost unterscheiden sich in der Höhe des Umsatzziels.

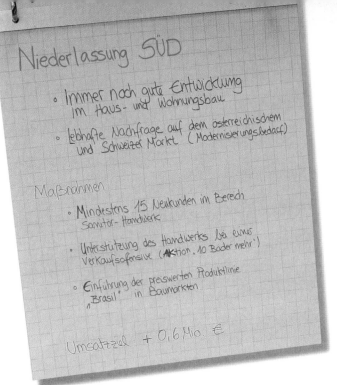

Niederlassung SÜD

- Immer noch gute Entwicklung im Haus- und Wohnungsbau
- Lebhafte Nachfrage auf dem österreichischem und Schweizer Markt (Modernisierungsbedarf)

Maßnahmen
- Mindestens 15 Neukunden im Bereich Sanitär-Handwerk
- Unterstützung des Handwerks bei einer Verkaufsoffensive (Aktion „10 Bäder mehr")
- Einführung der preiswerten Produktlinie „Brasil" in Baumärkten

Umsatzziel + 0,6 Mio €

NIEDERLASSUNG OST

- ☹ Baukonjunktur stagniert
- ☹ Niedrigpreis-Konkurrenz bedroht den deutschen Markt
- ☺ Bedarf für Altbausanierung und Neubau in den östlichen Nachbarländern

MASSNAHMEN:
- Kontaktaufnahme mit Fachhandwerk und Zwischenhandel (durch Callcenter in Polen, Tschechien und in der Slowakei)
- anschließende Beratungsgespräche / Präsentationen vor Ort
- monatl. Seminare und Incentive-Veranstaltungen in der Niederlassung anbieten
- Preisnachlässe (Anpassung an dortiges Preisniveau)

UNSER ZIEL: + 0,2 Mio €

④ Was glauben Sie: Wird das Gesamtziel der Geschäftsführung eingehalten, unterschritten oder überschritten?

C Diskussion im Plenum

für/gegen

> Baumärkte beliefern · Rabatte anbieten ·
> sich auf das Fachhandwerk konzentrieren ·
> neue Märkte im Ausland erschließen ·
> ein Callcenter beauftragen ·
> eine Mailing-Aktion machen ·
> preiswerte Produktlinien auf den Markt bringen ·
> neue Vertriebswege erschließen · ...

weil

> ist effizient · schadet dem Ruf ·
> verärgert die Altkunden · ist preiswert ·
> erschließt neue Märkte · ist kostspielig ·
> verschlechtert die Marktposition ·
> ist schlecht fürs Unternehmensimage ·
> verringert den Umsatz ·
> ist nicht effizient ·
> verbessert die Wettbewerbsposition · ...

▷ Ich bin für die Erschließung neuer Märkte im Ausland, weil das unsere Wettbewerbsposition verbessert.

▷ Dafür bin ich auch.

▷ Ich spreche mich aber dagegen aus, dass wir uns auf das Fachhandwerk konzentrieren, weil das den Umsatz verringert.

▷ Ich bin dafür, dass wir uns auf das Fachhandwerk konzentrieren, weil die Ausweitung auf Baumärkte die Altkunden verärgert.

▷ ...

wofür, wogegen, wo(r)-?		Präp. + Nomen / da(r)- + dass .../ ... zu ...	
Die Gruppe Ost	ist	für Rabatte.	
Die Gruppe Ost	ist	dafür,	Rabatte anzubieten.
Die Gruppe West	entscheidet	sich gegen Rabatte.	
Die Gruppe West	entscheidet	sich dagegen,	dass man Rabatte anbietet.
Die AG Süd und Ost	unterscheiden	sich in ihren Zielen.	
Die AG Süd und Ost	unterscheiden	sich darin,	dass sie sich verschiedene Ziele setzen.

D Gruppenarbeit: Präsentation der Ergebnisse

Worin stimmen die Niederlassungen überein? Welche Maßnahmen kann der zentrale Vertrieb übernehmen? Welches Umsatzziel kann er erreichen? Präsentieren Sie die Ergebnisse am Flipchart.

Dann brauchen wir aber ...

A Die Wünsche des Außendienstes

Die Niederlassungen West, Süd und Ost haben damit begonnen, ihre Umsatzziele umzusetzen. Die Außendienstmitarbeiter nennen ihre Wünsche und ihren Bedarf zur Umsetzung der Ziele. Was wünschen sie, was brauchen sie?

Sprechen Sie mit einem Partner über geeignete Maßnahmen zur:

- Verkaufsunterstützung für Baumärkte
- Verbesserung der Position auf den Auslandsmärkten
- Erhöhung des Absatzes im Handwerk und im Fachhandel

▶ Wir brauchen Maßnahmen, mit denen wir die Baumärkte unterstützen können. Dazu eignen sich zum Beispiel Displays.

▶ Um den Verkauf in den Baumärkten zu unterstützen, könnte man auch Infostände an verkaufsoffenen Sonntagen anbieten.

▶ Um ... zu ..., hätten wir gern ...

▶ Wir schlagen Maßnahmen vor, ...

> Beteiligung an regionalen Gewerbeausstellungen •
> Erhöhung der Lieferungen auf die Baustellen von ein- auf zweimal täglich •
> erste Lieferung vor Arbeitsbeginn • Kataloge •
> Infostände an verkaufsstarken Tagen (Samstag, verkaufsoffene Sonntage) •
> jährlich zwei „Tage der offenen Tür" in der Niederlassung • Prospekte •
> Schulung des Verkaufspersonals • Displays •
> Lizenzierung der gesamten Produktpalette sicherstellen •
> Rabatt und Sonderaktionen •
> Montageanleitungen in der Landessprache •
> Montageseminare in den Niederlassungen

B Könnten wir mal darüber sprechen?

① Lesen Sie die Mail und antworten Sie.

1 Was bedeutet ADM?
2 Sind die Mitarbeiter mit den Ergebnissen der Vertriebstagung einverstanden?
3 Haben sie Wünsche? Welche?
4 Wer soll die Wünsche erfüllen?
5 Was schlägt der Außendienstleiter vor?
6 Welche Vorschläge entsprechen den Maßnahmen in Aufgabe A?
7 Welcher Vorschlag dient welchem Ziel der Niederlassung Süd, S. 111?

Von: Leitung Außendienst
An: Vertrieb@BaederBauer-Sued.de
Cc:
Gesendet: Donnerstag, 19. Januar 2006 10:34
Betreff: Gesprächstermin

Lieber Rolf,
bei einer Besprechung am 18.01. haben die ADMs den Zielen der Vertriebstagung weit gehend zugestimmt. Das zeigt ihre hohe Motivation. Ist doch gut, oder? Aber sie haben auch klar gemacht, dass sie dann auch Hilfe vom Vertrieb brauchen. Unter anderem haben sie genannt:
- punktgenauere und häufigere Baustellenbelieferung als bisher
- zielgruppenorientierte Belieferung der Baumärkte und personelle Unterstützung bei der Produkteinführung
- Unterstützung des Handwerks bei Gewerbeausstellungen, evtl. auch eigene Beteiligung.
Könnten wir darüber so bald wie möglich einmal sprechen?
Gruß - Christian

2 Rückruf: Was ist richtig $\boxed{r}$? Was ist falsch $\boxed{f}$? Wozu gibt es keine eindeutigen Angaben $\boxed{-}$?

1 Der Vertriebsleiter stimmt einem Gespräch zu. _____ $\boxed{r}$
2 Das Gespräch ist nicht dringend. _____ ☐
3 Der Gesprächstermin ist in einer Woche. _____ ☐
4 Der Leiter des Außendienstes trägt alle Vorschläge der Mitarbeiter vor. _____ ☐
5 Der Vertriebsleiter stimmt den Vorschlägen der Mitarbeiter zu. _____ ☐
6 Der Vertriebsleiter findet eine der geplanten Maßnahmen zu teuer. _____ ☐
7 Der Vertriebsleiter möchte die Kosten der geplanten Maßnahmen prüfen. _____ ☐
8 Wahrscheinlich sind die Kosten der vorgeschlagenen Maßnahmen zu hoch. _____ ☐

3 Was hören Sie: a), b) oder c)?

a) Wenn wir die Baustellen seltener beliefern würden, könnten wir die Kosten senken.
b) Wenn wir die Baustellen häufiger beliefern würden, wäre das natürlich teurer.
c) Wenn wir die Baustellen häufiger beliefern würden, würde das natürlich die Kosten erhöhen.

Konjunktiv II								
	haben/sein		Modalverben			würde + Infinitiv		
ich, er/sie/es	hätt	e		soll	te	würd	e	erhöhen
du	wär	est		woll	test		est	senken
wir, sie/Sie		en		müss	ten		en	kosten
ihr		et		könn	tet		et	...en

C Die Besprechung: Vertriebsleitung – Außendienst

Arbeiten Sie in Gruppen. Tragen Sie Ihre Argumente vor. Antworten Sie: Geht das? Geht das nicht? Unter welchen Bedingungen würde das gehen?

> Wir möchten .../Wir hätten gern .../Könnten wir ...?
> • uns an regionalen Gewerbeausstellungen beteiligen
> • die Bestellungen früher auf die Baustellen bringen
> • Produktinformationen auf Französisch
> • das Verkaufspersonal schulen
> • Montageseminare anbieten
> • Displays für die Baumärkte
>   mit dem Ziel, ... zu .../ um ... zu .../ damit ...

Ja,/Gut,/In Ordnung,
• das machen wir.
• das ist möglich.
• das können wir machen.

Das könnten wir machen, wenn .../
Das wäre möglich, wenn ...
• die Kunden das bezahlen würden.
• wir das finanzieren könnten.
• es geeignete Ausstellungen geben würde.
• wir dafür Mitarbeiter hätten.
• das unsere Marktchancen erhöhen würde.
• die Geschäftsführung zustimmen würde.

Tut mir leid, das geht nicht,/ das ist nicht möglich,
• weil die Kunden ...
• weil wir keine ...
• weil das nicht ...
• weil ...

D PARTNER Ⓐ benutzt Datenblatt A17, S. 177. PARTNER Ⓑ benutzt Datenblatt B17, S. 187.

E Planspiel: Ihr Marketingplan

• Welches Produkt wollen Sie vertreiben? Was wollen Sie erhöhen/verbessern/erweitern/verstärken/...?
• Legen Sie Ziele fest: Wie viel?, Wie hoch?, Bis wann?
• Was brauchen Sie dazu? Diskutieren Sie über die möglichen Maßnahmen:
  – Wofür/wogegen sind Sie? Begründen Sie Ihre Meinung.
  – Was könnten Sie erreichen, wenn Sie ... hätten/könnten/würden?

Der Weg zum Kunden

1

Bäder ◆◆◆ Bauer Großhandels GmbH

Sehr geehrte Frau Schneider,

wir danken Ihnen für Ihr Interesse an unseren Erzeugnissen und senden Ihnen die gewünschten Unterlagen zu.

3

für Ihre interessanten Unterlagen und bitten Sie um ein Angebot für
– 1000 Duschbatterien Serie „Brasil"

2

sind besonders an Ihrer Serie „Brasil" interessiert. Bitte senden Sie uns alle verfügbaren Produktinformationen und Ihre Preisliste.

6

Bei Zahlung bitte angeben:
Rechn.Nr. 98112 – Kd.Nr. 01576

Sehr geehrte Frau Schneider,

für die Lieferung vom 10.06.06 laut Lieferschein Nr. 433 stellen wir Ihnen 162 800,00 € in Rechnung.

4

Bäder ◆◆◆ Bauer Großhandels GmbH

Sehr geehrte Frau Schneider,

wir beziehen uns auf Ihr Schreiben vom 12.05.06 und bieten Ihnen an:
1000 Stck Hebelmischer Brasil
Einzelpreis   86,40 €

5

und bestellen entsprechend Ihrem Angebot
– 1000 Hebelmischer Brasil
– 1000 Duschbatterien Brasil

7

Bäder ◆◆◆ Bauer Großhandels GmbH

LIEFERSCHEIN

Lieferung bei Eintreffen mit dem Schein vergleichen.

Best.Nr.	Gegenstand	Einzelpreis	Gesamt
0511	1000 Hebelmischer	86,40 €	86 400 €

A Schriftverkehr

1 Auf einen Blick: Worum handelt es sich bei den Schriftstücken 1 bis 7?

2 Tragen Sie den Ablauf vor.

Zuerst bittet der Interessent um Informationen.
Der Vertrieb schickt dem Interessenten ...
Der Interessent schickt ... und bittet um ...
Die Firma macht dem Interessenten ...
Der Interessent nimmt ... an und ...
Die Firma ... die Ware und schickt ... . Damit ist der Vorgang abgeschlossen.

> Anfrage • Angebot • Begleitschreiben • Bestellung • Bitte um Informationen • Lieferschein • Rechnung

B Zahlungs- und Lieferbedingungen

1 Was ist diesem Gespräch vorausgegangen? Was folgt dem Gespräch?

2 Welche Punkte werden diskutiert? Was wird dazu gesagt? Welche Punkte kommen nicht vor?

- Fracht
- Garantie
- Liefermenge
- Lieferzeit/-termin
- Zusatzleistungen
- Preis
- Rabatt
- Skonto
- Zahlungsweise/-ziel

3 Antworten Sie: Unter welcher Bedingung würde Bäder Bauer ...

1   5 % Rabatt anbieten?   _Wenn der Kunde die Liefermenge um 20 % erhöhen würde._

2   2 % Skonto gewähren?   _____

3   bis nächste Woche liefern?   _____

4   keine Frachtkosten berechnen?   _____

Sätze mit *wenn* und Konjunktiv II

Bäder Bauer	würde	5 % Rabatt	anbieten,	wenn	der Kunde die Liefermenge	erhöhen	würde.

C PARTNER **A** benutzt Datenblatt A18, S. 178. PARTNER **B** benutzt Datenblatt B18, S. 188.

D Hiermit bieten wir Ihnen an ...

❶ Was steht im Angebot?

1 Worauf reagiert der Anbieter?
2 Was wird angeboten?
3 Wird ein Termin für die Bestellung gesetzt?
4 Wird Skonto und/oder Rabatt angeboten?
5 Werden dem Kunden Frachtkosten berechnet?

❷ Schreiben Sie ein ähnliches Angebot an:

Baumarkt Rutz, Einkauf, Frau Schneider,
Postfach 1422, 56070 Koblenz
Gegenstand: Serie Brasil

Benutzen Sie folgende Bausteine:

> wir beziehen uns auf unser Gespräch vom ... •
> und bieten Ihnen an ... • zuzüglich Fracht •
> 2% Skonto bei Zahlung innerhalb von 14 Tagen •
> Es gelten unsere Allgemeinen
> Lieferbedingungen. •
> Wir danken Ihnen für Ihr Interesse
> an unseren Produkten. •

BÜROTEK · Postfach 1060 · 45014 Essen

Büromarkt Mees
Poststr. 12
41465 Neuss

Sehr geehrte Damen und Herren,   17.03.06

wir danken Ihnen für Ihre Anfrage vom 13.03. d.J. und bieten Ihnen
freibleibend an:

> 300 Pack Kopierpapier, Best.-Nr. G286
> zum Einzelpreis von € 2,10
> Gesamtpreis € 630,- zzgl. MWSt.

zahlbar ohne Abzug bis spätestens 14 Tage nach Rechnungseingang.
Bei Bestellungen ab € 500,- liefern wir frei Haus.

Wir würden uns freuen, Ihren Auftrag zu erhalten. Wir sichern Ihnen
prompte und sorgfältige Lieferung zu.

Mit freundlichen Grüßen

Julia Möller

Julia Möller
Vertriebsassistenz

E Verkaufsverhandlungen: Hersteller – Großhändler

Verhandeln Sie mit einem Partner über die Zahlungs- und
Lieferbedingungen. Wählen Sie einen Gegenstand aus Ihrem
Beruf oder orientieren Sie sich an der Serie *Florenz*.

> Skonto • Fracht • Lieferzeit •
> Garantie • Zusatzleistungen

Serie „Florenz"

PREISLISTE

Schreibtisch	188,– €
Rollcontainer	236,– €
Regal	245,– €
Aktenschrank	368,– €
Besprechungstisch	125,– €
Schreibtischstuhl	199,– €

Unsere Rabattstaffel

• Warenwert bis 30 000 €: Üblicher Händlerrabatt auf den Ladenverkaufspreis
• Warenwert über 30 000 € – 40 000 € weitere 5 Prozent
• Warenwert über 40 000 € – 50 000 € 7,5 Prozent
• Warenwert über 50 000 €: 10% Prozent

Diese Formulierungen helfen Ihnen:

> Wir sind daran interessiert, dass ...
> Für uns ist es wichtig, dass ...
> Könnten Sie ...?
> Wir hätten gern ...

> Wenn Sie ... würden, | könnten wir Ihnen ...
> | würden wir ...
> | wären wir bereit, ... zu ...

Bäder Bauer-Service: Das Montageseminar

A Arbeitsformen im Seminar

① Welche Arbeitsformen finden Sie auf der Abbildung oben?

- Gruppenarbeit
- Brainstorming
- Punkteabfrage
- Rollenspiel
- Partnerarbeit
- Vortrag/Referat
- Kartenabfrage
- Plenumsdiskussion

② Welche Arbeitsformen kennen Sie aus Ausbildung, Fortbildung und Unterricht? Was halten Sie davon? Kennen Sie noch andere Arbeitsformen?

B Seminarorganisation

① Wer kümmert sich darum?

- Sekretariat (Sigrid Müller)
- Lager (Olaf Kerbel)
- Hausmeister (Horst Krull)
- Werbung (Katja Probst)
- Küche (Erna Weise)
- Kundendienst (Gerd Hauke)
- Vertrieb (Alma Albers)
- ...

> Bitte sorgen Sie dafür, dass am 5.7. u. 6.7. Flipchart, Pinnwände, Overheadprojektor, Beamer in Raum 124 vorhanden und funktionsfähig sind.

> 12 Kugelschreiber, Schreibblöcke, Seminarmappen → am 5.7. in R. 124!
>
> Danke. Irmgard

> Tischreservierung für 15 Personen
>
> 5.7., 19.30 Uhr, Altes Brauhaus für Abendessen

> Bitte stellen Sie bereit für 12 Teiln. + 2 x Seminarpersonal:
> - Tee, Kaffee
> - Kaltgetränke
> - Gebäck
> - Obst

> Könnten Sie bitte 12 Gäste fürs Mittagessen in der Kantine (05. + 06.07.) anmelden?
>
> Vielen Dank u. Gruß Baumgart

> Die Einladungen zum 5./6.7. für die Monteure müssen jetzt raus. Schon erledigt?

> Lassen Sie bitte Demonstrationsobjekte, Teile, Montageanleitungen usw. (Sie wissen schon) für beide Seminartage in R. 124 bringen.

Das Sekretariat versendet die Einladungen. Für ... sorgt der Hausmeister. ... sorgt dafür, dass Kugelschreiber, Schreibmappen und Seminarmappen am 5.7. in Raum 124 sind. Um ... kümmert sich ...

② Erteilen Sie die Aufträge.

| Herr ...,
Frau ...,
Sigrid, | übernehmen Sie/übernimm bitte
sorgen Sie/sorge bitte
kümmern Sie sich/kümmere dich bitte | den .../die .../das ...
für .../dafür, dass ...
um .../darum, dass ... | Beispiel:
Frau Müller, sorgen Sie bitte für die Anmeldung von 12 Gästen zum Mittagessen. |

C Das Seminarprogramm

1 Sehen Sie sich das Seminarprogramm an und hören Sie das Gespräch.

1 Über welche Teile der Programmplanung diskutieren die Mitarbeiter?
2 Stimmen Programmplanung und das Seminarprogramm gar nicht, teilweise oder vollständig überein?

2 Ordnen Sie zu. Im Seminarprogramm rechts ist der Punkt:

1 Begrüßung
2 Sortiment
3 Serie Brasil
4 Kaffeepause

a) nicht umgestellt
b) vorgezogen
c) verschoben

Bäder ◆◆◆ Bauer Großhandels GmbH

Sehr geehrter Herr Schreiner,

wir freuen uns darüber, dass wir Sie am 05./06.07. bei unserem Serviceseminar begrüßen dürfen. Organisatorische Einzelheiten finden Sie im anliegenden Merkblatt und im Anfahrtsplan. Den Ablauf stellen wir uns wie folgt vor:

Programm

9.00	Begrüßung und Vorstellung
9.30	Alles fürs Bad – das Bäder Bauer-Sortiment auf einen Blick
10.00	Die Serie Brasil: Umfang, Ausstattung, Besonderheiten, Zielgruppe
10.30	K a f f e e p a u s e
10.45	Gruppenarbeit: Praktische Übungen: Montage und Wartung der Dusch- und Badewannen-Batterien
12.00	M i t t a g e s s e n
14.00	Die neuartige Brasil-Keramikdichtung: Funktionsweise, Verschleißteile, Wartung, Ersatzteile, Austausch
15.45	K a f f e e p a u s e
16.00	Gruppenarbeit: praktische Übungen
18.00	Ende des Seminars
19.30	A b e n d e s s e n (Restaurant „Altes Brauhaus")

3 Welche Änderungen gibt es im Programm? Schreiben Sie.

Bevor die Seminarveranstalter die Serie Brasil präsentieren, sprechen sie über das gesamte Bäder Bauer-Sortiment.

Nachdem die Seminarveranstalter die Serie Brasil präsentiert haben, beginnt die Kaffeepause.

Nachdem sich die Teilnehmer vorgestellt haben, ...

Vorzeitigkeit, Gleichzeitigkeit, Nachzeitigkeit

Vorzeitigkeit

Bevor	wir die Serie Brasil		präsentieren,	stellen	wir das Sortiment	vor.

Gleichzeitigkeit

Während	wir das Sortiment		vorstellen,	steht	ein Display zur Verfügung.	

Nachzeitigkeit

Nachdem	wir das Sortiment	vorgestellt	haben,	präsentieren	wir die Serie Brasil.	

4 Sprechen Sie über den Programmablauf.

So:
▷ Bevor wir das Bäder Bauer-Sortiment vorstellen, begrüßen wir die Teilnehmer.
▷ Und was machen wir bis zur Kaffeepause?
▷ Bevor wir Kaffeepause machen, ...
▷ Und ...

Und so:
▷ Nachdem wir die Teilnehmer begrüßt haben, stellen wir das Bäder Bauer-Sortiment vor.
▷ Und was machen wir, nachdem wir das Bäder Bauer-Sortiment vorgestellt haben?
▷ Nachdem wir ...

D Kartenabfrage

1 Seminarevaluierung: Jeder Teilnehmer füllt drei Karten zu folgenden Themen aus:

• Bevor ich am Seminar teilgenommen habe, ...
• Während des Seminars ...
• Nachdem ich am Seminar teilgenommen habe, ...

2 Zwischenevaluierung Sprachkurs: Schreiben Sie drei Karten.

• Bevor ich am Kurs teilgenommen habe, ...
• Während des Kurses ...
• Nachdem ich am Kurs teilgenommen habe, ...

habe ich viel gelernt. •
hatte ich keine Ahnung von der Brasil-Technologie. •
kann ich unsere Kunden besser beraten. •
kenne ich mich gut mit der Serie aus. •
konnte ich viele Fragen stellen. •
haben mir wichtige Informationen gefehlt. • ...

Während des Seminars habe ich viel gelernt.

Ist bei Ihnen der Kunde König?

1 zurückhaltend · verschlossen · unsicher · risikoscheu · ...

2 offen · interessiert · gesprächsbereit · spontan · ...

3 informiert · entschieden · sachorientiert · preisbewusst · ...

A Kundentypen

Welchen Typ hätten Sie als Verkäufer am liebsten? Was fällt Ihnen zu den drei Typen noch ein? Welcher Kundentyp sind Sie selbst?

B Verkaufsgespräch

❶ Überfliegen Sie den Text. Tragen Sie die Gesprächsphasen in die Spalte *Phasen* ein. Überlegen Sie: Worum könnte es in der jeweiligen Phase gehen?

Noch bevor Sie mit dem Kunden sprechen, sollten Sie sich über ihn und seine Branche gut informieren: Alt- oder Neukunde, Bedarf, Wettbewerbssituation in der Branche, Vorlieben usw. Diese **Vorbereitung** hilft Ihnen, den Kontakt aufzubauen und gibt Ihnen wichtige Anhaltspunkte für Ihre Nutzenargumentation und für mögliche Gegenargumente des Kunden.

Zu Beginn des Gesprächs kommt es darauf an, den Kontakt aufzubauen. Das kann bedeuten, dass Sie schriftlich oder telefonisch einen Gesprächstermin vereinbaren. Oder Sie müssen das Interesse des Kunden wecken, wenn er das Geschäft betritt. In der **Kontaktphase** entscheidet sich oft, ob Sie das Vertrauen des Interessenten gewinnen und im weiteren Gespräch aufrechterhalten können. Geben Sie ihm das Gefühl, dass er Hilfe und Lösungen erwarten kann. Beachten Sie dabei, dass die Art der Kontaktaufnahme auch vom Kundentyp abhängt.

Geben Sie dem Kunden Gelegenheit, seinen Bedarf, seine Vorstellungen und Wünsche zu erklären; bevor Sie ihm ein Angebot machen. Die **Informationen**, die Sie in dieser Phase vom Kunden erhalten, ermöglichen es Ihnen, ein begründetes Angebot zu machen. Helfen Sie ihm dabei mit Fragen und Aussagen. Stellen Sie eher offene Fragen (W-Fragen) und eher keine geschlossenen Fragen (Ja/Nein-Fragen). Mit W-Fragen (z.B. *Welches Modell haben Sie im Auge?*) ermöglichen Sie dem Gesprächspartner viele Antwortmöglichkeiten. Mit Ja/Nein-Fragen (z.B. *Finden Sie das Modell gut?*) schränken Sie die Antwortmöglichkeiten ein. Mit einer Aussage (z.B. *Dann ist das Modell XPY die richtige Lösung für Sie.*) fassen Sie die bisherigen Informationen kompetent und überzeugend zusammen.

Damit treten Sie in die **Angebotsphase** ein. Hier erwarten den Anbieter Einwände wie *zu teuer, zu schwierig, schlechte Erfahrungen, muss ich noch einmal überlegen* usw. Widersprechen Sie nicht, sondern nehmen Sie die Einwände ernst. Der Kunde sagt zum Beispiel: *Das ist zu teuer.* Die Antwort *Nein, das ist billig.* führt nicht weiter und verärgert den Kunden nur. Die Antwort *Ich verstehe Sie – das ist wirklich viel Geld, aber was gefällt Ihnen denn an diesem Modell?* gibt Ihnen dagegen die Möglichkeit, Preis und Qualität Ihres Angebots ins Verhältnis zu setzen, Ihr Produkt mit anderen Produkten zu vergleichen und den Kunden zu überzeugen. Bei allen Einwänden müssen Sie den Gebrauchsnutzen für den Kunden im Blick haben.

Abschlussphase: Ihr Ziel ist natürlich ein erfolgreicher Geschäftsabschluss. Aber auch wenn es dazu nicht gekommen ist, schließen Sie das Gespräch mit einem positiven Ausblick ab. Danken Sie für das Interesse bzw. das Vertrauen bei einem Kauf. Bestätigen Sie zusätzliche Vereinbarungen und nennen Sie Termine für die Erledigung.

Phasen	Ziele	Mittel
1. *Vorbereitungsphase*		
2. _____		*Hilfe und Problemlösungen anbieten*
3. _____	*Kunde erklärt Bedarf und Wünsche*	
4. _____		
5. _____		

❷ Tragen Sie in der Tabelle aus Aufgabe B1 die jeweiligen Ziele und Mittel, mit denen man die Ziele erreicht, ein.

❸ Fassen Sie den Text zusammen

Die erste Phase des Verkaufsgesprächs ist die so genannte Vorbereitungsphase. In dieser Phase kommt es darauf an, den Kontakt aufzubauen und die Nutzenargumentation vorzubereiten, indem man Informationen über den Kunden sammelt. Die ...te Phase ist die so genannte ...phase. In dieser Phase kommt es darauf an, dass ... /... zu ..., indem man ...

C Kontaktaufnahme

Sechsmal Kontaktaufnahme: Um welchen Kundentyp von Aufgabe A geht es?

Äußerung 1: Typ _____   Äußerung 3: Typ _____   Äußerung 5: Typ _____

Äußerung 2: Typ _____   Äußerung 4: Typ _____   Äußerung 6: Typ _____

D Nutzenargumentation

Welche Argumente a) bis f) passen zu den Leistungs- und Produktmerkmalen 1 bis 6? Ordnen Sie zu.

Wir bieten / verfügen über ...
1 ein einzigartiges Markenprofil,
2 einen 24-Stunden-Service,
3 höhere Leistungen als die Konkurrenz,
4 langjährige Garantie auf alle Teile,
5 Rabatte bei Abnahme größerer Mengen,
6 viele erstklassige Referenzen,

Nutzen für den Käufer / Wiederverkäufer:
a) was die Praxisbewährung unserer Produkte beweist.
b) was für Qualität und lange Lebensdauer spricht.
c) was für Sie ein besseres Kosten-Nutzen-Verhältnis bedeutet.
d) was Ihnen günstige Ladenpreise ermöglicht.
e) was Ihre Marktposition enorm verbessert.
f) was den Vorteil hat, dass Sie immer schnelle Hilfe bekommen.

Relativsatz mit *was*			
Wir bieten einen 24-Stunden-Service,	der	Ihnen bei Problemen	hilft.
Wir bieten eine dreijährige Garantie,	die	für die Qualität unserer Produkte	spricht
Wir bieten einen 24-Stunden-Service,	was	hundertprozentige Einsatzbereitschaft	garantiert.
Wir bieten eine langjährige Garantie,	was	für Qualität und lange Lebensdauer	spricht.

E Einwände: Da haben Sie natürlich Recht, aber bedenken Sie ...

Machen Sie Kurzdialoge wie im Beispiel.

▷ Ihre Preise sind zu hoch.
▷ Natürlich legen Sie Wert auf günstige Preise, aber denken Sie an die besondere Leistungsfähigkeit unserer Produkte.

• Leistungsfähigkeit der Produkte
• Geld-zurück-Garantie
• Sonderanfertigungen speziell für Ihren Bedarf
• schnelle Entscheidung hat viele Vorteile
• gut, Angebote zu erweitern
• Mengenrabatt
• ...

• ... zu teuer
• ... keine Erfahrung mit Ihrem Produkt
• ... Lieferzeiten sind zu lang
▷ • ... Technik ist noch nicht erprobt
• ... mit unserem jetzigen Lieferanten sehr zufrieden
• ... noch einmal überlegen
• ...

▷ • Natürlich legen Sie Wert auf ..., aber ...
• Da haben Sie ganz Recht, allerdings ...
• Das stimmt vielleicht, nur bedenken Sie ...
• Ich verstehe gut, dass Ihnen ... wichtig ist, aber ...

F Partnerarbeit: Verkaufsgespräch

Ihre Branche: Alles fürs Bad
Verkäufer: Was können Sie anbieten?
Käufer: Was ist Ihnen wichtig?

• Kontaktaufnahme
• Information über die Kundenerwartungen
• Angebot
• Abschluss

Rabattgesetz und unlauterer Wettbewerb

1 Ordnen Sie den Textabschnitten unten die passenden Überschriften zu.

- Novellierung des Gesetzes gegen den unlauteren Wettbewerb (UWG)
- Aufhebung des Rabattgesetzes
- Einschränkende Regelungen bei Rabatten

2 Ergänzen Sie die fehlenden Wörter unten.
Was passt: a), b) oder c)? Achten Sie auf den Kontext.

3 Kennen Sie weitere Rabattaktionen? Welche setzt Ihr
Unternehmen ein?

Neues Wettbewerbsrecht: Rabatte und Preisnachlässe

1 _____

Lange Zeit waren die Vorschriften zur Gewährung von Rabatten als überaus _____(1) bekannt. Nach dem Rabattgesetz waren Preisnachlässe von mehr als drei Prozent bei Barzahlung („Skonto") unzulässig. Im Juli 2001 wurde das Rabattgesetz ersatzlos _____(2). Der Wegfall hat aber nicht zur Folge, dass Rabatte keinen _____(3) Regelungen mehr unterliegen. Diese werden durch das Gesetz gegen den unlauteren Wettbewerb (UWG) auch in Zukunft festgehalten.

2 _____

Mit der Novelle des UWG im Juli 2004 sind die umstrittenen Vorschriften u.a. über Jubiläums- und Sonderverkäufe weggefallen. Damit wurden verschiedene Preisreduzierungen freigegeben. _____(4) sind dadurch z.B.:
- Preisnachlässe aufgrund individueller Preisverhandlungen gegenüber bestimmten Kunden
- Mengenrabatt
- Pauschalreduzierungen für besondere _____(5) (z.B. für Studenten, Senioren, Mitarbeiter etc.)
- Sonderveranstaltungen, z.B.: „20 % auf Alles", „Hosenwochen: 25 % auf jede Hose"

3 _____

Um der Gefahr des Missbrauchs der neu gewonnenen Freiheit vorzubeugen, bleiben u.a. folgende Tatbestände auch künftig wettbewerbswidrig:
- Übertriebenes Anlocken: Der Kunde soll nicht gehindert werden, sich einen möglichst objektiven Eindruck von der Qualität und Preiswürdigkeit der beworbenen Ware zu verschaffen. Eine Hinderung tritt aber ein, wenn z.B. eine Rabattaktion zeitlich sehr _____(6) befristet wird, etwa nur auf einen Tag oder gar auf nur wenige Stunden.
- Irreführende Rabattgewährung: Wird z.B. eine Ware über einen so langen Zeitraum (mehrere Wochen oder gar Monate) preisreduziert angeboten, dass der reduzierte Preis zwischenzeitlich zum (neuen) Normalpreis geworden ist, ist eine Gegenüberstellung des (höheren) alten mit dem (niedrigeren) neuen _____(7) irreführend.
- Mondpreiswerbung: Von „Mondpreisen" spricht man, wenn der Preis einer Ware _____(8) künstlich (und deutlich) heraufgesetzt wird, nicht um einen höheren Gewinn zu erzielen, sondern nur, damit eine anschließende „Preisreduzierung" als besonders spektakulär erscheint. Werden Preise als Grundlage für eine Reduzierung herangezogen, müssen diese zuvor tatsächlich für einen mehr als nur unbedeutenden Zeitraum ernsthaft verlangt worden sein.

(Abdruck des Auszugs erfolgt mit freundlicher Genehmigung der IHK zu Dortmund)

1 a) locker	b) streng	c) zuverlässig
2 a) untersagt	b) verabschiedet	c) aufgehoben
3 a) gesetzlichen	b) gerechten	c) freiwilligen
4 a) Verboten	b) Untersagt	c) Erlaubt
5 a) Aktionen	b) Personengruppen	c) nette Kunden
6 a) weit	b) eng	c) lang
7 a) Preis	b) Wert	c) Rabatt
8 a) lange Zeit	b) immer	c) kurzzeitig

Lieferungs- und Zahlungsbedingungen

❶ Lesen Sie den Text unten. Welche Wörter im Text entsprechen den Definitionen?

1 Die Person, die die Waren kauft. _Kunde_

2 Die Person, die die Ware erhält. _____

3 Zeitspanne, bis die Lieferung das Ziel erreicht. _____

4 Das Schicken der Ware _____

5 Das Zurückschicken der Ware an den Händler _____

❷ Welche Informationen finden Sie unter welchem Punkt?

1 Sie möchten sich über die Portokosten informieren. Punkt _4_

2 Sie möchten sich über die Lieferzeit informieren. Punkt _____

3 Sie möchten sich über die Zahlungsmöglichkeiten informieren. Punkt _____

4 Sie möchten sich informieren, wer die Haftung beim Versand übernimmt. Punkt _____

5 Sie möchten sich über die Garantie informieren. Punkt _____

6 Sie möchten sich über das Verpackungsmaterial informieren. Punkt _____

❸ Liefert Ihre Firma etwas aus? Wie sind die Liefer- und Zahlungsbedingungen?

Krüppmann
Werkzeuge aller Art

Zahlungs- und Lieferbedingungen für das Inland

1. Bei Zahlung innerhalb von 10 Tagen ab Rechnungsdatum gewähren wir 2 % Skonto. Zahlungen innerhalb von 30 Tagen ab Rechnungsdatum sind ohne jeden Abzug zu zahlen.

2. Neukunden und unregelmäßige Kunden beliefern wir per Nachnahme, Vorauskasse oder Abbuchung auf Kosten des Empfängers. Bitte nennen Sie uns Ihren Zahlungswunsch. Bei Vorauskasse, Abbuchungen vom Bankkonto oder bei Nachnahmelieferung gewähren wir 2 % Skonto.

3. Der Versand erfolgt auf Gefahr des Empfängers. Wenn vom Besteller auf seine Kosten nichts anderes vorgeschrieben ist, erfolgt der Versand auf dem billigsten Weg. Als Transportverpackung verwenden wir, so weit möglich, umweltfreundliche Materialien, die Sie selbst unproblematisch entsorgen können. Falls Sie eine Entsorgung durch uns wünschen, müssen Sie die Verpackung auf Ihre Kosten bei uns anliefern.

4. Bei Warenwerten bis 130 Euro berechnen wir einen Porto- und Verpackungskostenanteil von 5 Euro.

5. Kleinstbestellungen unter 30 Euro sollten Sie vermeiden. Ansonsten sind wir gezwungen, eine Bearbeitungsgebühr von mindestens 3,50 Euro zusätzlich zu berechnen.

6. Die Lieferzeit beträgt bei Lagerwaren max. 10 Tage, sonst je nach Zulieferer 2 bis 4 Wochen. Eine Liefergarantie schließen wir aus.

7. Für Markenartikel übernehmen wir die vom Hersteller gewährte Garantie bei freier Rücksendung an uns.

8. Die Ware bleibt bis zur vollständigen Bezahlung unser Eigentum.

9. Abweichende Zahlungs- und Lieferbedingungen des Bestellers werden nur nach einer schriftlichen Bestätigung durch uns anerkannt, ansonsten ist der Besteller mit unseren Zahlungs- und Lieferbedingungen einverstanden.

Kapitel 7 Grammatik

Relativsätze mit Präpositionen
→ S. 109

	Präp.	Relativpron.			
Wie war das Seminar,	an	dem	die Monteure	teilgenommen	haben?
Da sind die Katalogvorschläge,	über	die	wir noch	sprechen	müssen.

wofür, wogegen, wo(r)-?
→ S. 111

		Präp. + Nomen / da(r)- + dass .../ da(r)- +... zu .../da(r)- + ob .../w-...	
Der Vertrieb	ist	für / gegen Preisnachlässe.	
Der Vertrieb	ist	dafür / dagegen,	**dass** man Preisnachlässe gibt. vor Ort Präsentationen **anzubieten**.
Die Mitarbeiter	diskutieren	über Preisnachlässe.	
Die Mitarbeiter	diskutieren	darüber,	**ob** man Preisnachlässe geben soll. **wie** man die Preise senken kann.

Konjunktiv II: Bildung
→ S. 113

	haben / sein		Modalverben		*würde-* + Infinitiv			unregelmäßige Verben: von 3. Pers. Sg. Präteritum		
ich	hätt	e	soll	te	würd	e	erhöhen	*blieb* →	blieb	e
du	wär	est	woll	test		est	senken	*kam* →	käm	est
er/sie/es		e	müss	te		e	kosten	*ging* →	ging	e
wir		en	könn	ten		en	...en	*fand* →	fänd	en
ihr		et	dürf	tet		et		*fuhr* →	führ	et
sie/Sie		en		ten		en		*ließ* →	ließ	en

Konjunktiv II: Verwendung
→ S. 113

	meistens: *würde* + Infinitiv	Einige häufige unregelmäßige Verben
Bedingung / Plan	Ich würde das Verkaufspersonal schulen, das erhöht die Absatzchancen.	Wir kämen gern zum Seminar, aber wir haben keine Zeit.
Höflichkeit / Wunsch	Würden Sie uns bitte Ihren Katalog zuschicken?	
	Modalverben	haben /sein
Bedingung / Plan	Für bessere Umsätze müssten wir unsere Produktpalette erweitern.	Morgen hätten wir mehr Zeit als heute.
Höflichkeit / Wunsch	Könnten Sie uns bitte Ihren Katalog zuschicken?	Wäre es möglich, dass Sie mir Ihren Katalog zuschicken?

Konditionalsätze mit *wenn* und Konjunktiv II
→ S. 114

Hauptsatz				Nebensatz mit *wenn*			
Bäder Bauer	würde	5% Rabatt	anbieten,	wenn	der Kunde die Liefermenge	erhöhen	würde.
Bis wann	könnten	Sie	liefern,	wenn	wir heute	bestellen	würden?
Herr Alber	käme	zum Seminar,		wenn	er Zeit		hätte.

Vorzeitigkeit, Gleichzeitigkeit, Nachzeitigkeit
→ S. 117

Vorzeitigkeit					
Bevor	die Gruppenarbeit		beginnt,	gibt	es eine Kaffeepause.
Gleichzeitigkeit					
Während	wir in Gruppen		arbeiten,	machen	wir praktische Übungen.
Nachzeitigkeit					
Nachdem	wir die praktischen Übungen	gemacht	haben,	gehen	wir ins Restaurant.

Relativsatz mit *was*
→ S. 119

Hauptsatz	Relativsatz	
Wir arbeiten mit hochwertigen Materialien,	die	sorgfältig getestet werden.
Wir arbeiten mit hochwertigen Materialien,	was	eine hohe Qualität garantiert.

– Messeplätze
– Messeziele
– Am Messestand
– Die Produktpräsentation
– Die Messenachbereitung
– Nach der Messe ist vor der Messe.

KAPITEL 8

AUF DER MESSE

Das lernen Sie hier:
– über Messen sprechen
– Gründe für eine Messebeteiligung nennen
– Messegespräche führen
– Produkte vorstellen
– Aufgaben im Team verteilen
– pro und contra diskutieren

Messeplätze

Internationale Fachmesse für Parfümerie-, Drogerie-, Kosmetik- und Friseurfachhandel, Frankfurt •
Internationale Technologiemesse für Blechbearbeitung, Hannover •
Internationale Fachmesse für Bahnausrüstung, Systeme und Dienstleistungen, Basel •
Internationale Fachmesse für Sport, Camping und Lifestyle im Garten, Köln •
Internationale Fachmesse für Haus- und Gebäudetechnik, Wien •
Internationale Fachmesse mit Kongress *Weltforum der Medizin*, Düsseldorf •
Ausstellung für Ernährungswirtschaft, Landwirtschaft und Gartenbau, Berlin •
Verbrauchermesse Heim + Handwerk, München •

A Welche Messe würde Sie interessieren?

❶ Sehen Sie sich die Logos oben an und überlegen Sie:

1 Welches Logo gehört zu welcher Messe?
2 Wo finden die Messen statt? Suchen Sie die Städte auf der Karte auf der nächsten Seite.
3 Um was für Messen handelt es sich: um Fach- oder Publikumsmessen, um Konsumgüter- oder Investitionsgütermessen?

❷ Welche Branchen sind wohl auf diesen Messen vertreten? Welche Produkte sind zu sehen? Sprechen Sie.

> Ich vermute / glaube / denke / nehme an, dass auf dieser Messe .... gezeigt / ausgestellt / präsentiert werden.
> Auf dieser Messe sind vermutlich / wahrscheinlich Firmen der ...branche vertreten.
> Auf dieser Messe werden wohl Unternehmen der ...industrie ausstellen.

> Nein, das glaube ich nicht. Ich denke ...
> Ja, vielleicht schon. Aber hauptsächlich werden / sind auf dieser Messe ...
> Ja, das denke ich auch. Außerdem sind auf dieser Messe ...

❸ Besprechen und berichten Sie.

1 Welche anderen Messen sind Ihnen bekannt? Welche haben Sie schon besucht?
2 Woher bekommt man Informationen über Messen?
3 Welche Aufgaben haben Messen?

B Ein bisschen Geschichte

1 Überfliegen Sie den Text unten und ordnen Sie die Zwischenüberschriften zu.

a) Deutschland: Messeland Nr. 1   c) Handelsplatz Deutschland
b) Messe ist Kommunikation   d) Deutsche Messen haben Tradition

Hier handelt die Welt

1 _____

Durch seine geografische Lage im Herzen Europas ist Deutschland schon immer Knotenpunkt für den Handel gewesen. Heute gehört die Bundesrepublik mit immer neuen Ausfuhrrekorden zur Weltspitze.

2 _____

Für den Handel sind Informationen über und um die Waren ebenso wichtig wie die Waren selbst. Neue Produkte und Dienstleistungen müssen den Kunden präsentiert werden. Persönliche Kontakte müssen geknüpft und gepflegt werden. Wo könnte dies besser geschehen als auf Messen und Ausstellungen, im direkten Gespräch mit Kunden und Interessenten? Die Messe ist auch im Internet-Zeitalter ein wichtiges Marketinginstrument im Kommunikationsmix der Business-to-Business-Kommunikation.

3 _____

Deutsche Handelsmessen entwickelten sich im Mittelalter aus Jahrmärkten, auf denen die Menschen zusammenkamen, um Handel zu treiben. Im Jahr 1240 verlieh Kaiser Friedrich II. der Stadt Frankfurt am Main das erste Messeprivileg und stellte die Kaufleute, die zur Messe reisten, unter seinen Schutz. Die Stadt Leipzig erhielt das Messeprivileg 1507. Jahrhundertelang war die Leipziger Messe ein Inbegriff für das Messewesen selbst.

4 _____

Nach dem ersten Weltkrieg entstanden auch in anderen Ländern Messen, von denen sich einige zu weltweiter Bedeutung entwickelt haben. Das gilt etwa für die Messe Basel, die sich im Jahr 2001 mit der Messe Zürich zur Messe Schweiz AG zusammenschloss. Deutsche Messen und Ausstellungen behielten jedoch eine dominante Position im Welthandel. Von den international etwa 150 Weltleitmessen, den weltweit führenden Fachmessen, finden über 100 in Deutschland statt.

2 Suchen Sie die Antworten auf die folgenden Fragen über das Messewesen im Text oben.

1 Warum kann man Deutschland _Messeland Nr. 1_ nennen?
2 Was ist der Zweck von Messen?
3 Seit wann gibt es Messen in Deutschland?
4 Wie heißt die erste Messestadt?
5 Warum haben sich die ersten Messen gerade in Deutschland entwickelt?
6 Seit wann gibt es auch in anderen Ländern wichtige Messen?

Die wichtigsten Messestädte in Deutschland, Österreich und der Schweiz

C Mein Messebesuch

1 Welche Messe würden Sie gern besuchen? Warum und wozu? Aus beruflichem oder privatem Interesse?

2 Suchen Sie im Internet nach einer interessanten Messe in Ihrem Land oder auf dem entsprechenden Kontinent. Berichten Sie.

- Ich würde gern ... besuchen, um ... zu ...
- Ich würde mir gern ... ansehen, weil ...
- Ich bin ... von Beruf. Deshalb wäre ... interessant für mich.
- Ich interessiere mich für ... Deshalb würde ich gern ...

Messeziele

Verkaufsabschlüsse •
Pflege von bestehenden Geschäftsverbindungen •
Neue Geschäftsverbindungen •
Vorstellung von Neuheiten •
Kennenlernen von Konkurrenzprodukten •
Beobachtung des Marktes •
Präsentation des eigenen Unternehmens •
Suche nach möglichen Lieferanten •
Vergleich von Produkten •
Einholen von Angeboten •
Suche nach Produktalternativen •
Bestellung mit Messerabatt •

A So ein Zufall!

❶ Wozu besucht man Messen? Welche Punkte oben gelten für Aussteller, welche für Besucher?

❷ Formulieren Sie mit den Punkten oben Sätze.

| Unternehmen | stellen auf Messen aus, beteiligen sich an Messen, | um ihre Produkte zu verkaufen. |

| Unternehmensvertreter | besuchen Messen, gehen auf Messen, | um Produkte mit Messerabatt zu bestellen. |

 ❸ Sie hören zwei Dialoge. Wozu besuchen die Personen die Messe? Sind sie Aussteller oder Besucher?

❹ Machen Sie kurze Dialoge. Benutzen Sie die Punkte aus dem Kasten oben.

> Ach guten Tag, Frau/Herr ...! Das ist ja eine Überraschung!
> Frau/Herr ..., Sie hier! So ein Zufall!/Die Welt ist aber klein! Guten Tag.

▼

> Guten Tag, Frau/Herr ...! Schön, dass Sie auch da sind. Wir haben uns zuletzt in ... getroffen.
> Guten Tag, Frau/Herr ... Freut mich, Sie zu sehen!

▼

> Ja, richtig! Das war auf der ... Messe.
> Darf ich fragen, warum Sie hier sind?
> Sind Sie auch hier, um die Konkurrenzprodukte kennen zu lernen?/
> um ihre Neuheiten vorzustellen?/um ... zu ...?

▼

> Ja/Nein, ich/wir ...

B Erfolgreiche Messebeteiligung

❶ Überfliegen Sie den Zielkatalog auf der nächsten Seite für Unternehmen, die sich an einer Messe beteiligen wollen. Wohin passen die folgenden Punkte am besten? Ordnen Sie zu.

- Wünsche und Ansprüche der Kunden ermitteln
- Händler und Vertriebsgesellschaften suchen
- die Konkurrenz beobachten
- Prototypen vorstellen

② Erklären Sie die Überschriften im Zielkatalog.

1 Allgemeine Beteiligungsziele
- neue Märkte kennen lernen, Marktnischen entdecken
- sich über Neuheiten und Entwicklungstrends informieren
- den Absatz steigern, Aufträge akquirieren
- _____

2 Produktziele
- Produktinnovationen präsentieren
- Akzeptanz des Produktsortiments am Markt testen
- _____

3 Kommunikationsziele
- den Kontakt zu Stammkunden pflegen
- neue Kunden werben
- das Firmen- und Produktprofil bekannter machen
- Marktinformationen sammeln
- _____

4 Distributionsziele
- Vertreter suchen
- Kontakt zu potenziellen Lieferanten aufnehmen
- _____

❸ Wie heißen die Ziele, die in den beiden Dialogen in Aufgabe A3 erwähnt werden?

❹ Wie sind die Ziele in Aufgabe A hier formuliert? Schreiben Sie.

Verkaufsabschlüsse: den Absatz steigern, Aufträge akquirieren

Pflege von bestehenden Geschäftsverbindungen: ....

 C Interviews am Messestand

❶ Vertreter von Unternehmen erklären, wozu sie an Messen teilnehmen. Hören Sie die Interviews und füllen Sie die folgende Tabelle aus. Für die *Ziele* hilft Ihnen der Zielkatalog in Aufgabe B2.

Die drei Firmen heißen:

- DIE KÄSEMACH GmbH,
- Fäch AG,
- Sonnenstrand Freizeitartikel GmbH Co. KG

Inter-view	Unternehmen/ Land	Produkte	Messe/ Stadt	Ziele
1	_____ _____ _____	_____ _____ _____	_____ _____ _____	1 _den Absatz steigern, Aufträge bekommen_ 2 _____ 3 _____
2	_____ _____ _____	_____ _____ _____	_____ _____ _____	1 _neue Märkte/Marktnischen kennen lernen_ 2 _____ 3 _____
3	_____ _____ _____	_Blechbearbeitungen_ _____ _____	_____ _____ _____	1 _____ 2 _____ 3 _____

❷ Wählen Sie eine der Aufgaben.

- Präsentieren Sie die drei Firmen mithilfe der Tabelle!
- Führen Sie mithilfe der Tabelle ähnliche Interviews mit den Firmenvertretern!

D Welche der in Aufgabe B2 genannten Beteiligungsziele sind Ihrer Meinung nach am wichtigsten ...

1 für eine kleine, aber wachsende Firma, die versucht, ihre Exportmärkte aufzubauen?
2 für ein etabliertes Unternehmen, das ein neues Produkt auf den Markt bringt?

Ich sehe, Sie interessieren sich für ...

A Am Messestand

1 Drei Messestände: Hören Sie die Gespräche einmal und notieren Sie.

1 Wer beginnt jeweils die Gespräche?
2 Vergleichen Sie die Gespräche mit den Interviews von S. 127, Aufgabe C. Auf welchen Messen finden die Gespräche statt?
3 Über welche Produkte wird gesprochen?

> die Produktpalette • die Produktvorführung •
> der Verkehrsverbund Stuttgart • der Katalog •
> der west- und nordwestdeutsche Markt •
> der zuständige Ingenieur •

2 Hören Sie die Gespräche noch einmal.
Wo kommen die Begriffe im Kasten vor?
Worum geht es dabei?

3 Welche der folgenden Redemittel kommen in den drei Gesprächen vor?

Kunden ansprechen

Guten Tag. Kann ich Ihnen helfen?

▼

Danke. Ich möchte mich nur/gern ein wenig umsehen.
Im Moment will ich mir nur einen Überblick verschaffen.

▼

Schauen Sie sich in aller Ruhe um. Ich beantworte gern Ihre Fragen.

Guten Tag. Ich sehe, Sie interessieren sich für ...
Guten Tag. Sie interessieren sich sicher für unser- (neu-) ...

▼

Ja, der/die/das (...) interessiert mich.
Ja, das würde ich mir gern genauer ansehen.
Könnten Sie mir dieses hier/Produkt/... erläutern?

als Kunde beginnen

Guten Tag, mein Name ist ... Ich komme von .../Ich vertrete die Firma ...
Hätten Sie einen Moment Zeit?
Könnten Sie mir ein paar Auskünfte geben?
Ich interessiere mich für Ihr- ...
Ich wollte mir mal dies- ... ansehen.
Könnten Sie mir mal (ein paar) ... zeigen?

▼

Sind Sie an einem besonderen Modell interessiert?
Diese Serie hier verkauft sich in diesem Jahr besonders gut.
Das hier ist unser neustes Modell.
Gern, wir haben hier ...

Vorschläge machen

- Möchten Sie zu einer Präsentation/Produktvorführung kommen?
- Die nächste Präsentation ist um ... Uhr.
- Am besten sprechen Sie mit unserem Geschäftsführer/Vertriebsleiter/Ingenieur/... darüber. Ich vereinbare gern einen Termin für Sie.

Produktinformationen überreichen

- Darf ich Ihnen (vielleicht) unseren Katalog/diese Prospekte mitgeben? Da können Sie alles über unsere Produkte nachlesen./Da ist auch eine Preisliste drin.
- Wenn Sie weitere Fragen haben, stehe ich gern zu Ihrer Verfügung.

B Könnten Sie mir ein paar Auskünfte geben?

❶ Spielen Sie Gespräch 1 aus Aufgabe A mithilfe der nebenstehenden Dialogskizze nach.

❷ Machen Sie Notizen und spielen Sie auch eines der anderen Gespräche.

Kunde/Kundin	Standmitarbeiter/in
Auskünfte?	wofür – sich interessieren?
Vertreter Verkehrsverbund Stuttgart – Fahrscheinautomaten	Prototyp – schon Interesse bei zwei Schweizer Großstädten
Produktpräsentation?	nicht mehr – mit unserem Ingenieur sprechen?
gern	ihn holen

C Wie sind die Lieferzeiten?

❶ Wie beantwortet der Standmitarbeiter die Fragen? Kreuzen Sie an: a) oder b)?

1 Preis?
  a) Der Katalogpreis ist 28,90 €.
  b) Alle Preise stehen in der Preisliste.

2 Preis inkl. Zubehör?
  a) Ja, da ist eine Pumpe dabei.
  b) Nein, die Pumpe wird extra berechnet.

3 Rabatt?
  a) Ich kann Ihnen unsere Preisliste für Großhändler geben.
  b) Das kommt auf die Stückzahl an.

4 Lieferzeiten?
  a) Kleinere Mengen können wir ab Lager innerhalb einer Woche liefern.
  b) Die Lieferzeit ist normalerweise eine Woche.

5 Zahlungsbedingungen?
  a) Die üblichen Zahlungsbedingungen.
  b) 30 Tage ab Rechnungsdatum.

6 andere Modelle?
  a) Nein, nur diese zwei.
  b) Unser Sortiment umfasst auch noch selbstaufblasbare Matratzen und Luftbetten.

7 Katalog?
  a) Den können Sie natürlich gern bekommen. Hier bitte.
  b) Wollen Sie ihn mitnehmen oder soll ich ihn an Sie schicken?

❷ Benutzen Sie die Antworten a) oder b) und spielen Sie ähnlich Gespräche.

D Gut, verbleiben wir so!

❶ Welche der folgenden Redemittel passen zu einem Standmitarbeiter (S), welche zu einem Kunden (K), und welche zu beiden (b)?

1 [S] Schönen Dank für Ihren Besuch!
2 ☐ Vielen Dank für Ihr Interesse!
3 ☐ Ich muss mir das noch genauer überlegen.
4 ☐ Gut, dann verbleiben wir so.
5 ☐ Weiterhin viel Erfolg auf der Messe!
6 ☐ Abgemacht!
7 ☐ Ich muss noch Rücksprache mit unserem Einkauf halten.

8 ☐ Ich melde mich wieder bei Ihnen.
9 ☐ Ja, ich glaube, das können wir einrichten.
10 ☐ Es hat mich gefreut, Sie kennen zu lernen.
11 ☐ Tut mir leid, aber da habe ich schon einen Termin.
12 ☐ Ich würde mich freuen, wieder von Ihnen zu hören.

❷ Sie hören drei kurze Dialoge. Worum geht es jeweils?

❸ Stimmt Ihre Auswahl in Aufgabe D1 mit den Dialogen überein?

❹ Spielen Sie Verabschiedungen am Stand.

E PARTNER **A** benutzt Datenblatt A19, S. 178. PARTNER **B** benutzt Datenblatt B19, S. 188.

F Am Messestand

Wählen Sie eine Messe und Produkte, die Sie interessant finden. Spielen Sie Messegespräche.

- Kontaktaufnahme
- Gespräch über Produkte: Beschreibung, Preise, Rabatt, Lieferzeiten usw.
- Terminvereinbarung
- Beenden des Gesprächs

IDAHO

Können Sie mir zu diesem Produkt etwas sagen?

Der universelle 3-Jahreszeitenschlafsack zeichnet sich vor allem durch sein geringes Gewicht aus. Er ist damit ideal für Trekking, auch im Hochgebirge geeignet. Das wasser- und winddichte TEXAPORE LIGHTWEIGHT-Außenmaterial schützt vor Feuchtigkeit und Wind. Durch die hochwertige Füllung mit der weiterentwickelten G-Loft-Kunstfaser und das hochisolierende Füllsystem mit mehreren Schichten bietet IDAHO trotz seiner Leichtigkeit noch bis weit unter Null Grad Celsius angenehmen Schlafkomfort.

Körpergröße _____
Material außen _____
Material innen _____
Füllung _____
Gewicht _____

Temperaturbereich: _____ g
Komfort: _____

Packmaß _____ x _____ cm
Farben _____
Zubehör _____
Art. Nr. _94211-55_
Empf. Verkaufspreis € _____
Extrem: _____

A Schlafen wie zu Hause

❶ Auf der Internationalen Fachmesse für Sportartikel und Sportmode, der ispo in München, stellt die Firma Schneewolf GmbH aus. Sie stellt Schlafsäcke her. Überfliegen Sie den Auszug aus dem Produktkatalog oben.

☀ispo

1 Für welche Jahreszeiten ist dieser Schlafsack geeignet?
2 Welche Vorteile hat er?
3 Welche der fehlenden Spezifikationen können Sie mithilfe der Produktinformation ergänzen?

❷ Hören Sie das Gespräch am Stand der Firma Schneewolf GmbH und vervollständigen Sie die Produktinformation oben.

❸ Spielen Sie ein ähnliches Messegespräch. Verwenden Sie die ergänzte Produktinformation.

Stellen Sie als Kunde Fragen wie:

- Für welche Körpergröße passt er?
- Aus welchem Material ist er gefertigt?
- Woraus besteht die Füllung?
- Wie viel wiegt er?
- In welchen Farben ist er erhältlich?
- Wie groß ist er, wenn er eingepackt ist?
- Gibt es dafür Zubehör?
- Für welchen Temperaturbereich ist dieser Schlafsack geeignet?

Antworten Sie als Standmitarbeiter. Weisen Sie auf die besonderen Vorteile des IDAHO hin:

- Er zeichnet sich durch ... aus.
- Besonders günstig ist ...
- Er ist besonders für ... geeignet.

Fragen Sie nach:

- Für welchen Zweck brauchen Sie den Schlafsack?
- Darf ich fragen, von welcher Firma Sie kommen?
- ...

B Aus welchem Material ist er gefertigt?

1 Aus welchem Material fertigen Sie Ihre Trekkingschlafsäcke? – Die Trekkingschlafsäcke
   _sind_____ aus einer Kunstfaser _gefertigt_____.

2 Bitte packen Sie den Schlafsack in den Packsack. – Hier, dieser Schlafsack _____ bereits
   _____.

3 Können Sie Messerabatt abziehen? – Hier in diesem Angebot _____ der Messerabatt schon
   _____.

4 Können Sie eine Auftragbestätigung ausstellen? – Hier, die Auftragbestätigung _____
   bereits _____.

Partizip Perfekt mit *sein*	
Vorgang/Prozess	**Resultat/Zustand**
Wir fertigen die Schlafsäcke aus einer Kunstfaser.	Die Schlafsäcke sind aus einer Kunstfaser gefertigt.
Wir ziehen den Messerabatt ab.	Der Messerabatt ist bereits abgezogen.

C Wir sollten unser Angebot erweitern.

1 Herr Eisenlohr vom Internet-Shop Bergwelt hat nach einem weiteren Besuch bei dem Stand von Schneewolf nebenstehende Notiz geschrieben.

1 Möchte Herr Eisenlohr nur ein Modell oder mehrere Modelle ins Sortiment aufnehmen?
2 Unterstreichen Sie in der Notiz alle Doppelkonjunktionen wie z. B. *sowohl – als auch* und ersetzen Sie sie durch einfache Konjunktionen wie *und*, *oder* usw.

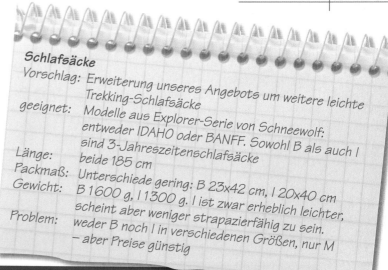

Schlafsäcke
Vorschlag: Erweiterung unseres Angebots um weitere leichte Trekking-Schlafsäcke
geeignet: Modelle aus Explorer-Serie von Schneewolf: entweder IDAHO oder BANFF. Sowohl B als auch I sind 3-Jahreszeitenschlafsäcke
Länge: beide 185 cm
Packmaß: Unterschiede gering: B 23x42 cm, I 20x40 cm
Gewicht: B 1600 g, I 1300 g. I ist zwar erheblich leichter, scheint aber weniger strapazierfähig zu sein.
Problem: weder B noch I in verschiedenen Größen, nur M – aber Preise günstig

Doppelkonjunktionen	
Beides	Sowohl das Modell B als auch das Modell I sind 3-Jahrzeitenschlafsäcke.
Das eine oder das andere	Entweder B oder I sind für uns geeignet. Entweder Sie entscheiden sich sofort oder ich suche noch weiter.
Keins	Weder B noch I gibt es in verschiedenen Größen. Wir bestellen weder das Model I, noch kaufen wir das Modell B.
Einschränkung	Das Modell I ist zwar leichter, aber weniger strapazierfähig.

2 Welches Modell von Schneewolf würden Sie Herrn Eisenlohr für das Sortiment seiner Firma empfehlen? Vergleichen Sie und begründen Sie Ihre Empfehlung.

3 Mithilfe der Notiz telefoniert Herr Eisenlohr mit dem zuständigen Kollegen seiner Firma, Herrn Schmückle. Führen Sie das Telefongespräch.

D Ich freue mich über Ihr Interesse ...!

1 Sie hören den Anfang eines Textes. Wer spricht? Wo ist das? Worum geht es?

2 Der Mitarbeiter von Ihde Technology hat sich für seine Präsentation Notizen gemacht. Lesen Sie die vier Karteikarten und überlegen Sie, in welcher Reihenfolge sie vorgetragen werden. Nummerieren Sie.

☐
Eigenschaften und Ausstattung
• bedienerfreundlich
• stabil und zuverlässig
• Touchscreen
• alle Bezahlfunktionen (Münzen, Scheine, Karten)

☐
allgemeine Anforderungen an Fahrkartenautomaten
• einfach in der Bedienung
• viele Zahlungsmittel
• zuverlässig
• einfache Wartung
• anpassungsfähig

☐
Leistung
• Einzelfahrscheine, Mehrfachkarten und Zeitkarten
• hohe Rechen- und Druckgeschwindigkeit
• großes Umsatzvolumen

☐
Multifunktionalität
• für alle Fahrzeuge
• in ein Gehäuse eingebaut
 → Standgerät
• mobil + stationär gleiches Gerät
 → kundenfreundlich
 → Service + Wartung kostengünstiger

3 Sie hören nun den ganzen Text. War die vermutete Reihenfolge richtig?

E Präsentieren Sie den Fahrscheinautomaten – oder ein anderes Produkt, das Sie gut kennen.

• Ich möchte Ihnen jetzt unser Basismodell präsentieren.
• Fahrscheinautomaten müssen unterschiedlichste Anforderungen erfüllen.
• Sie müssen einfach in der Bedienung sein.
• Ihde-Fahrscheinautomaten erfüllen diese Anforderungen hervorragend.

• Unsere Automaten sind das Ergebnis jahrzehntelanger Erfahrung und bester Ingenieurskunst.
• Sie können den CK 230 ...
• Der CK 230 ist/hat ...
• Er verfügt über ...
• Sie sehen hier ...

Nach der Messe

die beiliegenden Visitenkarten archivieren •
Angebote erstellen •
für wichtige Kunden einen betreuenden
Mitarbeiter festlegen •
die eingehenden Reklamationen bearbeiten •
Briefe schreiben und verschicken •
die versprochenen Besuche bei Kunden
organisieren •
die Messenotizen ausfüllen •
die Messenotizen sortieren und in die EDV
eingeben •
die Messenotizen aufarbeiten •
die eingegebenen Informationen mit
vorhandenen Informationen vergleichen •
die von Kunden gewünschten Unterlagen
(Kataloge usw.) zusammenstellen und
versenden •
die Arbeitsteilung unter allen beteiligten
Kollegen klären •

A Was ist zu tun?

❶ Was muss nach der Messe erledigt werden? Bringen Sie die Punkte oben in eine sinnvolle Reihenfolge und streichen Sie die zwei, die nicht passen. Tragen Sie vor, was zu tun ist.

Am wichtigsten ist zunächst, die Messenotizen aufzuarbeiten,
dazu müssen wir sie sortieren und in die EDV eingeben./
Zuerst muss/sollte man ...
Dabei werden die beiliegenden Visitenkarten ...
Dann muss/sollte ...

 ❷ Hören Sie, was eine Mitarbeiterin der Fäch AG über die Messenachbereitung sagt. Stimmt das mit der Reihenfolge der Punkte überein, die Sie in Aufgabe A1 gefunden haben?

B Hören Sie den Bericht aus Aufgabe A2 noch einmal. Notieren Sie: Was sagt die Kollegin genau?

❶ Sie sagt nicht ..., sondern ... Schreiben Sie.

1 die beiliegenden Visitenkarten	*die Visitenkarten, die beiliegen*
2 die eingegebenen Informationen	
3 die beteiligten Kollegen	
4 ein betreuender Mitarbeiter für wichtige Kunden	
5 die versprochenen Kundenbesuche	
6 die von den Kunden gewünschten Unterlagen	

❷ Ergänzen Sie die Tabelle und formen Sie die Partizipien in Relativsätze um.

Partizip Perfekt und Partizip Präsens als Adjektive		
Infinitiv	**Partizip Präsens**	**Partizip Perfekt**
sortieren	der sortieren _de_ Kollege	die _sortieren_ Briefe
	die betreuen _de_ Mitarbeiterin	der _____ Kunde
eingehen	die _____ Bestellung	die _____ Bestellung

C Die Messenotiz

1 Lesen Sie das Formular *Messenotiz*. Wie heißt die Firma? Was produziert sie?

2 Arbeiten Sie zu zweit. Jeder füllt zunächst eine Messenotiz aus. Fragen Sie dann Ihren Partner nach den Informationen über seinen Besucher.

D Könnten Sie das übernehmen?

1 Bei der Firma Ihde findet eine Besprechung zwischen Herrn Süß, Vertriebsleiter, Frau Roth und Herrn Grund, Mitarbeiter, statt. Sie hören jetzt den ersten Teil des Gesprächs.

1 Worum geht es bei der Besprechung?
2 Füllen Sie nach den Angaben im Gespräch die Messenotiz oben aus.
3 Ergänzen Sie auf der Flipchart-Übersicht rechts die Zahlen.

2 Sie hören nun den zweiten Teil der Besprechung. Notieren Sie: Wer übernimmt welche Aufgaben?

Süß: _____

_____

Roth: _____

_____

Grund: _____

_____

3 Arbeiten Sie zu dritt. Übernehmen Sie die Rollen der drei Gesprächspartner und verteilen Sie die Arbeit.

Messenotiz

Ihde Technology

Messe _____
Datum _____

Eingeladen ☐ ja ☐ nein Bitte um
Einladungs-Nr. _____
☐ Siehe anliegende Visitenkarte
☐ Prospekt
☐ Fachberatung
☐ Vorführung
☐ Angebot

Firma _____
Straße _____
Land _____
PLZ _____
Ort _____
Tel. _____

Interessiert an

☐ Fahrscheinautomaten
☐ Fahrscheindrucker/-entwerter
☐ Abrechnungs- und Analysesoftware
☐ Wechselgeldsysteme
☐ Schließfachanlagen
☐ Zeitkartensysteme

Frau / Herr _____
Vorname _____
Name _____
Stellung _____

Bemerkungen _____

Notiert von _____

Messenotizen

1) Interesse unklar, Prospekte mitgenommen
   --> allgemeines Schreiben: ____

2) Fahrscheinautomaten:
   Prospekte + Schreiben ____
   Fachberatung ____
   Vorführung ____
   Angebot 1
   besondere Absprachen

3) Schließfachanlagen:
   Prospekte + Schreiben ____
   Fachberatung 1
   Vorführung 1
   Angebot

4) Abrechnungs- und Analyse-software:

---

auffordern, beauftragen

- Wären Sie bereit, die Zuständigkeit für ... zu übernehmen?
- Könnten Sie ... übernehmen?
- Könnten wir den Bereich ... direkt an ... übergeben?
- Ich möchte Sie (darum) bitten, ... zu ...
- Kümmern Sie sich bitte um .../darum, dass ...?

annehmen (mit Einschränkung)

- Ja (natürlich), | das kann ich machen.
  | das übernehme ich gern.
  | darum kümmere ich mich.
- Damit wäre ich einverstanden, aber nur wenn ...
- Einverstanden/O.K., aber...

vorsichtig ablehnen (mit Gegenvorschlag)

- Ich wollte (eigentlich) vorschlagen, dass ...
- Ich würde es besser finden, wenn ...
- Ich kann das natürlich machen, aber vielleicht wäre es besser, wenn ...
- Dafür bin ich (eigentlich) nicht zuständig.

Nach der Messe ist vor der Messe

A Wer stellt aus?

Betrachten Sie die beiden Schaubilder. Arbeiten Sie mit einem Partner zusammen. Stellen Sie sich gegenseitig Fragen.

1 Wie groß ist der Anteil von Großunternehmen an der Gesamtzahl der Aussteller?
2 Wie viele Beschäftigte haben kleine Unternehmen?
3 Wie viel Prozent der Aussteller sind mittelgroße Unternehmen?
4 Wie groß war der Anteil von ausländischen Unternehmen bei überregionalen Messen im Jahr 2003?
5 Wie hat sich dieser Anteil von 2000 bis 2004 entwickelt?
6 In welchem Jahr ist die Zahl der ausländischen Aussteller gesunken?
7 ...

B GF-Sitzung bei Ihde Technology

1 Der Geschäftsführer, Herr Dr. Pfäfflin, und die stellvertretende Geschäftsführerin, Frau Hübner, führen ihre regelmäßige Wochenbesprechung durch. Zum Tagesordnungspunkt *Messebeteiligungen* haben sie den Vertriebsleiter, Herrn Süß, dazugebeten. Hören Sie die Diskussion und achten Sie auf folgende Fragen.

1 Wer ist eher für, wer eher gegen eine Messebeteiligung der Firma?
2 Was wird am Ende beschlossen?

2 Hören Sie die Diskussion noch einmal und betrachten Sie auch die vier Schaubilder auf dieser und auf der folgenden Seite. In welcher Reihenfolge werden die vier Schaubilder in der Diskussion erwähnt? Zu welchen Argumenten für eine Messebeteiligung gehören sie?

3 Übernehmen Sie die Rolle des Vertriebsleiters. Erläutern Sie mithilfe der Schaubilder, warum Messebeteiligungen für ein exportorientiertes mittelgroßes Unternehmen sinnvoll sind.

Wir sind ein exportierendes Unternehmen. Also ist es wichtig, dass wir im Ausland bekannt werden. Dafür sind Messen sehr geeignet. Das zeigt Schaubild 2. Hier sehen Sie, dass ...

C Konsequenzen oder nicht? Schreiben Sie Sätze mit *sodass, ohne dass* und *ohne ... zu*.

1 Wir haben den Internetauftritt verbessert. Wir haben dafür nicht viel Geld ausgegeben.
2 Herr Müller muss alle Messekosten zusammenstellen. Eine Kosten-Nutzen-Analyse ist möglich.
3 Herr Pfäfflin möchte bei den Messen sparen. Es bleibt mehr Geld für den Außendienst übrig.
4 Ich möchte jetzt keine Entscheidung. Wir haben keine genauen Zahlen.

Folge und Nicht-Folge	
sodass	Wir sparen bei den Messen, sodass mehr Geld für den Internetauftritt übrig bleibt.
ohne dass	Frau Hübner möchte Kosten sparen, ohne dass die Firma auf Messeauftritte verzichtet.
ohne ... zu	Wir haben an der Messe teilgenommen, ohne einen einzigen Auftrag zu bekommen.

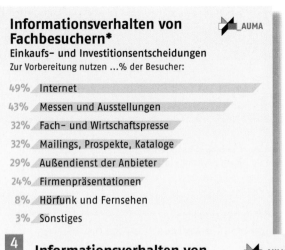

3

Informationsverhalten von Fachbesuchern*
AUMA

Einkaufs- und Investitionsentscheidungen
Zur Vorbereitung nutzen ...% der Besucher:

49% Internet

43% Messen und Ausstellungen

32% Fach- und Wirtschaftspresse

32% Mailings, Prospekte, Kataloge

29% Außendienst der Anbieter

24% Firmenpräsentationen

8% Hörfunk und Fernsehen

3% Sonstiges

4

Informationsverhalten von Fachbesuchern*
AUMA

Besucherstruktur auf deutschen Messen

● 61% der Fachbesucher sind Entscheider
(ausschlaggebender oder mitentscheidender Einfluss),
von den ausländischen Besuchern 75%

● 44% der Entscheider besuchen Messen an zwei
oder mehr Tagen

● 30% der Fachbesucher sind Geschäftsführer,
Vorstandsmitglieder oder selbstständige Unternehmer,
von den ausländischen Fachbesuchern 48%

● 35% der Fachbesucher waren zum ersten Mal auf
der jeweiligen Messe

● 79% der Fachbesucher kommen aus Betrieben mit
unter 1.000 Beschäftigten,
54% aus Betrieben mit unter 100 Beschäftigten

* repräsentative Untersuchung im Auftrag des AUMA auf der Basis von
4.219 Interviews auf 49 deutschen Messen

20.07./TB   **Protokoll der GF-Sitzung
vom 18.07.**   Seite 6

TOP 5: Messebeteiligungen

Bericht von Süß über die Ergebnisse der ET Basel (Vorlage „ET Abschlussbericht")
• 3 Angebote, aber erfolglos
• 15 Fachberatungen bei Kunden
• 6 Vorführungen
• sonstige Nachkontakte durchgeführt

Diskussion von Messebeteiligungen generell.
Präsentation von allgemeinen Zahlen zum Nutzen von Messen durch Süß

Entscheidungen und Aufträge:

• Entlastung des Messeteams ET	Süß	
• Erstellung Kostenrechnung für letzte 2 Messen (ET und Blech)	Müller	08/2006
• Zusammenstellung aller sonstigen Messedaten zu diesen 2 Messen	Süß	08/2006
• Durchführung des „MesseNutzenChecks" der AUMA (Internet) am Beispiel ET	GF 2	09/2006
• Bildung Projektteam Web-Auftritt	Strölin	07/2006
• Entscheidungsvorlage Web-Auftritt	Elk, Strölin	08/2006
• Entscheidung über weitere Messe-beteiligungen und verbesserten Web-Auftritt	GF	09/2006

D Die Entscheidung

❶ Welche Punkte im Protokollauszug oben kennen Sie schon aus dem Hörtext in Aufgabe B?

❷ Formen Sie einige Stichpunkte des Protokolls in Sätze um.

Herr Süß berichtet über die Ergebnisse der ET Basel. Hauptpunkte waren: Drei Interessenten forderten Angebote an, die aber erfolglos blieben. Fünfzehn Kunden bitten um eine ...

❸ Tragen Sie vor, was auf der Sitzung entschieden wurde und wer jeweils verantwortlich ist.

E Messebeteiligung: Ja oder Nein?

Ihre Firma produziert Fahrscheinautomaten und exportiert viel. Im Budget für B-to-B-Kommunikation sind für das laufende Jahr insgesamt 80 000 Euro vorgesehen. Es muss festgelegt werden, wie viel für Direktwerbung, für eine Verbesserung des Internetauftritts und wie viel für Messebeteiligungen ausgegeben werden soll. Über drei Messen haben Sie folgende Informationen:

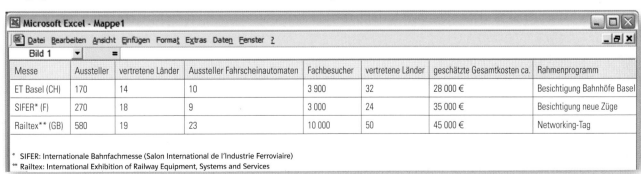

Messe	Aussteller	vertretene Länder	Aussteller Fahrscheinautomaten	Fachbesucher	vertretene Länder	geschätzte Gesamtkosten ca.	Rahmenprogramm
ET Basel (CH)	170	14	10	3 900	32	28 000 €	Besichtigung Bahnhöfe Basel
SIFER* (F)	270	18	9	3 000	24	35 000 €	Besichtigung neue Züge
Railtex** (GB)	580	19	23	10 000	50	45 000 €	Networking-Tag

* SIFER: Internationale Bahnfachmesse (Salon International de l'Industrie Ferroviaire)
** Railtex: International Exhibition of Railway Equipment, Systems and Services

Arbeiten Sie in Dreiergruppen mit folgenden Rollen: einer möchte die Direktwerbung massiv ausbauen und ist gegen Messebeteiligungen, einer ist nur dafür, wenn die Messe wirklich wichtig ist, und einer möchte unbedingt an ein oder zwei Messen teilnehmen.

Ziele der Austeller

① Sehen Sie sich das Schaubild rechts an. Lesen Sie den Text unten und tragen Sie die passenden Angaben in die Lücken ein.

② Was bedeuten die Wörter *am häufigsten, drei Viertel, zwei Drittel, die Hälfte*?

③ Kennen Sie weitere Mengenangaben auf Deutsch?

AUMA_MesseTrend 2005
Ziele von Messebeteiligungen*

...% der deutschen Aussteller setzen sich folgende Messeziele:

Neue Kunden gewinnen	92%
Unternehmen/Produkte bekannter machen	92%
Neue Produkte präsentieren	90%
Stammkunden pflegen	89%
Image von Unternehmen/Produkten verbessern	88%
Neue Märkte erschließen	76%
Geschäfte abschließen/anbahnen	69%
Kooperationspartner gewinnen	62%
Marktforschung betreiben	57%

* repräsentative Umfrage von TMS Emnid im Auftrag des AUMA unter 500 Unternehmen, die auf fachbesucherorientierten Messen ausstellen; Oktober 2004; (Mehrfachnennungen waren möglich)

Ziele der Austeller

500 Unternehmen wurden befragt, warum sie als Aussteller an Messen teilnehmen. Am häufigsten, nämlich von _____ der Befragten, wird als Grund angegeben, neue Kunden gewinnen zu wollen und sein _____ und seine _____ bekannter zu machen. Fast genauso viele, nämlich _____ wollen ihre Produkte präsentieren. Mit 89 % folgt als Grund die Pflege der _____ und mit _____ die Imageverbesserung von _____ und _____. Circa drei Viertel der Befragten möchte neue Märkte _____ und etwas über zwei Drittel findet es wichtig, _____ anzubahnen oder sogar _____. Etwas weniger, nämlich _____, halten Messen für geeignet, Kooperationspartner zu _____. Und mehr als die Hälfte nutzt die Messe, um _____ zu betreiben.

Die Aussteller nutzen Messen also besonders intensiv, um ihrem Geschäft neue Impulse zu geben, z.B. durch höhere Bekanntheit, neue Kunden und Vorstellung neuer Produkte.

Ziele der Besucher

❶ Sehen Sie sich das Schaubild unten an. Was ist das Thema?

❷ Schreiben Sie einen Text zu der Grafik, ähnlich wie auf der linken Seite. Benutzen Sie dabei auch Mengenangaben wie *die Hälfte, ein Drittel, ein Viertel, ein Fünftel* usw.

❸ Vergleichen Sie die beiden Schaubilder. Wo sehen Sie Parallelen zwischen den Zielen der Aussteller und den Zielen der Besucher?

- *Information über neue Produkte*
- _____
- _____

❹ Wo gibt es große Unterschiede bei der Häufigkeit der Nennungen?

- *Vertragsabschluss*
- _____
- _____

❺ Was wird von den Ausstellern nicht genannt, was für die Besucher wichtig ist?

- *Konkurrenzbeobachtung*
- _____
- _____

Informationsverhalten von Fachbesuchern*
Ziele des Messebesuchs
...% der Besucher wollen:

48%	Informationen über Neuheiten
41%	Allgemeine Marktorientierung
34%	Weiterbildung, Wissenserweiterung
29%	Erfahrungs-, Informationsaustausch
26%	Pflege von Geschäftskontakten
23%	Anbahnung von Geschäftskontakten
18%	Konkurrenzbeobachtung
17%	Vorbereitung von Entscheidungen
12%	Einflussnahme auf Produktentwicklung
7%	Vertragsabschluss, Kauf

* repräsentative Untersuchung im Auftrag des AUMA auf der Basis von 4.219 Interviews auf 49 deutschen Messen

Kapitel 8 Grammatik

Partizip Perfekt mit *sein* → S. 130

Vorgang / Prozess	Resultat / Zustand
Haben Sie den Brief an die Fäch AG schon geschrieben?	Der Brief an die Fäch AG ist bereits geschrieben.
Du musst noch die Prospekte verschicken. Die Prospekte müssen noch verschickt werden.	Die Prospekte sind schon verschickt.
Frau Elser hat den Vertrag unterschrieben. Der Vertrag ist lange nicht unterschrieben worden.	Der Vertrag ist jetzt unterschrieben. Aber jetzt ist er endlich unterschrieben.

Doppelkonjunktionen → S. 131

Beides	Unser Fahrscheinautomat ist sowohl bedienerfreundlich als auch zuverlässig.
Das eine oder das andere	Entweder nehmen wir den leichteren Schlafsack oder den strapazierfähigeren. Entweder wir verkaufen weiter nur die Modelle der Firma ASA oder wir erweitern unser Angebot.
Keins	Wir besuchen weder die ET Basel noch die Euro-Blech in Hannover. Kleine Unternehmen gehen oft weder auf Messen, noch haben sie eine Web-Seite.
Einschränkung	Der Fahrscheinautomat nimmt zwar Geldscheine, aber keine EC-Karten. Man kann diesen Automaten zwar leicht bedienen, aber er geht leicht kaputt.

Partizip Perfekt und Partizip Präsens als Adjektive → S. 132

Infinitiv	Partizip Präsens	Partizip Perfekt
ausstellen	die ausstellende Firma	die ausgestellten Produkte
ausfüllen	die das Formular ausfüllende Sekretärin	das ausgefüllte Formular
einfahren	der einfahrende Zug	der eingefahrene Zug

Partizipien als Adjektive: Bedeutung → S. 132

Partizip Präsens = Gleichzeitigkeit		Partizip Perfekt = meist Passiv (Gegenwart / Vergangenheit), selten Aktiv (Vergangenheit)	
die ausstellende Firma	= die Firma, die ausstellt	die ausgestellten Produkte	= die Produkte, die ausgestellt sind / waren
die das Formular ausfüllende Sekretärin	= die Sekretärin, die das Formular ausfüllt	das ausgefüllte Formular	= das Formular, das ausgefüllt wurde / ist
der einfahrende Zug	= der Zug, der einfährt	der eingefahrene Zug	= der Zug, der eingefahren ist

Folge und Nicht-Folge → S. 134

sodass	Wir sammeln alle Messedaten, sodass wir eine Kostenrechnung erstellen können.
ohne dass	Die Gesamtzahl der Messebesucher ist gestiegen, ohne dass der Anteil der Aussteller gestiegen ist.
ohne ... zu	Der Vertrieb hat Angebote verschickt, ohne sie mit der Geschäftsführung zu besprechen. Wir entscheiden nichts, ohne die Kostenrechung zu beachten.

- Ein Unternehmen und sein Gründer
- Der Exportauftrag
- Wo bleibt die Lieferung?
- Das Kleingedruckte
- Wir haben eine Auftragsänderung.
- Beschwerdemanagement

KAPITEL 9

IMPORT – EXPORT

Das lernen Sie hier:
- eine Auftragsabwicklung erläutern
- Lieferwege nachverfolgen
- über die Allgemeinen Geschäftsbedingungen sprechen
- Auftragsänderungen durchgeben
- auf Beschwerden reagieren

Ein Unternehmen und sein Gründer

A Was für ein Unternehmen ist das?

Stellen Sie Vermutungen an. Arbeiten Sie in Gruppen.

- Händler oder Hersteller
- Wirtschaftsbereich, Branche, Produkte
- Größe
- Rechtsform
- Sitz
- Märkte

- Wir vermuten, dass ...
- Wir nehmen an, dass ...
- Logona könnte ...
- Wahrscheinlich verkauft das Unternehmen ...
- Seine Rechtsform könnte ... sein.
- Seine Märkte könnten ...
- ...

B Ökologie und Ökonomie sind kein Widerspruch.

Sie hören ein Interview mit dem Firmengründer. Wählen Sie eine der Aufgaben 1 bis 3 und ergänzen Sie die Angaben. Hier finden Sie einige Stichpunkte zu Ihrer Hilfe:

> Benstorf • Salzhemmendorf • Neustadt • Hannover • Bio-Laden • Import und Handel •
> Heilpraktiker • eigene Herstellung von Naturkosmetik • 200 Beschäftigte •
> Verantwortung für Umwelt und Verbraucher • Abnehmer auf allen Kontinenten •
> Tochtergesellschaft • dynamische Entwicklung • Körperpflege • keine synthetischen Farbstoffe •
> natürliche Rohstoffe • ohne Erdöl-Produkte • radioaktive Bestrahlung verboten •
> „Kontrollierte Naturkosmetik" • externe Fachleute • unabhängige Tests

1 Der Unternehmer

Name: _Hans Hansel_   Geburtsort: _____

Familienstand: _____   Wohnort: _____

beruflicher Werdegang: _____

2 Das Unternehmen

Gründungsjahr: _____   Märkte: _____

Sitz: _____   Entwicklung: _____

Größe: _____   Unternehmensphilosophie: _____

3 Die Produkte

Bereiche: _____

Sortiment: _____

Produktmerkmale: _____

Qualitätsstandards: _____

C Die Entwicklung eines Naturkosmetik-Produkts

① Beantworten Sie die Fragen zum Text.

1 Welchen Gebrauchsnutzen soll die Tagescreme *Rose* haben?
2 Welche Eigenschaften müssen die verwendeten Rohstoffe haben?
3 Was ist vor Beginn der Serienproduktion geprüft worden?

Körperpflegemittel mit natürlichen Inhaltsstoffen werden immer beliebter. Aber wie verläuft die Entwicklung eines solchen Produkts?

Nehmen wir das Beispiel der Tagescreme *Rose*. Am Anfang musste die Frage nach dem Bedarf der Kunden beantwortet werden. Es wurde festgelegt, dass die Creme spezielle Wirkstoffe für die Pflege trockener Haut enthalten sollte. Damit konnten vom Entwicklungsleiter die passenden Roh- und Wirkstoffe ausgewählt werden. Nur pflanzliche Rohstoffe kommen infrage. Soweit wie möglich stammen sie aus kontrolliert-biologischem Anbau, also von Pflanzen, die nicht mit chemischen Pflanzenschutz- und Düngemitteln behandelt wurden.

Für die Tagescreme sind dafür unter anderem Kakaobutter, Jojobaöl, Mandelöl, Olivenöl, Rosenblütenextrakt, eine Mischung ätherischer Öle und Vitamin E ausgewählt worden. Zunächst ist im Labor eine Test-Rezeptur gemischt und von Logona-Mitarbeitern getestet worden. Gleichzeitig sind die mikrobiologischen Eigenschaften des Produkts untersucht worden: Wie ist die Pflegewirkung? Sind Geruch und Konsistenz in Ordnung? Außerdem sind so genannte Stabilitätstests durchgeführt worden. Diese Tests stellen unter anderem sicher, dass die Creme bei hohen Temperaturen nicht flüssig wird oder ihren Geruch verändert.

Auch hier sind die Standards der Richtlinie für *Kontrollierte Naturkosmetik* angewendet worden. Der Erfolg: Die Tagescreme ist unter anderem in der französischen Zeitschrift *Santé* empfohlen worden.

② Wie wird das normalerweise gemacht? Wie ist das bei der Creme *Rose* gemacht worden? Arbeiten Sie zu zweit. Erklären Sie sich den Vorgang gegenseitig.

normalerweise (Präsens)	bei der Creme Rose (Perfekt/Präteritum)
• Zuerst muss die Frage nach dem Bedarf der Kunden beantwortet werden. • Dann können die passenden ... ausgewählt werden. • Zunächst wird im Labor ... • Gleichzeitig werden ... • Außerdem werden ... • Bei allen Entwicklungen ...	• Zuerst musste die Frage nach dem Bedarf ... • Dann konnten die passenden Roh- und Wirkstoffe ... • Für die Tagescreme *Rose* sind ... ausgewählt worden. • Zunächst ist im Labor ... • Gleichzeitig sind ... • Außerdem sind ... • Auch bei dieser Entwicklung ...

Vergangenheit: Passiv Perfekt				
Für die Tagescreme	sind	verschiedene pflanzliche Rohstoffe	ausgewählt	worden.
Zunächst	ist	im Labor eine Testrezeptur	gemischt	worden.
Gleichzeitig				worden.

D PARTNER 🅐 benutzt Datenblatt A20, S. 179. PARTNER 🅑 benutzt Datenblatt B20, S. 189.

E SolVent und Logona

Lesen Sie noch einmal in Kapitel 3, S. 44/45, nach und vergleichen Sie die beiden Unternehmen: Übereinstimmungen, Ähnlichkeiten, Unterschiede.

• Gründungsjahr
• Rechtsform
• Branche
• Produkte
• Märkte
• Unternehmens-philosophie

verpacken, bereitstellen

anliefern

umladen, weiterleiten

Customs B
verzollen

Der Exportauftrag

abholen, verladen

anliefern

umladen, weiterleiten

ausliefern

A Eine Lieferung nach Australien

❶ Beschreiben Sie die möglichen Transportwege.

Die Ware wird vom Versand verpackt und bereitgestellt. Dort wird sie von der Spedition auf den Lkw verladen. Vom Werk wird sie zum Flughafen gebracht und im Luftfrachtterminal ...

> der Empfänger • der Flughafen •
> der Hafen • der Kunde • das Flugzeug • die Luftfracht •
> der Luftfrachtterminal • das Schiff •
> die Spedition • die Seefracht • der Lkw •
> der Versand • der Zoll

❷ Hören Sie: Was hat der Logona-Versand mit der Spedition vereinbart: a), b) oder c)?

1 Logona hat eine Lieferung
  a) EXW   a) per Bahnexpress   a) nach Australien.
  b) FOB   b) per Seefracht   b) nach Taiwan.
  c) CIF   c) per Luftfracht   c) nach Japan.

2 Die Lieferung wird
  a) heute   verladen und am a) Seehafen Hamburg   angeliefert.
  b) morgen   b) Containerbahnhof Hannover
  c) übermorgen   c) Flughafen Frankfurt

3 Sie wird
  a) wahrscheinlich   a) noch am selben Tag   an den Empfänger weitergeleitet.
  b) möglicherweise   b) am nächsten Tag
  c) sicher   c) am übernächsten Tag

❸ Tragen Sie die anderen Möglichkeiten vor.

B Versandauftrag – Frachtklauseln (INCOTERMS)

❶ Suchen Sie die Antworten im Versandauftrag.

1 Wer ist der Exporteur, wer ist der Importeur?
2 Welche Transportmittel werden benutzt?
3 Nach welcher Frachtklausel wird der Auftrag abgewickelt?
4 Was ist richtig? Die Frachtkosten zahlt ...
  a) der Exporteur.
  b) der Importeur.
  c) bis zum Hafen der Exporteur, bis Taipei der Importeur.
5 Welche Papiere werden mitgeschickt?

CIF	Cost Insurance Freight	frei Haus
FOB	Free on board	frei an Bord
EXW	Ex works	ab Werk

Versandauftrag

LOGONA NATURKOSMET K

Nr. 920-24/06

Spedition
Transco Hannover

Datum: 21.05.06
Tel. 05153-809-01
Fax 05153-809-88
post@logona.com

Sie erhielten von uns durch Abholung zur Weiterleitung:
Versandart: Seefracht, EXW Hamburg
Rechnung, Frachtbrief, Zollerklärung, Ankunftsdaten an:

Collish International Company Ltd.
112 Chung King South Road
Taipei, Taiwan R.O.C.

Markierung
Collish, South Port, Hull 50G, Taipei

8 Collis div. Kosmetika ges. brutto 208 kg

② Schreiben Sie die passenden INCOTERMS/Frachtklauseln zu den Äußerungen 1 bis 4.

1 ▶ Der Warenwert liegt unter 250 Euro. Da tragen Sie die Frachtkosten. *EXW/ab Werk*

2 ▶ Berechnen Sie die Anlieferung von Bremen nach Hannover extra?

  ▶ Nein nein, die ist im Preis enthalten. _____

3 ▶ Und wenn unterwegs etwas passiert?

  ▶ Keine Sorge, wir versichern die Lieferung. Das ist bei uns im Preis enthalten. _____

4 ▶ Wir bringen die Lieferung bis zum Flughafen und sorgen für die Verladung.
  Sie können also selbst einen Carrier wählen. _____

C Frau Hajek erklärt die Auftragsabwicklung.

① Was steht im Text? Unter welcher Voraussetzung, unter welcher Bedingung …

1 wird Vorkasse verlangt? 4 kann der Kunde die Spedition wählen?
2 muss der Kunde die Frachtkosten tragen? 5 informiert die Buchhaltung die Exportabteilung?
3 übernimmt der Lieferant die Frachtkosten? 6 ist ein so genannter Airway Bill nötig?

Die Exportabteilung erhält den Auftrag und leitet ihn an den Versand und die Disposition weiter. Nachdem die Disposition den Liefertermin geklärt und die Exportabteilung darüber informiert hat, erhält der Kunde eine Auftragsbestätigung. Im Versand wird der Auftrag in die EDV eingegeben und die Ware versandfertig bereitgestellt. Neukunden werden von der Exportabteilung über unsere Zahlungs- und Lieferbedingungen informiert. Sie müssen den ersten Auftrag vor Auslieferung bezahlen (Vorkasse). Bei einem Warenwert bis zu 2 500 Euro trägt der Kunde die Versandkosten ins europäische Ausland. Bei einem Warenwert ab 2 500 Euro liefern wir CIF; Kunden außerhalb Europas beliefern wir immer EXW. Bei Eingang der Zahlung informiert die Buchhaltung die Exportabteilung. Der Versand stellt jetzt die Zollerklärung aus. Von der Spedition wird der Frachtbrief erstellt, also der Airway Bill bei Luftfracht oder der Lading Bill (Konnossement) bei Seefracht. Die Frachtdaten werden dem Kunden übermittelt. Die Lieferung wird von der Spedition abgeholt und weitergeleitet.

② Schreiben Sie Sätze wie im Beispiel unten.

Voraussetzungen, Bedingungen: *bei* + Nomen – *wenn*-Satz			
Wenn es sich um einen Neukunden handelt,	wird	Vorkasse	verlangt.
Bei einem Neukunden	wird	Vorkasse	verlangt.
Wenn der Warenwert …	muss	der Kunde die Frachtkosten	tragen.
Bei …	übernimmt	der Lieferant die Frachtkosten.	
Wenn …	kann	der Kunde die Spedition	wählen.

D Ein Exportauftrag

① Wie erklärt Frau Hajek den Ablauf? Was meinen Sie? Nummerieren Sie die Schritte.

② Erklären Sie den Ablauf von der Auftragserteilung bis zur Auslieferung an den Kunden.

… und wie geht es weiter?

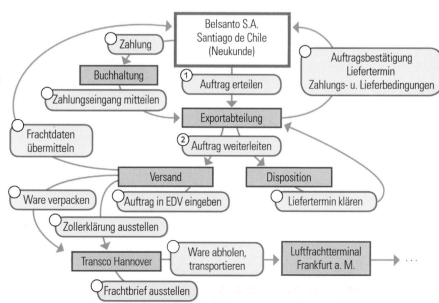

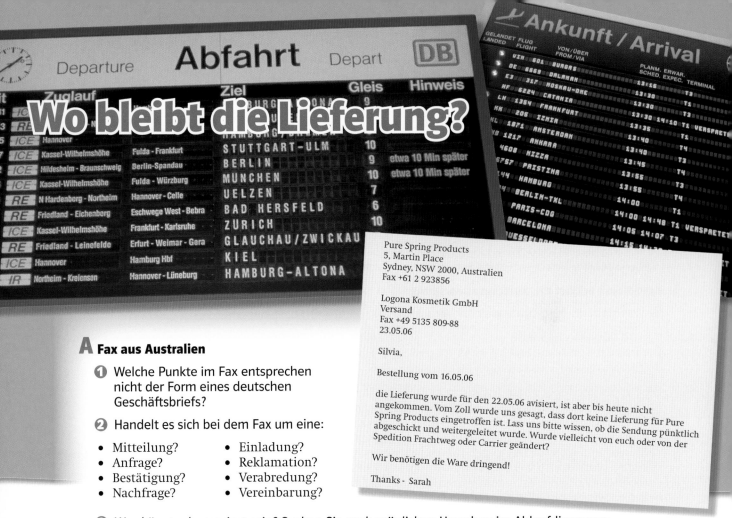

Wo bleibt die Lieferung?

A Fax aus Australien

① Welche Punkte im Fax entsprechen nicht der Form eines deutschen Geschäftsbriefs?

② Handelt es sich bei dem Fax um eine:

- Mitteilung?
- Anfrage?
- Bestätigung?
- Nachfrage?
- Einladung?
- Reklamation?
- Verabredung?
- Vereinbarung?

Pure Spring Products
5, Martin Place
Sydney, NSW 2000, Australien
Fax +61 2 923856

Logona Kosmetik GmbH
Versand
Fax +49 5135 809-88
23.05.06

Silvia,

Bestellung vom 16.05.06

die Lieferung wurde für den 22.05.06 avisiert, ist aber bis heute nicht angekommen. Vom Zoll wurde uns gesagt, dass dort keine Lieferung für Pure Spring Products eingetroffen ist. Lass uns bitte wissen, ob die Sendung pünktlich abgeschickt und weitergeleitet wurde. Wurde vielleicht von euch oder von der Spedition Frachtweg oder Carrier geändert?

Wir benötigen die Ware dringend!

Thanks - Sarah

③ Was könnte da passiert sein? Suchen Sie nach möglichen Ursachen im Ablaufdiagramm.

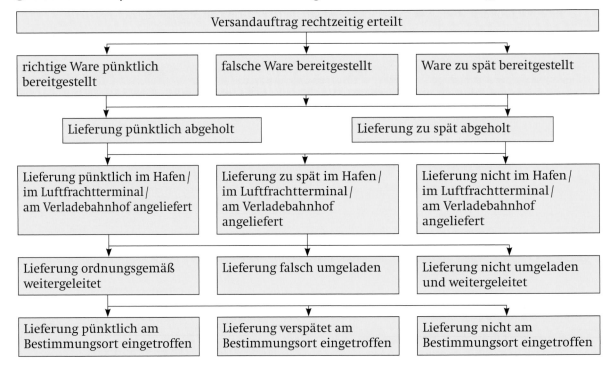

Versandauftrag rechtzeitig erteilt

richtige Ware pünktlich bereitgestellt	falsche Ware bereitgestellt	Ware zu spät bereitgestellt

Lieferung pünktlich abgeholt	Lieferung zu spät abgeholt

Lieferung pünktlich im Hafen/ im Luftfrachtterminal/ am Verladebahnhof angeliefert	Lieferung zu spät im Hafen/ im Luftfrachtterminal/ am Verladebahnhof angeliefert	Lieferung nicht im Hafen/ im Luftfrachtterminal/ am Verladebahnhof angeliefert

Lieferung ordnungsgemäß weitergeleitet	Lieferung falsch umgeladen	Lieferung nicht umgeladen und weitergeleitet

Lieferung pünktlich am Bestimmungsort eingetroffen	Lieferung verspätet am Bestimmungsort eingetroffen	Lieferung nicht am Bestimmungsort eingetroffen

B Anruf bei Pure Spring Products

① Frau Hajek hat sich um das Problem gekümmert. Was wurde festgestellt: 1 oder 2?

1 Am 17.05. wurde die falsche Ware bereitgestellt. Die Lieferung musste noch einmal versandfertig gemacht werden. Deshalb wurde Sie zu spät abgeholt. In Frankfurt wurde sie aber ordnungsgemäß weitergeleitet.

2 Die Ware wurde am 17.05. bereitgestellt. Sie wurde pünktlich von der Spedition abgeholt und im Frachtterminal angeliefert. Es wird geprüft, ob die Lieferung dort ordnungsgemäß weitergeleitet wurde oder ob es Probleme gab.

❷ Erklären Sie einem Partner anhand des Diagramms in Aufgabe A3: Was ist in Situation 1 und 2 mit der Lieferung passiert? Wie könnte es weitergehen?

Die Sache wurde von uns überprüft. Gott sei Dank, von uns wurde alles richtig gemacht und alles hat geklappt. Der Versandauftrag wurde pünktlich erteilt. Die richtige Ware wurde pünktlich bereitgestellt. Die Lieferung wurde ... Aber ...

Vergangenheit: Passiv Perfekt und Passiv Präteritum			
Die Ware	ist	pünktlich	abgeholt worden.
Die Ware	wurde	pünktlich	abgeholt.
Die Lieferung	ist	zu spät im Terminal	
		zu spät im Terminal	angeliefert.

TIPP
Passiv Vergangenheit
Der Unterschied zwischen Passiv Perfekt und Passiv Präteritum ist nicht groß. Sie können beide Formen benutzen.

❸ Wie sieht die ideale Abwicklung aus?

C Nachricht von Transco Hannover

❶ Was weiß Herr Schuler?

Er weiß, 1 dass ______________________.

2 dass ______________________.

❷ Was vermutet Herr Schuler?

1 Es ist fast sicher, dass die Lieferung *auf dem Weg nach Sydney ist.*
Er sagt: Die Lieferung *müsste auf dem Weg nach Sydney sein.*

2 Es ist möglich, dass die Lieferung ______________________.
Er sagt: Die Lieferung ______________________.

3 Es ist möglich, dass die Kartons ______________________.
Er sagt: ______________________.

4 Es ist wahrscheinlich, dass ______________________.
Er sagt: ______________________.

Modalverben: Vermutungen				
		Modalverb		**Infinitiv (Präsens/Perfekt – Aktiv/Passiv)**
vielleicht	Die Sendung	könnte	im Hafen	stehen.
wahrscheinlich		dürfte	im Luftfrachtterminal	angekommen sein.
fast sicher		müsste	am Bahnhof	weitergeleitet werden.
				umgeladen worden sein.

D PARTNER A benutzt Datenblatt A21, S. 179. PARTNER B benutzt Datenblatt B21, S. 189.

E Rollenspiele: Wo bleibt die Lieferung?

Arbeiten Sie zu dritt. Verteilen Sie die Rollen und überlegen Sie:

- Nachfrage des Importeurs beim Exporteur
- Nachfrage des Exporteurs beim Spediteur
- Rückmeldung des Spediteurs beim Exporteur
- Rückmeldung des Exporteurs beim Importeur

- Welche Ware wohin?
- Was ist schiefgelaufen?
- Was wurde gemacht?
- Was könnte / dürfte / müsste passiert sein?
- Wie könnte / dürfte / müsste es weitergehen?

Das Kleingedruckte

A Was muss man beim Kauf beachten?

Sie kaufen einen PC, ein Auto, einen Fernsehapparat oder ... überlegen Sie:

1 Wie und wann müssen Sie bezahlen?
2 Welche Verpflichtungen hat der Verkäufer?
3 Welche Kosten entstehen eventuell über den Kaufpreis hinaus? Wer trägt diese Kosten?
4 Welche Ansprüche haben Sie bei Mängeln?

B Allgemeine Geschäftsbedingungen

Suchen Sie die Antworten im Lexikonartikel.

1 Welche Unternehmen stellen AGB auf?
2 Unter welcher Bedingung gelten die AGB?
3 Wodurch werden die AGB geregelt?
4 Welche AGB kontrolliert der Staat besonders?

> **Allgemeine Geschäftsbedingungen** (übliche Abk.: AGB). Von Handels- und Gewerbeunternehmen für Lieferung und Zahlung einseitig gegenüber den Vertragspartnern aufgestellte Vertragsbedingungen anstelle eines Einzelvertrages; allg. als „Kleingedrucktes" bezeichnet. A. sind nur dann Vertragsbestandteil, wenn sie dem Partner bei Vertragsabschluss bekannt waren. Da A. im Laufe der Zeit große Bedeutung erlangten und zur Gefahr für wirtschaftlich Schwache werden können, sind nach AGB-Gesetz vom 01.04.1977 bestimmte benachteiligende Klauseln unwirksam und ist die Position des Verbrauchers verbessert worden. A. der → Banken, Versicherungen und Unternehmen des Personenverkehrs unterliegen der behördlichen Überwachung.

C Ist das in Ordnung so?

① Wählen Sie einige der Fälle 1 bis 6 und entscheiden Sie sie mithilfe der Liefer- und Geschäftsbedingungen auf der nächsten Seite.

1
Logona hat am 14. März Waren im Wert von 1520 Euro an einen Großhändler geliefert. Am 20. April ist noch keine Zahlung eingegangen. Am 30. Mai fordert Logona in einer 3. Mahnung die Zahlung des Rechnungsbetrags zuzüglich 18 Euro.

4
Eine Bestellung aus Österreich wurde von einer Spedition abgeholt. Unterwegs hatte der Lkw einen Unfall. Die Lieferung wurde schwer beschädigt. Der Kunde verlangt Ersatz von Logona. Logona lehnt das ab.

5
Bei Logona geht am 1. Juni ein Auftrag über *daily care*-Flüssigseife ein. Die Lieferung trifft Anfang Juli beim Kunden ein. Der nimmt die Sendung nicht an, weil es für die geplante Sonderaktion zu spät ist.

2
Der Rechnungsbetrag einer Lieferung vom 10. November an den Naturkostladen Sonnenrein in Düsseldorf ist 350 Euro. Am 1. Dezember überweist der Kunde den Betrag von 343 Euro.

3
Die Frachtkosten der Lieferung vom 10. November nach Düsseldorf (vgl. Fall 2) betragen 30 Euro. Logona hat dem Naturkostladen Sonnenrein dafür 15 Euro in Rechnung gestellt.

6
Ein Drogeriemarkt in Luzern schickt die letzte Lieferung zurück, weil sie teilweise Fehler hatte, und zahlt die Rechnung nicht.

Logona
Naturkosmetik und Heilmittel
Hans Hansel GmbH
Zur Kräuterwiese
D-31020 Salzhemmendorf

Liefer- und Geschäftsbedingungen

1. Für alle unsere Lieferungen, Leistungen und Angebote gelten diese Geschäftsbedingungen. Ebenso gelten sie für alle zukünftigen Geschäftsbeziehungen, wenn sie nicht noch einmal ausdrücklich vereinbart werden. Mit Unterschrift unter eine Bestellung akzeptiert unser Kunde die Wirksamkeit der Einbeziehung der allgemeinen Geschäftsbedingungen in die Kundenverbindung. Gegenbestätigungen des Käufers unter Hinweis auf seine Geschäfts- und Einkaufsbedingungen wird hiermit widersprochen. Abweichungen von diesen Geschäftsbedingungen sind nur wirksam, wenn wir sie zusätzlich schriftlich vereinbaren.

2. Alle Preise verstehen sich zzgl. der am Tage der Rechnungsstellung gültigen Mehrwertsteuer.

3. Unsere Angebote sind freibleibend und unverbindlich. Wir bemühen uns, bestellte Artikel innerhalb von zwei Wochen zu liefern. Wir behalten uns jedoch vor, im Einzelfall die Lieferfrist auszudehnen bzw. eine Belieferung nicht auszuführen.

4. Die gelieferte Ware bleibt bis zur vollständigen Bezahlung unser Eigentum. Wir machen den Übergang des Eigentums davon abhängig, dass nicht nur die Kaufpreisforderung hinsichtlich der gelieferten Ware, sondern auch alle anderen Forderungen, die wir gegenüber dem Käufer haben, beglichen werden, insbesondere alle Saldo-Forderungen aus Kontokorrent. Die Käufer sind berechtigt, die Vorbehaltsware im ordnungsgemäßen Geschäftsverkehr zu veräußern. Die aus dem Weiterverkauf oder einem

5. Unsere Rechnungen sind – soweit nichts anderes vereinbart wurde – innerhalb von 30 Tagen nach Rechnungsstellung ohne Abzug zahlbar. Mit diesem Tag kommt der Käufer mit der Zahlung in Verzug. Bei Zahlung innerhalb von 10 Tagen gewähren wir 2 % Skonto. Wird uns eine Einzugsvollmacht gegeben, gewähren wir bei Bankeinzug sofort nach Auslieferung 3 % Skonto. Preisänderungen behalten wir uns vor. Die Auslieferung bei Erstbestellungen erfolgt nur gegen Vorkasse. Probiergrößen sind nicht rabattfähig.
Im Falle des Verzuges schuldet der Käufer nach Gesetz Zinsen in Höhe von 8 Prozentpunkten über dem Basiszinssatz der deutschen Bundesbank.

6. Der Mindestbestellwert beträgt € 100,00 Warennettowert. Porto und Verpackung gehen bis zu € 250,00 Warennettowert zu Lasten der Empfängerinnen und Empfänger. Ab € 250,00 vergüten wir 50% Porto und Verpackungskosten, ab € 500,00 liefern wir frei Haus.

7. Für unsere Produkte haften wir 2 Jahre auf Mängelfreiheit. Die Haftung beginnt mit dem Tag der Auslieferung der Ware aus unserem Zentrallager. Der Käufer ist im Rahmen des Gesetzes verpflichtet, nach Erhalt der Ware die Ware zu untersuchen und Mängel unverzüglich zu rügen. Mängel, die auch bei sorgfältiger Untersuchung der Ware nicht entdeckt werden können, sind unverzüglich nach Entdeckung zu rügen. Bei berechtigten Mängelrügen gewähren wir nach unserer Wahl entweder Nachlieferung ordnungsgemäßer Ware oder Nachbesserung der Ware. Kommen wir unseren Nacherfüllungspflichten nach angemessener Fristsetzung durch den Käufer nicht nach, stehen den Käuferinnen und Käufern die gesetzlichen Ansprüche auf Minderung des Kaufpreises, Rücktritt vom Vertrag oder Schadensersatz zu.

8. Die Gefahr des Untergangs oder der Verschlechterung geht auf den Käufer über, sobald die verkauften Waren unser Werk verlassen haben und auf dem Versandweg sind.

9. Tritt der Käufer nach Vertragsabschluß ohne rechtlichen Grund von dem Kaufvertrag zurück oder nimmt er die bestellten Waren nicht an, so steht uns ein Schadensersatzanspruch in Höhe von 20 % des vereinbarten Preises zu. Im Einzelfall liegt es am Käufer, zu beweisen, dass der uns tatsächlich entstandene Schaden niedriger ist.

10. Soweit der Käufer Vollkaufmann im Sinne des Handelsgesetzbuchs ist, ist Gerichtsstand für beide Seiten Hannover.

❷ Wer hat Recht? Tragen Sie Ihre Entscheidung vor.

Sie sind sicher:	Im Fall ... hat ... Recht. In Absatz ... der Liefer- und Geschäftsbedingungen steht dazu: „...“ Das bedeutet, dass ...
Sie sind nicht sicher:	Im Fall ... könnte/dürfte/müsste ... Recht haben. In Absatz ... der Liefer- und Geschäftsbedingungen steht dazu: „...“ Das könnte/dürfte/müsste bedeuten, dass ...
Sie wissen es nicht:	Ich finde zu Fall ... keine Angaben in den Liefer- und Geschäftsbedingungen. Meiner Meinung nach steht dazu nichts in den Liefer- und Geschäftsbedingungen.

Im Fall 1 hat Logona Recht. In Absatz 5 der Liefer- und Geschäftsbedingungen steht: „Im Falle des Verzuges schuldet der Käufer nach Gesetz Zinsen in Höhe von 8 Prozentpunkten über dem Basiszinssatz der deutschen Bundesbank." Das bedeutet, dass Logona in einer 3. Mahnung die Zahlung des Rechnungsbetrags zuzüglich 18 Euro fordern kann.

Plötzlich ist alles anders!

A Tagescreme Rose und Nachtcreme Aloe: Ich möchte die Bestellung ändern.

❶ Um welchen Fall 1 bis 5 in der Zeichnung oben geht es im Anruf?

❷ Sprechen Sie über die Fälle 1 bis 5. Benutzen Sie die Wörter im Kasten.

❸ Spielen Sie die Fälle 1 bis 5.

Sachverhalt erklären:	Wir haben (gestern / ...) bei Ihnen ... bestellt.
Informationen erfragen:	Wie ist bitte die Bestellnummer?
Auskunft geben:	...
Sachverhalt bestätigen:	Richtig, ...
Anliegen vortragen:	Ich möchte die Bestellung ändern. • Statt ... brauchen wir ... • Außerdem / Zusätzlich brauchen wir ... • Wir brauchen nicht / kein ..., sondern ... • Wir brauchen nicht nur ..., sondern auch .../sowohl ... als auch ... • Wir brauchen nur ... • Wir brauchen weder ... noch ...

B Mal sehen, ob das geht.

❶ Welche Änderungswünsche haben die Kunden?

Dialog 1: Statt _____ → *die Tagescreme* _____

Dialog 2: Statt _____ → _____

Dialog 3: Statt _____ → *das Sortiment Rose und zusätzlich* _____

Statt *per Bahnfracht* _____ → _____

❷ Können die Änderungen ausgeführt werden? Was hören Sie? Ordnen Sie zu.
Nicht alle Antworten passen.

Dialog 1 1 Umtausch der Ware   a) Das ist nicht möglich.
           2 Lieferung noch heute   b) Das könnte möglich sein.
Dialog 2 1 Erhöhung der Liefermenge   c) Das dürfte möglich sein.
           2 Lieferung der Zusatzmenge später   d) Das müsste möglich sein.
Dialog 3 1 Erweiterung der Lieferung   e) Das ist möglich.
           2 Lieferung per Kurier

❸ Wie erklären die Kunden ihre Änderungswünsche?

1 Zusätzlich 50 Kartons trotz ausreichender Lagerbestände vor Ort   Dialog __3__

2 Erhöhung der Bestellmenge wegen der großen Nachfrage   Dialog _____

3 Änderung der Bestellung wegen eines Irrtums   Dialog _____

4 Lieferung per Kurier trotz höherer Kosten   Dialog _____

5 Umtausch trotz zusätzlicher Lieferkosten   Dialog _____

6 Erhöhung der Lagermengen wegen des guten Verkaufs in Fernost   Dialog _____

7 Nachfrage während der letzten Wochen gestiegen   Dialog _____

Präpositionen mit Genitiv	
statt	Statt des Sortiments Rose liefern Sie bitte das Sortiment Aloe.
wegen	Wegen der großen Nachfrage brauchen wir zwanzig statt zehn Kartons Tagescreme.
trotz	Trotz der höheren Kosten versenden Sie die Lieferung bitte per Kurier.
während	Während der letzten Wochen ist die Nachfrage stark gestiegen.

C Besprechung im Versand: Was gibt es Neues?

Fassen Sie die drei Auftragsänderungen zusammen.

so:

1 Reformhaus Bönzinger hat fünf Kartons Aloe Nachtcreme bestellt. Herr Podolski möchte die Ware wegen eines Irrtums umtauschen. Statt der Aloe Nachtcreme braucht er die Aloe Tagescreme. Er möchte die Ware trotz zusätzlicher Lieferkosten umtauschen. Der Umtausch der Ware ist kein Problem. Aber die Lieferung ist heute nicht mehr möglich.

2 Drogeriemarkt Rössler hat zehn Kartons Tagescreme Rose bestellt. Statt ... Die Erhöhung der Liefermenge dürfte ... Herr Dahm möchte die Liefermenge wegen ...

3 Die Naturwaren Import-Export GmbH hat ...

oder so:

1 Reformhaus Bönzinger hat fünf Kartons Aloe Nachtcreme bestellt. Herr Podolski möchte die Ware umtauschen, weil er sich bei der Bestellung geirrt hat. Er braucht nicht die Aloe Nachtcreme, sondern die Aloe Tagescreme. Er möchte die Ware umtauschen, obwohl zusätzliche Lieferkosten entstehen. Es ist möglich, die Ware umzutauschen. Es ist aber nicht möglich, die Ware noch heute zu liefern.

2 Drogeriemarkt Rössler hat zehn Kartons Tagescreme Rose bestellt. Herr Dahm möchte zusätzlich ... Es ist wahrscheinlich möglich, ... Herr Dahm möchte die Liefermenge ..., weil ...

3 Die Naturwaren Import-Export GmbH hat ...

D Bestellung aus Übersee

Die Bestellung ist schon raus, aber die Geschäfte gehen besser als erwartet. Der Kunde braucht mehr Ware. Und die Lieferung soll früher eintreffen als geplant. Der Kunde hat vergessen, den Gesamtpreis einzutragen.

Geben Sie die Änderungen telefonisch durch.

Sachverhalt erklären:	▶	Hier ist ... Wir haben Ihnen einen Auftrag gefaxt.
Informationen erfragen:	▶	Wann haben Sie ...
Auskunft geben:	▶	...
Sachverhalt bestätigen:	▶	Richtig, ...
Anliegen vortragen:	▶	Ich möchte den Auftrag ändern. Wir brauchen ... Statt ... außerdem ...
Änderungen bestätigen:	▶	Also statt ... Also zusätzlich ...

Collish International Company Ltd.
112 Chung King South Road
Taipei, Taiwan R.O.C.

Bestellung

Menge	Einheit	Best.-Nr.	Bezeichnung	Einzelpreis	Netto-Gesamtpreis
3	Karton	758 *759*	Reinigungsmilch Wildrose	15,92 €	47,76 €
3 *2*	Karton	756	Gesichtswasser Wildrose	15,92 €	*47,76* 31,84 €
3	*Karton* Stück	740	Vitamincreme Avocado *Karotte*	*25,80* 5,95 €	*77,40* 17,85 €
25	Stück	224	Shampoo-Bio Aloe-Olive	2,25 €	56,25 €
4	Karton	226	Bodylotion-Bio Aloe-Limette	16,50 €	66,00 €
15	Stück	225	Duschgel-Bio-Aloe-Limette	2,25 €	33,75 €
				Summe	

20.03.06
Liefertermin: 26.04.06
Versandart: Seefracht Luft
Taipei, 12.03.06
Ort, Datum

Cheng
Unterschrift

REKLAMATIONEN

Beschwerde-management

A Lieferverzug: Pure Spring Products reklamiert die Lieferung

Entspricht das Verhalten von Frau Hajek den Anforderungen an ein professionelles Beschwerde-management?

Am 23. Mai meldet sich der Kunde bei Logona, weil die Lieferung nicht zum angekündigten Termin in Sydney eingetroffen ist. Frau Hajek aus dem Versand kümmert sich darum.

Noch am selben Tag kann sie dem Kunden mitteilen, dass sich die Lieferung wegen eines Irrtums im Luftfrachtterminal etwas verspätet, dass sie aber in Kürze aus Kuala Lumpur eintrifft.

Professionelles Beschwerdemanagement

TIPP

Der Kunde
- kennt seinen Ansprechpartner.
- kann seine Beschwerde ausführlich darstellen.
- kann seine Lösungsvorschläge vortragen.
- kann sich auf pünktliche Einhaltung verlassen.
- bekommt eine angemessene Lösung.

Der Ansprechpartner des Kunden
- behandelt den Kunden höflich und verständnisvoll.
- drückt sein Bedauern aus / entschuldigt sich.
- hört zu und zeigt Interesse an dem Problem.
- schlägt eine Lösung vor.
- hält Zusagen pünktlich ein.

B Wie es laufen kann, wie es nicht laufen soll.

Nach §8 der Liefer- und Geschäftsbedingungen (S. 147) ist Logona nicht mehr für die sichere und pünktliche Ankunft verantwortlich, nachdem die Ware das Werk verlassen hat. Trotz dieser Regelung und trotz vieler anderer Aufgaben ruft Frau Hajek sofort bei Transco Hannover an, um dem Kunden zu helfen.

1 Wie finden Sie das Verhalten von Frau Hajek? Diskutieren Sie: Hätte Frau Hajek ...

1 ihre Arbeit wegen der Reklamation von Pure Spring Products nicht unterbrechen dürfen?
2 auf die Liefer- und Geschäftsbedingungen hinweisen müssen?
3 Pure Spring Products nicht einfach die Telefonnummer von Transco Hannover geben können?
4 sofort eine neue Lieferung auf den Weg nach Sydney bringen sollen?

2 Sie hören zwei Telefonate. Welcher Gesprächsabschluss passt zu welchem Gespräch?

1 Das ist nett, aber das brauchen Sie nicht zu tun, das kann ich übernehmen. Vielen Dank für Ihre Hilfe und weiterhin gute Zusammenarbeit!

2 Sie brauchen doch nur einmal kurz nachzufragen. Aber vielleicht suchen wir uns in Zukunft lieber einen zuverlässigeren Partner.

Gespräch _____

Gespräch _____

nicht / nur brauchen zu: nicht / nur notwendig sein				
nicht brauchen zu	Sie	brauchen	sich nicht beim Kunden	zu melden.
	Hier	brauchen	Sie nicht lange	zu warten.
nur brauchen zu	Sie	brauchen	doch nur einmal kurz	nachzufragen.
	Hier	brauchen	Sie nur fünf Minuten	zu warten.

❸ Was trifft auf Gespräch Nr. 1, was auf Gespräch Nr. 2, was auf keins der Gespräche zu?
Kreuzen Sie an.

Nr. 1 Nr. 2 keins

1 Der Kunde ist am Beginn des Gesprächs verärgert. ☐ ☐ ☐
2 Der Kunde findet schnell einen Ansprechpartner. ☐ ☐ ☐
3 Der Kunde findet keinen Ansprechpartner. ☐ ☐ ☐
4 Der Kunde kann sein Problem erklären. ☐ ☐ ☐
5 Der Ansprechpartner ist an dem Problem interessiert. ☐ ☐ ☐
6 Der Kunde ist ungeduldig. ☐ ☐ ☐
7 Der Ansprechpartner entschuldigt sich nicht. ☐ ☐ ☐
8 Der Ansprechpartner drückt sein Bedauern aus. ☐ ☐ ☐
9 Der Kunde ist unhöflich. ☐ ☐ ☐
10 Der Ansprechpartner macht ein Angebot. ☐ ☐ ☐
11 Dem Kunden wird nicht geholfen. ☐ ☐ ☐
12 Der Kunde ist am Ende des Gesprächs verärgert. ☐ ☐ ☐
13 Der Kunde ist am Ende des Gesprächs zufrieden. ☐ ☐ ☐
14 Das Gespräch ist lang und kompliziert. ☐ ☐ ☐

❹ Fassen Sie zusammen.

1 Welches der beiden Gespräche wurde gut geführt?
2 Welches der beiden Gespräche wurde schlecht geführt?
3 Welche Merkmale hat ein gut geführtes Gespräch?
4 Welche Ergebnisse hat ein gut geführtes Gespräch?

C Rollenspiele: Zufriedene Kunden

Reklamation	Kunde	Lieferant / Verkäufer
30 Tintenstrahldrucker MS 2010 geliefert, 15 verkauft, 10 von Kunden wegen eines Defekts am Druckkopf zurückgegeben	**Anliegen vortragen** • Ich melde mich wegen …/weil … • Ich rufe wegen … an. • Ich habe eine Reklamation wegen …/weil …	**Nach dem Anliegen fragen** • Was kann ich für Sie tun? • Kann ich Ihnen helfen?
Bestellung: 100 Ordner Rückenbreite 8 cm Lieferung: 100 Ordner Rückenbreite 5,2 cm	**Sachverhalt erklären** • Ich habe … • Sie haben … • Vor 14 Tagen … • …	**Sich entschuldigen, Bedauern ausdrücken** • Das tut mir leid. • Das ist wirklich ärgerlich. • Ich verstehe, dass Sie …
Fernsehapparat repariert, Bild jetzt in Ordnung, aber Ton funktioniert nicht mehr		**Interesse zeigen, nachfragen** • Haben Sie schon versucht, …? • Könnte es sein, dass …? • Wann / Wo / Mit wem / …? • Wie könnten wir das Problem lösen?
	Lösungsvorschlag machen • Ich hätte gern … • Ich habe mir gedacht, … • Ich schlage vor, …	
vor 14 Tagen Bestellung von 50 Kartons à 6 Flaschen Rotwein aus Spanien trotz Mahnung vor einer Woche noch nicht eingetroffen		**Lösung vorschlagen / annehmen** • Ich schlage vor, … • Ich biete Ihnen an, … • Gut, wir …
…		

Umweltzeichen

① Lesen Sie die Beschreibungen der Umweltzeichen. Wozu dienen sie? Kennen Sie sie?

Das deutsche Umweltzeichen *Blauer Engel* soll dort, wo herkömmliche Produkte die Umwelt belasten, umweltfreundliche Alternativen erkennbar machen. Der *Blaue Engel* wird nur an die besten Produkte einer Produktgruppe (z.B. Papiererzeugnisse, Farben, Öl, Gas) vergeben, also an jene, die die Umwelt am wenigsten belasten.

In der Schweiz wird die *Bio-Knospe* an Handels- und Verarbeitungsfirmen vergeben, deren Lebensmittel aus biologischem Anbau stammen. Unabhängige Kontrollinstanzen überprüfen die Einhaltung der Knospe-Kriterien. Damit ein Produkt die *Bio-Knospe* bekommt, muss z.B. auf den Einsatz von Gentechnik und synthetischen Spritzmitteln verzichtet werden.

Die Euro-Margerite, das EU-Ecolabel, ist in den letzten dreizehn Jahren in ganz Europa zu einem Symbol für jene Produkte geworden, die hinsichtlich ihrer Umweltverträglichkeit in ihrer Produktgruppe bei verschiedenen Tests am besten abgeschnitten haben. Alle mit der Blume gekennzeichneten Produkte (z.B. Lacke, Innenfarbe, Waschmittel, T-Shirts) sind damit umweltverträglicher als andere Produkte der gleichen Sparte.

Lebensmittel mit dem Bio-Siegel stammen garantiert aus kontrolliert ökologischer Erzeugung. Das heißt, die landwirtschaftlichen Zutaten der Produkte, die das Bio-Siegel tragen, müssen zu mindestens 95 % aus ökologischem Landbau stammen. Außerdem muss sich ein Bio-Betrieb gesetzlich vorgeschriebenen Kontrollen unterziehen, die mindestens einmal jährlich von staatlich zugelassenen Kontrollstellen durchgeführt werden.

Zur Förderung von sparsamen Haushaltsgeräten hat die EU ein Energielabel eingeführt, das über den Energieverbrauch des Produktes aufklärt. Auf jedem neuen Gerät (z.B. Waschmaschinen, Wäschetrockner, Kühlschränke) muss sich daher ein Etikett befinden, dass über den Energieverbrauch informiert. So kann beim Einkauf mit einem Blick verglichen werden, wie viel Energie die jeweiligen Geräte verbrauchen.

② Man unterscheidet bei den Umwelt-Kennzeichnungen drei verschiedene Typen. Ordnen Sie die Umweltzeichen dem richtigen Typ zu.

Drei Typen von Umweltzeichen

Typ 1: Umweltzeichen dieses Typs werden nur an die – aus ökologischer Perspektive – besten Produkte einer Produktgruppe vergeben. Die Prüfung und Vergabe dieser Umweltzeichen erfolgt von unabhängiger Stelle.

Typ 2: Siegel dieses Typs werden von Interessengruppen (Verbänden, Firmen oder anderen Vereinigungen) vergeben und beruhen auf für Dritte nachvollziehbaren Kriterien. Im Gegensatz zu Typ 1 werden nicht nur die besten Produkte ausgezeichnet, sondern möglichst viele, die die vorgegebenen Kriterien erfüllen.

Typ 3: Umweltzeichen dieser Kategorie haben das Ziel, standardisierte Informationen zu einem Produkt zu liefern. Bei einer Waschmaschine wird z.B. der Wasser- und Energieverbrauch angegeben. Der Verbraucher hat somit die Möglichkeit, Produkte aus ökologischer Sicht miteinander zu vergleichen.

③ Kennen Sie andere Umweltzeichen? Gibt es welche in Ihrem Land? Berichten Sie im Kurs.

Beschwerdemanagement

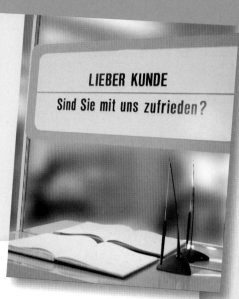

① Der Text besteht aus drei Abschnitten. Die Abschnitte sind durcheinandergeraten. Bringen Sie die Textteile in den drei Abschnitten wieder in die richtige Reihenfolge.

② Nur ein Kunde reklamiert. Aber wie viele Kunden sind unzufrieden?

③ Was bedeutet das Wort *Mundpropaganda*?

Ein unzufriedener Kunde ist ein teurer Kunde

Ein Beispiel für den Wert eines Kunden

☐ Dafür gibt er insgesamt im Durchschnitt 281 000 € aus, der Preis eines komfortablen Einfamilienhauses. Zufriedene Kunden sind treu und kaufen gern immer wieder dort ein, wo sie gut bedient wurden.

☐ Das ist aber gefährlich. Denn die Kunden können nämlich etwas ändern und mit ihrem Budget abwandern. Dann sind sie für diesen Händler und vielleicht sogar für den Hersteller für immer verloren.

[1] Die deutsche Automobil-Treuhand GmbH in Stuttgart ermittelte, dass ein Deutscher in seinem Leben insgesamt 54 Jahre Auto fährt, sich vier Neuwagen und sieben gebrauchte Kraftfahrzeuge kauft.

☐ Mit Sätzen wie „Das ist leider außerhalb der Garantiefrist" oder „Da können wir auch nichts dran ändern" verärgert der Automobilhändler jedoch sehr schnell seine Kunden.

Der Wert eines Kunden

☐ Wie eine Statistik zeigt, gibt es nämlich eine *Tödliche Pyramide*: Auf jeden reklamierenden Kunden kommen 26 weitere Kunden, die auch Grund zur Beschwerde hätten, sich aber nicht gegenüber dem Verkäufer bzw. Lieferanten äußern. Die Gründe: Entweder die Scheu des Menschen, unangenehme Dinge offen anzusprechen, oder die Vermutung (oder gar die Gewissheit), dass sich durch eine Reklamation an der bestehenden Situation ohnehin nichts ändert.

☐ Anhand des Beispiels aus der Automobilbranche lässt sich erkennen, dass der Wert eines Kunden für den Erfolg und das Überleben eines Unternehmens immer über die einzelne Transaktion, den einzelnen Verkaufsprozess hinaus gesehen werden muss.

☐ Die Konsequenz aus dieser Statistik kann also nur lauten: Wenn sich ein Kunde bei Ihnen beschwert, dann sollten bei Ihnen alle Alarmklingeln läuten: Wer sind die anderen 26 Unbekannten? Denn die gibt es – auf jeden Fall statistisch betrachtet.

Reklamationen: Die Tödliche Pyramide

☐ Aber ein unzufriedener Kunde verbreitet seine persönliche Horrormeldung in 85 Prozent der Fälle an zehn weitere Personen. Nun rechnen wir noch einmal kurz hoch: Ein Kunde beschwert sich, 26 andere haben ebenfalls Grund zur Beschwerde und teilen dies jeweils zehn anderen Personen mit.

☐ Die verheerenden Auswirkungen der *Tödlichen Pyramide* sind damit allerdings noch nicht beendet, es kommt noch schlimmer. Untersuchungen zeigen, dass ein zufriedener Kunde seine frohe Botschaft drei bis fünf anderen Menschen freiwillig mitteilt. Schön für jedes Unternehmen.

☐ Die persönliche Empfehlung für oder gegen ein Produkt, eine Dienstleistung oder ein Unternehmen hat eine bedeutend höhere Glaubwürdigkeit und Hebelwirkung als jede professionelle Werbung. Wenn wir dann noch in Betracht ziehen, dass die Gewinnung eines neuen Kunden zwischen drei- und sechsmal teurer ist als die Pflege eines bestehenden Kunden, bleibt Ihnen also gar nichts anderes übrig, als jede Reklamation – egal aus welchem Grund – ernsthaft zu bearbeiten und aus der Welt zu schaffen.

☐ Mathematisch genau ist also nicht nur einer mit Ihnen unzufrieden, sondern 261! Sie ahnen bereits, dass Sie mit Ihren Mailings, Prospekten und Hochglanzbroschüren gegen einen unsichtbaren Gegner antreten: die Mundpropaganda.

Kapitel 9 Grammatik

Passiv Perfekt
→ S. 141, 145

	sein		Partizip Perfekt	worden
Die Produkte	sind	zunächst aus England	importiert	worden.
Die Firma Logona	ist	1985	gegründet	worden.
Ich	bin	zu einer Firmenbesichtigung	eingeladen	worden.

Passiv Präteritum
→ S. 145

	wurde-		Partizip Perfekt
Ich	wurde	von Herrn Frey am Flughafen	abgeholt.
Du	wurdest	per E-Mail	informiert.
Die Ware	wurde	pünktlich	abgeschickt.
Wir	wurden	nicht pünktlich	beliefert.
Ihr	wurdet	ordnungsgemäß	informiert.
Die Kartons	wurden	gestern am Verladebahnhof	angeliefert.

Voraussetzungen, Bedingungen: *bei* + Nomen – *wenn*-Satz
→ S. 143

Nebensatz mit *wenn*			
Wenn es Transportschäden gibt,	zahlt	die Versicherung.	
Wenn man die Waren per Luftfracht verschickt,	muss	man einen Airway Bill	ausstellen.
bei + Nomen			
Bei Transportschäden	zahlt	die Versicherung.	
Bei Luftfracht	muss	man einen Airway Bill	ausstellen.

Präpositionen mit Genitiv
→ S. 149

statt (an Stelle von)	Statt des Druckers XP03 möchte der Kunde den Drucker XP05.
wegen (Grund)	Wegen eines Irrtums haben wir die falsche Ware geschickt.
trotz (anders als erwartet)	Trotz der Auftragsänderung kam die Lieferung pünktlich an.
während (Zeitraum)	Während des Transports gab es viele Probleme.

Konjunktion / Präposition
→ S. 143, 149

Konjunktion und Nebensatz		Präposition und Nomen	
wenn	Wenn es Schäden gibt, zahlt die Versicherung.	bei	Bei Schäden zahlt die Versicherung.
obwohl	Wir nehmen den Kurier, obwohl die Kosten hoch sind.	trotz	Trotz hoher Kosten ...
weil	Wir bestellen nach, weil die Nachfrage hoch ist.	wegen	Wegen der hohen Nachfrage ...
während	Während wir in Gruppen arbeiteten, wurde viel diskutiert.	während	Während der Gruppenarbeit ...

Modalverben: Vermutungen
→ S. 145

				Infinitiv (Präsens / Perfekt – Aktiv / Passiv)
vielleicht		könnten	im Lager	bereitstehen. eingetroffen sein. abgeholt werden. angeliefert worden sein.
wahrscheinlich	Die bestellten Waren	dürften	bei der Poststelle	
fast sicher		müssten	bei Frau Weber	

nicht / nur brauchen zu
→ S. 151

nicht brauchen zu = nicht notwendig	Frau Hajek Wir	braucht brauchen	den Brief an Pure Spring nicht die Bestellung nicht heute	zu schreiben. zu verschicken.
nur brauchen zu = nur notwendig	Du Morgen	brauchst braucht	nur dieses Formular ihr nur den Auftrag an Pure Spring	auszufüllen. zu bearbeiten.

– Ein Blick in die Stellenangebote
– Bildungssysteme
– Der europass Lebenslauf
– Die schriftliche Bewerbung
– Das Vorstellungsgespräch
– Wie stehen meine Chancen?

KAPITEL 10

ICH MÖCHTE HIER ARBEITEN

Das lernen Sie hier:
– um Informationen zu Stellenanzeigen bitten
– Bildungssysteme vergleichen
– einen Lebenslauf schreiben
– Bewerbungsbriefe schreiben
– Vorstellungsgespräche führen
– sich über den Arbeitsmarkt in einem deutschsprachigen Land erkundigen

Ein Blick in die Stellenangebote

1

Wir sind einer der weltweit führenden Hersteller von Lebensmittelverpackung. Für unsere europäische Marketingzentrale in Darmstadt suchen wir zum nächstmöglichen Termin eine/n

Verkaufssachbearbeiter/in für Osteuropa

im Innendienst.

Ihre Aufgaben:
Eigenverantwortliche Betreuung osteuropäischer Verkaufsgebiete. Sie sind verantwortlich für Angebote und Auftragsabwicklung, termingerechte Anlieferung beim Kunden und Fakturierung. Dabei stehen Sie in ständigem Kontakt mit unseren Kunden, Außendienstmitarbeitern und Produktionsstätten.

Ihr Profil:
Nach einer kaufmännischen Ausbildung haben Sie bereits erfolgreich in einer vergleichbaren Position gearbeitet. Sie sprechen fließend Russisch (muttersprachlich) und haben gute Englischkenntnisse. Sie sind ehrgeizig, können Verantwortung übernehmen und sind belastbar. Sie zeichnen sich durch Einsatzfreude aus, arbeiten gern im Team und haben Organisationstalent. Sie bringen gute EDV-Kenntnisse mit.

Unser Angebot:
Wir bieten eine abwechslungsreiche und verantwortliche Aufgabe. Bei entsprechendem Engagement und persönlichem Wachstumspotenzial haben Sie gute Perspektiven in unserer Organisation. Wir bieten attraktive Bedingungen in einem angenehmen Betriebsklima.

Kontakt:
Bitte senden Sie Ihre kompletten Bewerbungsunterlagen mit Foto an:

Frau Gesine Kräuter
Giehrke Verpackung GmbH
64287 Darmstadt

2

Powerfrau gesucht

Wir sind eine moderne, renommierte Ehe- & Partnervermittlung und suchen für die Nordostschweiz eine erfolgsorientierte Mitarbeiterin zwischen 25 und 45 Jahren für den Außendienst.
Wir bieten Ihnen ein gutes Arbeitsklima in einem sehr netten, kreativen Team. Sie werden gründlich eingearbeitet, erhalten fest vereinbarte Termine mit Kunden und können mtl. ca. 10 000 Franken an Provisionen verdienen. Sie sollten zielstrebig, ehrgeizig und flexibel sein und über einen PKW verfügen. Rufen Sie an und vereinbaren Sie einen Vorstellungstermin.

DMP-Vermittlung, Marktgasse. 81, 8400 Winterthur
Tel. 052 6200909, Mo. bis Fr. 12–18 Uhr

3

www.austropersonal.com – kaufmännische Berufe

Teamassistentin

Wir suchen für ein internationales Unternehmen mit Zweigstelle in Klagenfurt ab sofort eine Teamassistentin.
Sie verfügen entweder über eine HAK-Matura oder sind gelernte Bürokauffrau - Berufspraxis setzen wir voraus.
Wenn Sie über sehr gute EDV-Kenntnisse verfügen (Office + Internet) und kaufm. Englisch in Wort und Schrift für Sie selbstverständlich ist, freuen wir uns auf Ihre rasche Bewerbung.
Einsatzregion: Klagenfurt
Einsatzort: Klagenfurt
Berufsgruppe: Bürokauffrau, -mann
Beschäftigungsart: Vollzeit

INSERAT DRUCKEN

AUF INSERAT BEWERBEN   INSERAT VORMERKEN

INSERAT SCHLIESSEN

4

Wir sind ein führendes, innovatives und stark expandierendes mittelständisches Familienunternehmen für klimatechnische Geräte und Anlagen. Zur Ergänzung unseres Service- und Montageteams suchen wir eine/n

Kälteanlagenbauer/in

Wir erwarten von Ihnen die selbstständige und eigenverantwortliche Durchführung von Aufbau-, Wartungs- u. Instandsetzungsarbeiten an Kälteanlagen. Kenntnisse der Mess- u. Steuerungstechnik setzen wir ebenso voraus wie eine kunden- und serviceorientierte Arbeitsweise. Idealerweise haben Sie eine Ausbildung zum Kälteanlagenbauer absolviert und besitzen bereits entsprechende Berufserfahrung. Englischkenntnisse sowie der FS Klasse III runden Ihr Profil ab. Wir bieten einen sicheren Arbeitsplatz und tarifliche Bezahlung. Erste Fragen beantwortet Ihnen telefonisch Herr Schießer.

SJS Luft Klima GmbH & Co.KG
Industriestraße 12 · 17033 Neubrandenburg
info@luftklima.de · 0395/7 00 80

5

Die PCF AG, ein führendes Emmissionshaus im Bereich Private Equity in Deutschland, sucht zum frühestmöglichen Eintrittstermin eine Verstärkung im Bereich

MARKETING

Ihr breites Aufgabenfeld umfasst neben der Erstellung von Verkaufsunterlagen und Präsentationen die laufende Pflege und Aktualisierung unserer Webseite. In Ihrer Schnittstellenfunktion zu unserer Werbeagentur, Druckerei und anderen Dienstleistern sind Sie für die Qualitätssicherung unserer Marketing-Unterlagen verantwortlich.
Neben einem wirtschaftswissenschaftlichen Hochschulabschluss verfügen Sie über sehr gute Englischkenntnisse, organisatorische Fähigkeiten und ein Auge fürs Detail. Sie zeichnen sich durch Kommunikationsstärke und Durchsetzungsvermögen aus. Einen versierten Umgang mit MS-Office setzen wir voraus.

Ihre Bewerbungen richten Sie bitte an die Personalabteilung.
PCF Private Capital Fonds AG – Aachener Straße 111 –
40223 Düsseldorf - www.pcf-ag.com

6

GLUNK AUTOVERMIETUNG

Wir sind ein innovatives und wachsendes Unternehmen mit über 200 Mitarbeitern und 35 Filialen in Norddeutschland. Wir bedienen nationale und internationale Kunden. Damit wir unseren hohen Qualitätsanspruch auch für die Zukunft gewährleisten können, suchen wir Sie als

Management-Trainee

Wir freuen uns über Bewerber/innen, die:
- eine kaufmännische Ausbildung absolviert haben
- erste Erfahrungen aus einer Führungsposition (gerne auch aus der zweiten Reihe) haben
- kommunikationsstark, durchsetzungsfähig, teamfähig und überdurchschnittlich einsatzbereit sowie
- zwischen 25–35 Jahre alt und regional flexibel sind.

Das können Sie von uns erwarten:
- individuelles, 6-monatiges Trainee-Programm
- frühzeitige Verantwortungsübernahme
- angemessene Vergütung, leistungsabhängiger Bonus und die Sozialleistungen eines Großunternehmens

Wir möchten Sie bitten, uns Ihre vollständigen Bewerbungsunterlagen gerne auch per E-Mail (m.glaede@glunk-leasing.de) zukommen zu lassen.
Robert Glunk GmbH, Eichenstr. 11, 26129 Oldenburg

A Der Stellenmarkt

❶ Wie haben Sie schon einmal eine Ausbildungsstelle, einen Praktikumsplatz, einen Job oder eine Stelle gesucht? Welche Medien haben Sie benutzt? Haben Sie persönliche Beziehungen und Kontakte eingesetzt?

❷ Bilden Sie Gruppen mit vier bis sechs Personen. Wählen Sie für jede Person eine der Anzeigen links aus. Erstellen Sie zunächst getrennt eine Übersicht über die Informationen in „Ihrer" Anzeige und notieren Sie.

anbietende Firma: _SJS Luft Klima GmbH & Co.KG, Neubrandenburg_

mittelständisches Familienunternehmen für klimatechnische Geräte

angebotene Stelle: _Kälteanlagenbauer/in_

Tätigkeit(en): _____

Anforderungen/ _____

Qualifikationen: _____

Kenntnisse: _____

Erfahrungen: _____

Eigenschaften: _____

Angebot: _____

❸ Befragen Sie einander über die jeweiligen Anzeigen, ohne ins Buch zu sehen. Notieren Sie die Informationen Ihrer Partner.

- Was für eine Firma hat die Stellenanzeige aufgegeben?
- Was für eine Stelle wird angeboten?
- Welche Qualifikationen/Kenntnisse/... soll die Bewerberin haben?/Wie soll der Bewerber sein?

- Es handelt sich um/es geht um ...
- Die Firma sucht/erwartet/ fordert/bietet an ...
- Das steht nicht in der Anzeige.

B Nachfragen am Telefon

❶ Sie hören Ausschnitte aus vier Telefongesprächen. Auf welche Anzeigen beziehen sich die Gespräche?

❷ Wonach fragen die Bewerberinnen und Bewerber in den Telefonaten? Ordnen Sie zu.

Telefonat	Anzeige	Nachfrage
1	6	a) *Mich würde noch interessieren, wie* es mit der Bezahlung bei Ihnen aussieht.
2		b) *Sie schreiben in Ihrem Stellenangebot von* Englischkenntnissen. *Wie wichtig ist das für Sie?*
3		c) *Ist die Stelle noch frei?*
4		d) *Darf ich noch fragen, wann* das Traineeprogramm beginnt?
		e) *Sie sprechen in der Anzeige von* der Nordostschweiz. Gehört der Kanton Zürich dazu?
		f) *In Ihrer Anzeige steht, dass* erste Erfahrungen in einer Führungsposition wichtig wären. *Könnten Sie mir vielleicht genauer sagen, was das* bedeutet?
		g) Neben Deutsch ist Polnisch meine Muttersprache, aber ich spreche auch sehr gut Russisch. *Hätte ich damit eine Chance bei Ihnen?*
		h) *Wann wird die Stelle frei?*

❸ Was antworten die Gesprächspartner?

C Telefongespräche

❶ Spielen Sie Telefongespräche, in denen Bewerber um zusätzliche Informationen zu Stellenanzeigen bitten. Achten Sie auch auf korrekte Eröffnungen und Abschlüsse der Gespräche. Die *kursiven* Satzteile unter *Nachfrage*, Aufgabe B2, helfen Ihnen.

❷ Schreiben Sie an die Internet-Personalvermittlung von Anzeige 3 eine Mail und stellen Sie einige ergänzende Fragen.

❸ Suchen Sie im Internet ein Stellenangebot, das zu Ihrem beruflichen Profil passt. Füllen Sie das Bewerbungsformular der betreffenden Firma oder der Arbeitsvermittlung aus.

Bildungssysteme

Alter		Ausbildungsjahr / Klasse
24		6
23		5
22	Wissenschaftliche Hochschulen / Fachhochschulen / Weiterbildung	4
21		3
20		2
19		1

Wissenschaftliche Hochschulen **Fachhochschulen** **Weiterbildung**

Alter		Klasse
18		13
17	Gymnasium / Berufliche Vollzeitschulen / Duales System (Berufliche Teilzeitschulen — Lehre)	12
16		11
15		10
14		9
13		8
12	Gymnasium	7
11		6
10		5

Berufliche Voll-zeitschulen

Duales System — Berufliche Teilzeitschulen — Lehre

Alter		Klasse
9		4
8	Grundschule	3
7		2
6		1

Grundschule

Ausbildung in Deutschland, Österreich und der Schweiz

Die Grafik zeigt nur einen stark vereinfachten Durchschnitt des deutschen Schul- und Ausbildungswesens. In Deutschland sind nämlich die Bundesländer für Bildung zuständig, und so gibt es gewisse Unterschiede von Land zu Land.
5 Zum Beispiel wird die Hochschulreife in manchen Bundesländern nach 12 Schuljahren, in den anderen erst nach 13 Schuljahren erreicht. Auch in der Schweiz sind die Kantone, nicht der Bund zuständig, was zu einer noch größeren Variationsbreite führt. Dagegen ist das Bildungswesen in
10 Österreich einheitlich.

Allgemeinbildende Schulen

Mit sechs Jahren kommen in Deutschland alle Kinder in die Grundschule, die in der Regel vier Jahre dauert. In Öster-
15 reich, dessen Ausbildungssystem dem deutschen sehr ähnelt, dauert die Primarstufe ebenfalls vier Jahre. In der Schweiz dagegen umfasst die Primarschule in der Regel sechs Jahre. Die Sekundarstufe I erstreckt sich in der Schweiz und in Österreich bis zum neunten, in Deutschland in der Regel
20 bis zum zehnten Schuljahr. Sie ist in allen drei Ländern ähnlich gegliedert: Auf der einen Seite steht ein Schultyp mit Grundansprüchen, der in Deutschland und Österreich *Hauptschule* genannt wird und in der Schweiz verschiedene Bezeichnungen hat. Diese Schule bereitet auf eine Berufs-
25 ausbildung vor. Auf der anderen Seite stehen ein bis zwei Schultypen mit erweiterten Ansprüchen, die zu einer höheren schulischen Berufsausbildung oder zur Vorbereitung eines Hochschulstudiums führen und in den drei Ländern verschieden genannt werden. In Deutschland steht zwischen
30 Hauptschule und Gymnasium die Realschule, die zu einem mittleren Bildungsabschluss (Mittlere Reife, Realschulabschluss) führt. Er ist z.B. die Voraussetzung für den Besuch

der Fachoberschule, die zur Fachhochschulreife führt. Er wird auch von vielen Firmen für eine Lehre verlangt.
In Deutschland führt dann das Gymnasium in der Sekundarstufe II in die gymnasiale Oberstufe, die mit der Allgemeinen Hochschulreife, dem Abitur, abschließt. Ihm entspricht in der Schweiz die Maturität, zu der das Gymnasium führt, und in Österreich die Matura, die man nach der Oberstufe der Allgemeinbildenden Höheren Schule erwirbt.

Berufliche Bildung

Die meisten Jugendlichen, die keine Hochschule besuchen, machen eine Lehre. Praktische Ausbildung im Betrieb wird in einem dualen System mit theoretischer Ausbildung in der Berufsschule verbunden, die der Jugendliche in Teilzeitform besuchen muss. Ähnliche Formen der Berufsausbildung gibt es auch in Österreich und der Schweiz. In allen drei Ländern können berufliche Qualifikationen auch durch den Besuch bestimmter beruflicher Vollzeitschulen (z.B. einer Handelsakademie (HAK) in Österreich) erworben werden.

Hochschulbildung

Das Studium an den Universitäten und Technischen Hochschulen schließt mit einer Magisterprüfung, einer Diplomprüfung oder einem Staatsexamen ab. Im Rahmen der Bemühungen um einen gemeinsamen europäischen Bildungsraum, an denen sich auch die Schweiz beteiligt, wird jedoch immer mehr das zweistufige Studienmodell mit Bachelor- und Master-Abschlüssen eingeführt. Dies gilt auch für die Fachhochschulen, die traditionell ein Diplom als Abschluss anbieten. Sie unterscheiden sich von den wissenschaftlichen Hochschulen durch eine stärker praxisbezogene Ausbildung.

A Qualifikationen

Berichten Sie: Was für eine Ausbildung haben Sie? Welche schulischen und /oder beruflichen Abschlüsse haben Sie gemacht?

B Ausbildungsgänge

1 In der Grafik fehlen drei Begriffe. Suchen Sie diese im Text und schreiben Sie sie in die Grafik.

2 Lesen Sie den Text und suchen Sie die Antworten auf folgende Fragen.

1 Warum zeigt die Grafik das deutsche Bildungswesen nicht genau?
2 Welche der drei Bildungssysteme sind sich am ähnlichsten?
3 Wie alt ist ein Kind normalerweise, wenn es in die Sekundarstufe I wechselt?
4 Erklären Sie die Begriffe *Grundansprüche* in Zeile 22 und *erweiterte Ansprüche* in Zeile 26.
5 Wie nennt man in Deutschland die Berechtigung, an einer Hochschule zu studieren, bzw. den entsprechenden Abschluss?
6 Was ist der Unterschied zwischen Fachhochschulen und Wissenschaftlichen Hochschulen?

3 Überlegen Sie sich selbst auch noch einige Fragen zu Text und Schaubild. Stellen Sie dann einem Partner Fragen.

C Nach der Realschule besuchte sie die Fachoberschule.

Beschreiben Sie die Ausbildungsgänge der drei Personen. Wie wäre die Ausbildung in Ihrem Land verlaufen?

Beruf/Funktion	besuchte Schulen/Hochschulen	Abschlüsse
Dr. Eva Strauß, Rechtsanwältin	Gymnasium, Universität (6 Jahre)	Abitur, juristisches Staatsexamen, Promotion
Egon Euchner, Elektriker	Hauptschule, Lehre (3 Jahre)	Hauptschulabschluss, Abschluss als Elektriker
Norbert Grebert, Maschinenbauingenieur/ Werkleiter	Realschule, Fachoberschule (2 Jahre), Fachhochschule (4 Jahre)	Mittlerer Bildungsabschluss, Fachoberschulabschluss, Diplom

- Um ... zu werden, muss man ...
- ... ging insgesamt ... Jahre zur Schule.
- Im Alter von etwa ... Jahren ...
- Nach dem Abitur besuchte ...
- Nach dem Realschulabschluss absolvierte ... die ...
- Nach der Fachoberschule ging ... auf ...
- Nach dem Hauptschulabschluss machte ...
- Das Studium/Die Ausbildung dauerte ... Jahre.
- Dann machte sie ...
- Dann machte er den Abschluss als ...

> **TIPP**
> **zur** Schule **gehen** (= nicht arbeiten)
> das Gymnasium **besuchen**
> **auf** eine Realschule/ Hochschule **gehen**
> **in** der Schule Deutsch **lernen**
> **an** der Hochschule Jura **studieren**

D Ihr Ausbildungsweg im Vergleich

Wie würden Sie einem deutschsprachigen Kollegen oder bei der Bewerbung um einen Arbeitsplatz Ihren Ausbildungsweg erklären?

Orientieren Sie sich an der Grafik auf der linken Seite oben oder an einem Schema des Berufsbildungssystems der Schweiz (z.B. *www.educa.ch*) oder Österreichs (z.B. *www.bildungssystem.at*). Vergleichen Sie damit Ihren Ausbildungsweg.

Unterschiede

- Das ist bei uns anders.
- (So etwas wie) ... gibt es bei uns in ... nicht. Dagegen haben wir...
- Wenn man bei uns ... machen/studieren/werden will, besucht/absolviert man ...
- ... unterscheidet sich (sehr stark) von ...

Ähnlichkeiten und Entsprechungen

- Das ist bei uns gleich/ähnlich.
- Die österreichische Matura entspricht ungefähr/genau unserer ...
- Etwas Ähnliches/So etwas wie ... gibt es bei uns auch.
- Das heißt bei uns ... und dauert ... Jahre.
- ... ist so etwas wie ...

Der euro*pass* Lebenslauf

Europass Lebenslauf

Nachname(n) / Vorname(n)	EDER, Simone
Adresse(n)	Herzogstraße 36, D-40217 Düsseldorf
Telefon	(49-211) 80457 Mobil: 0170 300 383
E-mail	sim-eder@wax.de
Staatsangehörigkeit(en)	deutsch
Geburtsdatum und -ort	27.01.1980 in Peking/China
Geschlecht	weiblich

Gewünschtes Berufsfeld

Finanzmarketing, Asset Management

Schul- und Berufsbildung

Datum	2003–2006
Bezeichnung der erworbenen Qualifikation	Betriebswirtin B.A.
Hauptfächer/berufliche Fähigkeiten	Studiengang Finanzdienstleistungen und Corporate Finance: Behavioral Finance, Investmentfonds-Anlagen, Bank- und Kapitalmarkt-Produkte, Corporate Markets
Name und Art der Ausbildungseinrichtung	Fachhochschule Ludwigshafen am Rhein – Hochschule für Wirtschaft
Datum	1999–2002
Bezeichnung der erworbenen Qualifikation	IHK-Zeugnis: Investmentfondskauffrau
Name und Art der Ausbildungseinrichtung	Deutsche Bank Düsseldorf
Datum	1999
Bezeichnung der erworbenen Qualifikation	Abitur
Name und Art der Ausbildungseinrichtung	John F. Kennedy School Berlin (Deutsch-Amerikanische Gemeinschaftsschule)

Berufserfahrung

Datum	April–Juni 2002
Beruf oder Funktion	Praktikum, Schwerpunkt Firmenkundenberatung KMU
Name und Adresse des Arbeitgebers	Deutsche Bank, Vertretung Peking
Datum	Juni–September 1999
Beruf oder Funktion	Praktikum, Schwerpunkt Anlageberatung
Name und Adresse des Arbeitgebers	Deutsche Bank Paris

Persönl. Fähigkeiten u. Kompetenzen

Muttersprache(n)	Deutsch

Sonstige Sprache(n)

	Hören	Lesen	Sprechen	Schreiben
Englisch	C2 Kompetente Sprachverwendung	C2 Kompetente Sprachverwendung	C2 Kompetente Sprachverwendung	C2 Kompetente Sprachverwendung
Chinesisch	C2 Kompetente Sprachverwendung	C1 Kompetente Sprachverwendung	C2 Kompetente Sprachverwendung	C1 Kompetente Sprachverwendung
Französich	C1 Kompetente Sprachverwendung	C1 Kompetente Sprachverwendung	C1 Kompetente Sprachverwendung	B2 Selbstständige Sprachverwendung

Soziale Fähigkeiten und Kompetenzen	Anpassungsfähigkeit und interkulturelle Kompetenz durch Auslandsaufenthalte: 1989–1995 in Peking (Deutsche Schule Peking); 1995–1996 Kansas City (Austauschschülerin); 1999 Praktikum Deutsche Bank Paris
IKT-Kenntnisse und Kompetenzen	Gute PC-Kenntnisse: insbesondere Excel, Winword und Powerpoint, erworben bei der Arbeit und in der Freizeit; Internet
Führerschein(e)	Klasse B
Anlagen	Kopie der erworbenen Diplome

A **Der Lebenslauf von Simone Eder**

❶ Lesen Sie den Lebenslauf von Frau Eder. Vermuten und rekonstruieren Sie gemeinsam mit einem Partner, wo und von wann bis wann sie zur Schule gegangen ist und ihre berufliche Ausbildung gemacht hat. Schreiben Sie eine Liste.

- Wann ist Frau Eder geboren / umgezogen / …?
- Wann hat Frau Eder Abitur / ihren Hochschulabschluss / … gemacht?
- Von wann bis wann hat sie die Grundschule besucht?
- Wo hat sie Abitur gemacht?

1980	Geburt in Peking
1986	Grundschule in …

- Im Jahr …
- Von … bis …
- (Ich weiß nicht.) Das steht nicht im Lebenslauf. Ich vermute, dass …

❷ Tragen Sie den Ausbildungsgang von Frau Eder anhand der Grafik auf S. 158 vor.

B **Frau Eder erzählt.**

❶ Hören Sie den Bericht und ergänzen Sie die Daten in Ihrer Liste aus Aufgabe A1, sodass Sie einen kompletten chronologischen Lebenslauf von Frau Eder haben. Achten Sie dabei auch darauf, wo und wie Frau Eder Fremdsprachen gelernt hat und welche Berufe ihre Eltern haben.

Vor-, Gleich- und Nachzeitigkeit						
Vorzeitigkeit						
Bevor	Simone		studierte,	machte	sie eine Banklehre.	
Gleichzeitigkeit						
Als	sie die Banklehre		machte,	lernte	sie ihren Freund	kennen.
Nachzeitigkeit						
Nachdem	sie die Lehre	abgeschlossen	hatte,	fuhr	sie nach Peking.	

❷ *als*, *bevor* oder *nachdem*? Ergänzen Sie.

1 _Als_ Simone geboren wurde, war ihr Vater Lektor an einer Pekinger Hochschule.

2 _____ sie nach Deutschland zurückkam, besuchte sie ein Jahr lang eine Schule in den USA.

3 _____ sie wieder in Berlin war, schickten ihre Eltern sie auf ein deutsch-amerikanisches Gymnasium.

4 _____ sie studierte, machte sie eine Banklehre.

5 _____ sie die Lehre abgeschlossen hatte, fuhr sie nach Peking.

6 _____ sie dort drei Monate bei einer Bank gearbeitet hatte, besuchte sie dort auch einen Sprachkurs.

❸ Berichten Sie oder fragen Sie sich gegenseitig über das Leben von Frau Eder. Verwenden Sie Ihre Liste aus Aufgabe A1.

Wie alt war Frau Eder, als sie zum ersten Mal nach Berlin kam?	Als sie nach Berlin kam, war Frau Eder …
Wann lernte Frau Eder Französisch?	Sie lernte Französisch, als …
Was machte sie, nachdem sie das Praktikum abgeschlossen hatte?	Nach dem Praktikum machte sie …

C PARTNER **A** benutzt Datenblatt A22, S. 180. PARTNER **B** benutzt Datenblatt B22, S. 190.

D **Ihr Lebenslauf**

❶ Erzählen Sie aus Ihrem Leben. Berichten Sie nicht nur über Ihre Schul- und Berufsausbildung, sondern auch, wann Sie umgezogen sind, wo Sie gelebt haben, warum Sie was gelernt haben usw.

❷ Schreiben Sie Ihren eigenen Lebenslauf. Verwenden Sie das Formular auf der linken Seite oder den europäischen Standardlebenslauf aus dem Internet: *europass.cedefop.eu.int*, *www.europass-info.de* oder *www.europass-berufsbildung.de*.

Notizzettel:
- in oder bei Düsseldorf ✓
- interessantes Traineeprogramm
- bekannte Firma
- keine Berufserfahrung vorausgesetzt
- passt zu meinen Ausbildungsschwerpunkten
- aber bietet auch neue Aspekte
- Karrierechancen erkennbar
- Umgang mit Menschen
- Einstieg sofort

A Die Qual der Wahl

❶ Sehen Sie noch einmal die Stellenanzeigen auf S. 156 durch. Welche wäre für Frau Eder interessant und warum?

❷ Frau Eder hat sich notiert, was bei einer Stelle für Sie wichtig ist. Markieren Sie auf dem Notizzettel oben, was bei dem passenden Stellenangebot zutrifft.

❸ Frau Eder ist unsicher, ob sie sich bewerben soll. Sie spricht mit einer Freundin darüber. Spielen Sie das Gespräch.

> Ich interessiere mich für die Stelle, weil …
> Bei der Stelle gefällt mir / ist gut, dass …

> Es ist schade / ungünstig / negativ, dass …
> Leider …

> (Aber) insgesamt ist die Stelle …

B Das Bewerbungsschreiben – ein formeller Brief

❶ Wo finden Sie im Bewerbungsschreiben von Frau Eder auf der nächsten Seite folgende Elemente eines formellen Briefs? Schreiben Sie die Begriffe an die richtige Stelle neben den Brief.

- die Grußformel
- die Einleitung
- der Betreff
- der Empfänger
- der Ort, das Datum
- die Unterschrift
- der Absender
- die Anlagen
- die Anrede
- der Schlusssatz
- der Hauptteil

❷ Ein Bewerbungsschreiben sollte immer bestimmte Punkte enthalten. Suchen Sie die folgenden Inhaltspunkte im Schreiben von Frau Eder und schreiben Sie die Ziffern 1 bis 5 neben die entsprechenden Sätze bzw. Abschnitte im Brief.

1 Geben Sie an, woher Sie wissen, dass die Firma neue Mitarbeiter sucht.
2 Erklären Sie, warum Sie auf das gesuchte Profil passen und welche besonderen Fähigkeiten Sie dafür mitbringen.
3 Erklären Sie, warum Sie für die Stelle motiviert sind.
4 Beschreiben Sie, welche Erwartungen Sie an die Stelle haben.
5 Geben Sie an, zu welchem Termin Sie sich bewerben.

❸ Vergleichen Sie das Schreiben mit dem Lebenslauf von Frau Eder. Welche Punkte aus ihrem Lebenslauf hebt sie im Brief besonders hervor? Warum?

❹ Frau Eder ist ungenau. Zu welchem Punkt / welchen Punkten in der Anzeige schreibt Sie in ihrem Bewerbungsbrief nichts? Diskutieren Sie, ob das ein Problem ist.

| Simone Eder | Herzogstraße 36 | 40217 Düsseldorf | Tel.: 02 11/8 04 57 |

PCF Private Capital Fonds AG
Personalabteilung
Aachener Straße 111
40223 Düsseldorf

Ihr Stellenangebot vom 21.10.2006 in der Frankfurter Rundschau – Marketing

Düsseldorf, 23.10.2006

Sehr geehrte Damen und Herren,

die ausgeschriebene Position interessiert mich sehr. Sie suchen für Ihren Bereich Marketing einen Mitarbeiter, der mit soliden Fachkenntnissen die Qualität Ihrer Außendarstellung sichert, Marketing-Unterlagen erstellt und mit externen Dienstleistern zusammenarbeitet.

Für diese verantwortungsvolle Aufgabe bringe ich alle Voraussetzungen mit. Vor kurzem habe ich mein Studium der Betriebswirtschaft an der FH Ludwigshafen mit der Gesamtnote „gut" abgeschlossen. Mein Studienschwerpunkt war Finanzdienstleistungen und Corporate Finance, nachdem ich bereits eine Banklehre als Investmentfondskauffrau absolviert hatte. Dabei und während meiner Praktika habe ich bereits einige Erfahrungen mit Kapitalmarktprodukten gemacht. Aufgrund meiner Auslandsaufenthalte und meiner Schulausbildung an einem deutsch-amerikanischen Gymnasium beherrsche ich Englisch perfekt in Wort und Schrift. Die Auslandsaufenthalte entwickelten auch mein Interesse an Menschen, meine Kommunikationsfähigkeit und meine Flexibilität.

Nach meinen bisherigen Tätigkeiten bei Banken möchte ich gern meine beruflichen Erfahrungen durch die Arbeit bei einer Kapitalbeteiligungsgesellschaft ausbauen. Das von Ihnen beschriebene Aufgabenfeld im Marketing ist attraktiv für mich, weil es zu meinen Ausbildungsschwerpunkten passt und mir gleichzeitig mit der Arbeit an Ihrer Webseite und an Ihren übrigen Marketing-Unterlagen neue reizvolle Aufgaben bietet. Ich suche Herausforderungen, Selbstständigkeit und Verantwortung und freue mich auf Arbeit in einem netten Team. Ich könnte Ihnen sofort zur Verfügung stehen.

Über eine Einladung zu einem Vorstellungsgespräch würde ich mich sehr freuen.

Mit freundlichen Grüßen

Simone Eder

Anlagen: Lebenslauf, Zeugnisse

C Noch ein Stellenangebot

1 Im Internet hat Frau Eder ein Stellenangebot einer großen Bank gefunden und die wichtigsten Punkte notiert. Vergleichen Sie das Angebot mit den Auswahlkriterien in Aufgabe A2. Was meinen Sie: Welche Stelle passt besser zu ihr? Diskutieren Sie mit einem Partner.

- Das Traineeprogramm passt besser/nicht so gut zu ihr, weil ...
- Die Arbeit bei ... ist interessanter, aber/ trotzdem ...
- Obwohl ...
- Bei ... verdient sie bestimmt mehr, aber ...
- Der Vorteil/Nachteil von ... ist ...

2 Schreiben Sie den Bewerbungsbrief von Frau Eder für diese Stelle. Unterstreichen Sie wichtige Formulierungen im Bewerbungsbrief oben und übernehmen Sie so viel wie möglich.

D Ihr Bewerbungsschreiben

Schreiben Sie einen Bewerbungsbrief auf eine Stelle, die zu Ihnen passt.

Angebot unter www.jobstairs.de:

- Handelsbank AG: Traineeprogramm im Vertrieb – Privatkunden, Vorbereitung auf Tätigkeit als Wertpapierspezialist/in + Kundenberater/in, Dauer 12–18 Monate
- Berufsanfänger, erfolgreiches Studium, Bankausbildung + Praktika wünschenswert
- Freude am Umgang mit Menschen, hohe kommunikative Kompetenz, Serviceorientierung, Verantwortungsbereitschaft
- Gebietsfiliale Berlin
- selbstständige Beratung und Akquisition von vermögenden Privatkunden mit hoher Beratungsintensität
- Weiterentwicklungsmöglichkeiten
- Ansprechpartnerin: Manuela Kilian, Personal

Das Vorstellungsgespräch

A Die Vorbereitung

Wie bereitet man sich auf ein Vorstellungsgespräch vor? Was halten Sie für wichtig, was nicht? Diskutieren Sie im Kurs darüber.

> den besten Weg zum Unternehmen herausfinden •
> eigene Fragen vorbereiten • sich gut ausruhen •
> Stellenangebot noch einmal genau analysieren •
> angemessene Kleidung vorbereiten •
> Informationen über das Unternehmen sammeln •
> zum Friseur gehen •
> eigene Unterlagen noch einmal genau durchlesen

B Fragen in einem Vorstellungsgespräch

Lesen Sie den Ablauf eines Vorstellungsgesprächs und die Fragen. Wer stellt die Fragen?
Welche Fragen a) bis h) passen zu welchem Gesprächsabschnitt 1 bis 6?

---

ungefährer Ablauf eines Vorstellungsgesprächs

1 Gesprächseröffnung
2 Vorstellung des Unternehmens bzw. der Stelle
3 Selbstvorstellung des Bewerbers
4 Fragen zur Eignung des Bewerbers:
4.1 allgemein
4.2 Lebenslauf, Kompetenzen (Hard Skills): Qualifikation, Berufserfahrung, letzte Tätigkeit usw.
4.3 persönliche Eigenschaften (Soft Skills): Leistungsmotivation, Teamfähigkeit, kommunikative Kompetenz, Durchsetzungsstärke usw.
5 Fragen des Bewerbers zu: Arbeitsplatz, Eigenverantwortung, Gehalt, Sozialleistungen, Arbeitszeit, usw.
6 Gesprächsabschluss

_4.1_ a) • Was qualifiziert gerade Sie für diese Stelle?
      • Warum haben Sie sich gerade bei unserem Unternehmen beworben?

____ b) • Haben Sie gut zu uns gefunden?

____ c) • Mir ist nicht ganz klar, was Sie von ... bis ... gemacht haben.
      • Welche praktischen Erfahrungen, die für diese Position relevant sind, haben Sie bereits gemacht?
      • Haben Sie (schon) Erfahrung mit ...?

____ d) • Welche Aufgaben habe ich?
      • Wer ist mein Vorgesetzter?
      • Mit wem arbeite ich zusammen?
      • Welche Entwicklungsperspektive habe ich im Unternehmen?
      • Was für ein Gehalt würden Sie mir anbieten?
      • Wie sehen die Sozialleistungen bei Ihnen aus?

____ e) • Was wissen Sie über unser Unternehmen?

____ f) • Wie würden Sie sich charakterisieren? Was, glauben Sie, sind Ihre Stärken und Schwächen?
      • Arbeiten Sie lieber mit Menschen oder am Schreibtisch und am PC?
      • Wie stellen Sie sich den idealen Vorgesetzten vor?
      • Womit beschäftigen Sie sich in Ihrer Freizeit?
      • Wie sehen Ihre langfristigen Ziele aus?

____ g) • Ich danke Ihnen für das interessante Gespräch.
      • Wann ungefähr höre ich von Ihnen?

____ h) • Erzählen Sie mir etwas über Ihren Werdegang.

C Frau Eder bei Herrn Renz von der Personalabteilung

❶ Bei welcher Firma findet das Vorstellungsgespräch statt: Bei der *Handelsbank AG* oder bei der *PCF Private Capital Fonds AG?*

❷ Wie ist Ihr erster Eindruck? Läuft das Gespräch gut für Frau Eder?

❸ Hören Sie das Gespräch noch einmal. Welche Fragen aus Aufgabe B kommen vor? Machen Sie Notizen zu den Antworten von Frau Eder oder Herrn Renz. Bei welchen Fragen läuft es für Frau Eder gut, wo nicht und warum?

❹ Fassen Sie das Gespräch zusammen oder spielen Sie das Gespräch nach.

D Das wäre zunächst mal alles, was ich fragen wollte.

das, was oder *wo*? Ergänzen Sie.

1 Ist das alles, _____ Sie 2002 / 2003 zwischen Lehre und Studium gemacht haben?

2 Vieles, _____ ich in Peking damals außer dem Praktikum gemacht habe, war mir sehr wichtig.

3 Das ganze Leben, _____ ich dort hatte, gefiel mir.

4 Peking war einfach der Ort, _____ ich mich zu Hause fühlte und _____ ich mein Leben planen konnte.

5 Das ist etwas, _____ Frau Eder nicht gut erklären und ein Personalchef nicht gut verstehen kann.

6 Für ihn ist das Wichtigste, _____ es im Leben gibt, die Arbeit, egal wo.

7 Aber Frau Eder begann dann bald ihr Studium, _____ sie schnell und mit guten Noten absolvierte.

8 Das ist etwas, _____ dem Personalchef gefällt.

Relativsätze mit *was* und *wo*	
Das wäre zunächst mal alles, was ich fragen wollte.	nach Pronomen wie *alles, nichts, etwas, vieles, das*
Der Beruf ist das Wichtigste, was es gibt.	nach einem Superlativ im Neutrum
Das ist das Haus, wo sie früher wohnte.	Ort

E Die Beurteilung der Bewerberin

❶ Lesen Sie den Beurteilungsbogen von Herrn Renz rechts. Erklären Sie die Bewertungskriterien *Auftreten*, *Redegewandtheit* usw. mithilfe der Beurteilungsstufen wie *sehr gehemmt* usw..

❷ Hören Sie das Vorstellungsgespräch, Aufgabe C, noch einmal und unterstreichen Sie im Beurteilungsbogen die Wörter, mit denen Sie Frau Eder beurteilen würden.

❸ Vergleichen und diskutieren Sie Ihre Ergebnisse.

F Vorstellungsgespräch

Bilden Sie Gruppen zu dritt (abwechselnd ein Beobachter) und spielen Sie Vorstellungsgespräche.

Beurteilungsbogen

Auftreten: sehr gehemmt – nervös – ausgeglichen – sympathisch – sicher

Redegewandtheit: geringer Wortschatz – sehr schweigsam – formuliert nicht gut – spricht langsam, aber deutlich – redegewandt

Auffassungsgabe: wirkt unkonzentriert – nicht immer schnell genug – erfasst schnell das Wesentliche

Einstellung zur Position: hätte lieber eine andere Position – sieht die Position nur als Übergangslösung – positiv, großes Interesse

Fachkenntnisse: nicht geeignet – branchenfremd – teilweise nicht ausreichend qualifiziert – hoch qualifiziert

Persönlicher Eindruck des Interviewers: Bewerber war reserviert – zurückhaltend, aber sympathisch – sehr sympathisch, Kontakt gut

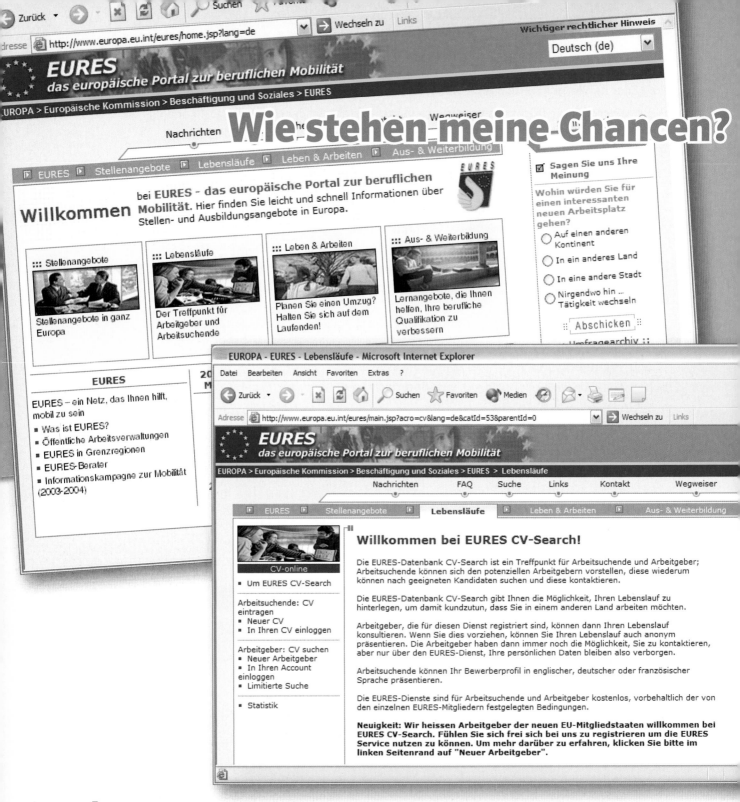

A Arbeiten in Europa

❶ Schauen Sie sich die beiden Web-Seiten oben an und besprechen Sie die folgenden Fragen.

1 Worum geht es?
2 Wie kommt man von der ersten auf die zweite Seite?
3 Wer stellt die beiden Seiten ins Internet? Wer ist dafür verantwortlich?
4 Welche Angebote gibt es auf der Homepage? Wohin würden Sie klicken, wenn Sie ...
   a) allgemeine Informationen über Deutschland, Österreich und die Schweiz bekommen wollten?
   b) wissen wollten, was EURES ist?
   c) nach Stellen in einem deutschsprachigen Land suchen würden?
   d) eine Bewerbung in Deutschland, Österreich oder der Schweiz vorbereiten wollten?
5 Wozu können Sie EURES CV-Search benutzen?
6 Wie viel kostet die Benutzung der Serviceangebote?

❷ Suchen Sie nach weiteren Informationen auf der Homepage, falls Ihnen ein Internetzugang zur Verfügung steht, und berichten Sie darüber.

B Wie hast du die Arbeit hier gefunden?

➊ Sie hören ein Gespräch zwischen zwei Deutschkursteilnehmern, Dominique aus Bordeaux und Krzysztof.

1 Erklären Sie, wie und wo Dominique ihre Stelle gefunden hat.
2 Aus welchem Land kommt Krzysztof? Spielt das eine Rolle bei der Arbeitssuche in Österreich?
3 In welchem Land würde Krzysztof am liebsten arbeiten?

➋ Suchen Sie in der folgenden Übersicht die Informationen, über die Krzysztof und Dominique sprechen, und markieren Sie sie.

	Arbeitsmarkttrends	Löhne	Bürokratisches
Deutschland	Die Arbeitslosenrate beträgt deutlich über 10 %. Es gibt aber erhebliche regionale Unterschiede. Chancen haben z.B. Ingenieure, EDV-Fachleute, Grafiker und Designer.	Zwischen den Löhnen gibt es große Unterschiede. Ein Ingenieur kann im Durchschnitt 3500 € verdienen.	Ohne Aufenthaltserlaubnis können EU-Bürger^{*)} drei Monate bleiben. Mit einem Arbeitsplatz bekommt man die Aufenthaltserlaubnis ohne Probleme. Eine Arbeitserlaubnis braucht man nicht.
Österreich	Die Arbeitslosenrate liegt bei etwa 6 %. Gefragt sind Handwerkermeister, aber auch Ingenieure. Blindbewerbungen sind übrigens in Österreich nicht so üblich.	Löhne und Lebenshaltungskosten sind ungefähr gleich wie in Deutschland.	EU-Bürger^{*)} können z.B. für die Arbeitssuche drei Monate ohne Aufenthaltsgenehmigung bleiben. Im Übrigen gelten die gleichen Regeln wie in Deutschland.
Schweiz	Die Arbeitslosigkeit ist mit einer Rate von deutlich unter 5 % die niedrigste von allen drei Ländern. Es werden vor allem (hoch-) qualifizierte Fachkräfte gesucht, z.B. in den Bereichen IT, Finanzen und Gastronomie.	Die Löhne liegen um ca. 25 % höher als in den beiden anderen Ländern. Allerdings sind die Lebenshaltungskosten auch entsprechend höher.	EU-Bürger^{*)} können sich hier ohne Aufenthaltsbewilligung drei Monate aufhalten. Vor Stellenantritt muss man eine Arbeitsbewilligung beantragen. Sie ist auch Voraussetzung für eine Aufenthaltsbewilligung.

*) Für die Länder, die ab 2004 beigetreten sind, gibt es Sonderregelungen.

➌ Suchen Sie im Internet die Bedingungen, unter denen Sie in einem der drei Ländern arbeiten dürften.

C Wie sieht das bei Ihnen aus?

➊ Bilden Sie Gruppen und befragen Sie sich gegenseitig. Vergleichen Sie Ihre berufliche Situation, Ihre Erfahrungen, Ihre Zukunftspläne und Ihre Wünsche.

1 Haben Sie schon im Ausland gearbeitet, ein Praktikum oder eine Ausbildung gemacht?
2 Möchten Sie nach Österreich, in die Schweiz oder nach Deutschland gehen oder hier aus beruflichen Gründen bleiben? Warum? Warum nicht?
3 Was für eine Stelle haben Sie oder suchen Sie: eine Praktikantenstelle, einen Ausbildungsplatz, eine Traineestelle oder eine Dauerbeschäftigung?
4 Warum möchten Sie im Ausland arbeiten? Möchten Sie ...
 • ein anderes Land / eine andere Kultur kennen lernen?
 • ihre Sprachkenntnisse verbessern?
 • mehr Geld verdienen?
 • ...?

• Ich war schon einmal länger in ...
• Ich habe in ... studiert / ein Praktikum gemacht.
• Mein erster Auslandsaufenthalt hat mir gut gefallen. Deshalb möchte ich / würde ich gern ...
• In ... verdient man besser als in meinem Land / in ...
• Sprachen sind heutzutage im Beruf / in meinem Beruf sehr wichtig. Deshalb möchte ich gern einige Zeit in ... bleiben / arbeiten.
• Ich möchte nach ... / ins Ausland, weil ...
• Ob ich hier bleibe / nach ... gehe, hängt davon ab, wann / wie / w... / ob ...
• In meiner Heimat / auf meiner Arbeitsstelle hat es mir einfach nicht mehr gefallen. Ich möchte ...

➋ Berichten Sie den anderen Gruppen, was Sie von Ihren Kolleginnen und Kollegen gehört haben.
Sagen Sie Ihre Meinung dazu.

• Frau / Herr ... hat erzählt / berichtet / gesagt, dass ... Deshalb möchte er / würde sie gern ...
• Das finde ich gut / würde ich genauso machen / kann ich verstehen, weil ...
• Das kann ich nicht verstehen. / Das finde ich nicht vernünftig, weil ...
• Das würde ich an seiner / ihrer Stelle nicht / auch machen, weil ...

❶ Lesen Sie den Artikel und unterstreichen Sie die Tipps zum Anschreiben, zum Lebenslauf und zur Bewerbungsmappe jeweils in einer anderen Farbe. Tragen Sie im Kurs alle Tipps zusammen.

❷ Welche Tipps gibt der Autor außerdem? Sind Sie mit allen einverstanden? Haben Sie weitere Tipps?

Die schriftliche Bewerbung – Auf die andere Art

Bei jeder Bewerbung stellt sich die Frage: Wie hebe ich mich von meinen Mitbewerbern ab? Auffallen um jeden Preis ist nicht immer die richtige Lösung.

■ Einfach und direkt

Berufliche Selbstvermarktung und Selbstpräsentation sind heute vielen widersprüchlichen Regeln und Konventionen unterworfen. Sollte man blind Bewerbungsvorlagen kopieren oder offensiv die Blitzkampagne starten, innovativ oder konventionell handeln? Versuchen Sie es mit Einfachheit und Direktheit. Statt zu werben, stellen Sie sich der Bewertung. Statt sich zu verkaufen, arbeiten Sie zu. Statt den Karriere-Gurus zu folgen, folgen Sie der praktischen Vernunft. Kein Mensch muss einzigartig tun. Es reicht, wenn man sich unterscheidet. Bewerberauswahl beruht auf Wahrnehmung und Differenzierung. Je klarer Sie sich zeichnen, desto besser unterscheiden Sie sich. Wenn Sie sich klar und eindeutig profilieren, heben Sie sich von der grauen Menge der Floskelwerfer und Satzbausteinleger deutlich ab: Sie verstecken sich nicht hinter dem üblichen Blabla. Sie werden sichtbar.

■ Konzentriert und arrangiert

Anschreiben und Lebenslauf sind eigene Textsorten, aber gleichwertig und gleich wichtig. Beide liefern denselben Satz an Hauptinformationen. Im Anschreiben haben Bewerber genau eine Seite, um für sich zu sprechen. Es ist eine Mini-Rede. Da Sie nicht wissen, ob man Ihre Rede bis zum Ende der Seite verfolgen wird, liefern Sie Ihre besten Argumente sofort in der ersten Zeile. Legen Sie ohne jede Einleitung los. Keineswegs chronologisch erzählend, dafür gewichtend und aufzählend. Unterfüttern Sie Ihren Anspruch mit Abschlüssen, Kenntnissen, Fähigkeiten. Gehen Sie auf den Adressaten und auf den Wechsel- oder Bewerbungsgrund ein. Vermitteln Sie am Ende weiteren Gesprächsbedarf. Bingo. Ihr Anschreiben ist garantiert unverwechselbar und funktioniert. Sie werden sich selbst voll und ganz darin wieder erkennen. Jeder wird anerkennen: Ihre Argumentation ist hoch wirksam, weil hoch konzentriert.

Das Anschreiben synthetisiert. Der Lebenslauf ist ein Arrangement. Reduzieren Sie Informationen so weit wie möglich – bis auf den wesentlichen Datenbestand Ihres beruflichen Selbst. Für die Datenmenge gilt: Viel hilft nicht viel. Die Souveränität des selbstbewussten Bewerbers zeigt sich darin, dass er die Information genau dosiert.

■ Weder luxuriös noch schlampig

Bewerben ist kein Fulltime-Job. Zeit- und Geldverschwender bewerben sich kreativ, basteln Deckblätter, wählen die Luxusmappe mit Mehrfach-Klappe. All das brauchen Sie nicht. Mit Anschreiben, Lebenslauf und den handverlesenen Nachweisen, die Ihren Werdegang belegen, kommen Sie gut aus. Nehmen Sie als Mappe stets das Produkt, mit dem ein Personaler am leichtesten arbeiten kann. Stellen Sie sich seinen Arbeitsablauf bildhaft vor. Praktikabilität hat für Personaler immer Vorrang. Wer berufshalber Mappen auf- und zuklappt, dem klappt längst nicht mehr vor Staunen der Mund auf. Äußeres und Form einer Bewerberpräsentation sollten schnurstracks zum Inhalt führen, zu den Pro-Argumenten, zu dem, was für einen spricht. Fazit: Argumentieren Sie konkret. Halten Sie's einfach. Dann nimmt man Sie ernst.

Zwei Stellenanzeigen

❶ Lesen Sie beide Stellenanzeigen. Notieren Sie die Anforderungen, die an die Bewerber gestellt werden, und vergleichen Sie sie.

❷ Welche Informationen stehen generell in Stellenanzeigen? Finden Sie hierzu Beispiele anhand der beiden Anzeigen unten.

❸ Was meinen Sie? Welche Stelle ist mit mehr Verantwortung verbunden. Warum?

TEXTIL BIECK

Wir sind ein stark expandierendes mittelständisches Unternehmen im Bereich Textilimport mit Sitz in Hamburg. Seit über 15 Jahren sind wir in der Branche erfolgreich und wollen weiter expandieren.

Zum nächstmöglichen Termin suchen wir deshalb einen ambitionierten

Mitarbeiter im Controlling

Ihre Aufgabe besteht in der Durchführung der Kostenrechnung und Kalkulation von Projekten in direkter Anlehnung an unser Cash-Management. Sie erstellen den Businessplan und optimieren durch Weiterentwicklung von Controlling-Instrumenten unsere Deckungsbeitragsrechnung und erstellen eine Budget-Konzeption. Anhand Ihrer Vorlagen werden Entscheidungen getroffen.

Nach Ihrem Studium der Betriebswirtschaft haben Sie bereits erste Erfahrung im Controlling gesammelt. Die Administration eines Controllingsystems ist Ihnen bekannt. Außerdem zeichnen Sie sehr gute analytische Fähigkeiten, ausgeprägte Zahlenorientierung und eine selbstständige und zielorientierte Arbeitsweise aus. Ferner verfügen Sie über sehr gute Englischkenntnisse in Wort und Schrift.

Ihre Bewerbung mit Lebenslauf und Gehaltsvorstellungen senden Sie bitte an:
TEXTIL BIECK, Personalabteilung,
Heinskamp 78, 22081 Hamburg

CW-ENERGIA ist einer der größten konventionellen Stromerzeuger in Deutschland. Von unserem Sitz in Düsseldorf betreiben wir rund 45 Kraftwerke mit einer Einspeiseleistung von knapp 10 % des Strombedarfs in ganz Deutschland. Modernste Technologien, Umweltbewusstsein und wettbewerbsfähige Preisgefüge sind unsere Maßstäbe. Im Zuge des internationalen Wachstums und der Expansion suchen wir einen

Controller [m/w]

Sie sollten eine fundierte akademische, möglichst internationale Ausbildung als Diplom-Kaufmann, -Betriebswirt, -Wirtschaftsingenieur oder MBA mitbringen. 3–4jährige Berufserfahrung, Mobilität, Basis-SAP-Wissen sowie sehr gute Englischkenntnisse sind neben ersten Führungserfahrungen bzw. erkennbarem Führungspotenzial ebenfalls Voraussetzung.

Des Weiteren sollten Sie sich insbesondere mit Wirtschaftlichkeitsanalysen und mit operativen Controllingfragen auseinandergesetzt haben. Es geht bei dieser Funktion um Themen rund um den Kraftwerksbau sowie die Betrachtung und Analyse des aktuellen Bestandes, sodass bereits erste Erfahrungen in der Energiewirtschaft wünschenswert wären.

Wenn Sie sich für diese anspruchsvolle und herausfordernde Aufgabenstellung mit internationaler Ausrichtung bei einem führenden Unternehmen der Energiebranche interessieren, senden Sie Ihre aussagekräftigen Bewerbungsunterlagen (tabellarischer Lebenslauf, Zeugniskopien, Lichtbild, Gehaltsvorstellungen, Eintrittstermin) bitte per E-Mail an klaus-fuller@cw-energia.de oder per Post an **CW-ENERGIA GmbH, 40217 Düsseldorf**.

Anforderungen von TEXTIL BIECK

_____

_____

_____

_____

Anforderungen von CW-ENERGIA

_____

_____

_____

_____

Nachzeitigkeit: Nebensätze mit *nachdem* → S. 161

Nebensatz: Perfekt				Hauptsatz: Präsens		
Nachdem	man die Grundschule	abgeschlossen	hat,	wechselt	man in die Sekundarstufe I.	
Nachdem	sie		studiert	haben,	wollen	viele Leute im Ausland	arbeiten.

Nebensatz: Plusquamperfekt				Hauptsatz: Präteritum		
Nachdem	sie aus China	zurück-gekommen	war,	ging	sie in die USA.	
Nachdem	sie die Schule	beendet	hatte,	wollte	sie nach Frankreich	gehen.

Vor-, Gleich- und Nachzeitigkeit → S. 161

Vorzeitigkeit						
Bevor	man		studiert,	muss	man das Abitur	machen.
Bevor	Simone		studierte,	machte	sie eine Banklehre.	

Gleichzeitigkeit mit *als*					
Als	Simone in China		war,	machte	sie einen Sprachkurs.
Als	sie nach Berlin		kam,	besuchte	sie das Gymnasium.

Nachzeitigkeit						
Nachdem	man das Gymnasium	abgeschlossen	hat,	darf	man	studieren.
Nachdem	sie aus Peking	zurückgekommen	war,	begann	sie mit dem Studium.

Gleichzeitigkeit → S. 161

wenn	**Zeitpunkt in der Gegenwart / Zukunft**
	Man kann viel lernen, wenn man im Ausland ist. Wenn ich mein Diplom habe, will ich ein Traineeprogramm absolvieren.
als	**Zeitpunkt in der Vergangenheit**
	Als Simone zwei Jahre alt war, kam ihre Familie nach Deutschland zurück. Simone machte ein Praktikum bei einer Bank in Peking, als sie mit ihrer Banklehre fertig war.
wenn	**Wiederholung in der Gegenwart / Vergangenheit**
	(Immer) wenn Simone nach Peking reist, besucht sie ihre chinesischen Freunde. (Immer) wenn wir Schulferien hatten, fuhren wir an die Nordsee.
während	**Zwei Ereignisse geschehen gleichzeitig**
	Ich möchte Chinesisch lernen, während ich in China bin. Während Simone studierte, lebte sie in Ludwigshafen.

Relativsätze mit *was* und *wo* → S. 165

Hier gibt es alles, was ich brauche. Vieles (von dem), was wir brauchen, habe ich schon gekauft. Das, was ich suche, finde ich hier nicht.	nach Pronomen wie *alles, nichts, etwas, einiges, vieles, das*
Der Beruf ist das Wichtigste, was es gibt. Das Meiste, was du erzählt hast, ist mir bekannt.	nach einem Superlativ im Neutrum
Peter hat eine Stelle bei der EU bekommen, was wir nicht erwartet haben. Simone stellt ihre Bewerbungsunterlagen zusammen, was viel Arbeit macht.	Wenn sich der Nebensatz auf den gesamten Hauptsatz bezieht.
Das ist das Haus, wo wir früher gewohnt haben. Peking ist die Stadt, wo Sabine am liebsten leben würde.	Ort

Datenblätter für Partner A

Datenblatt A1
S. 15 / D

Situation 1

Sie sind Gast in einem Hotel. PARTNER **B** arbeitet an der Hotelrezeption. Sie teilen PARTNER **B** mit: Was ist los? Was ist passiert?

- Sie können den Fitnessraum nicht finden.
- Ihre Ankunft hat sich verspätet.
- Sie müssen dringend zum Bahnhof.
- Sie haben den falschen Schlüssel bekommen.
- Ihr Zimmer ist noch nicht aufgeräumt.

Situation 2

Sie arbeiten an der Hotelrezeption. PARTNER **B** ist Gast in dem Hotel. PARTNER **B** teilt Ihnen mit: Was ist los? Was ist passiert? Antworten Sie PARTNER **B** mithilfe der Stichwörter.

- am Flughafen anrufen
- den Hausmeister informieren
- den Weg erklären
- sich um Theaterkarten kümmern
- sich um ein anderes Zimmer bemühen

Datenblatt A 2
S. 16 / B

Situation 1

Sie planen mit PARTNER **B** die Tagesordnung für eine Vertriebskonferenz. Fragen Sie PARTNER **B**.

Wann sollen die folgenden Tagesordnungpunkte stattfinden?
_____ Begrüßung der Teilnehmer
_____ Bericht des Abteilungsleiters
_____ Diskussion des Berichts
_____ Besprechung des neuen Prospekts
_____ Überprüfung des Marketingplans
_____ Planung der Werbung für die
　　　　　　　　 neuen Produkte
_____ gemeinsames Mittagessen

Fragen Sie so:
Wann sollen wir die Teilnehmer begrüßen?
Notieren Sie die Uhrzeiten. Prüfen Sie am Ende: Haben Sie den gleichen Plan wie PARTNER **B**?

Situation 2

Sie erwarten Besucher zu einer Betriebsbesichtigung. Mit PARTNER **B** bereiten Sie den Besuch vor. PARTNER **B** bittet Sie um Angaben für die Zeitplanung. Antworten Sie PARTNER **B**. Benutzen Sie die Notizen unten.

8.30 Ankunft Besuchergruppe
Gruppe begrüßen: 15 Min.
Gruppe durch's Entwicklungslabor führen: 45 Min.
neue Produkte präsentieren: 30 Min.
Fertigung besichtigen: 60 Min.
Abschlussdiskussion: 25 Min.
Informationsmaterial übergeben: 5 Min.
11.30 Besucher verabschieden

Antworten Sie so:
Die Besuchergruppe kommt um 8.30 Uhr an.
Die Begrüßung der Teilnehmer dauert 15 Minuten, also von 8.30 bis 8.45 Uhr.

Datenblatt A3
S. 19 / D

Situation 1

PARTNER **B** hat am Besuchsprogramm der Firma B&T Business Tours teilgenommen. Fragen Sie PARTNER **B** nach dem Programm.

Wie fanden Sie ...?
Wie waren Sie mit ... zufrieden?
Wie hat Ihnen ... gefallen?

- Goethe Haus
- Historisches Museum
- Stadtführung
- gemeinsames Mittagessen in Sachsenhausen
- Firmenbesichtigung

Situation 2

Sie haben am Besuchsprogramm der Firma B&T Business Tours teilgenommen. PARTNER **B** fragt Sie nach Ihrer Meinung.

	-	+ /-	+
Stadtführung		✓	
Besichtigung des Römers	✓		
Besuch der Börse			✓
Besuch der Labors von Medisan			✓
Fahrt nach Heidelberg		✓	

- nicht so gut   +/- ganz gut   + sehr zufrieden

Antworten Sie PARTNER **B** so:
Diesen Programmpunkt fand ich ...
Mit dem Programmpunkt ... war ich ...
Dieser Programmpunkt hat mir ...

Datenblatt A4
S. 33 / E

Situation 1

Sie brauchen die Verkaufszahlen bei Bohse & Kaufmann von Januar bis Dezember in Stück. Einige Zahlen fehlen Ihnen. Fragen Sie PARTNER **B**.

Wie hoch war die Verkaufszahl im ...?
Wie haben sich die Verkaufszahlen von ... bis ... entwickelt?

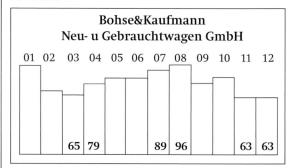

Bohse&Kaufmann
Neu- u Gebrauchtwagen GmbH

01 02 03 04 05 06 07 08 09 10 11 12

65 79   89 96   63 63

Situation 2

PARTNER **B** hat auch nicht alle Zahlen. PARTNER **B** fragt Sie. Antworten Sie so:

Im ... hat die Verkaufszahl ... betragen.
Von ... bis ... ist die Verkaufszahl gleich geblieben / von ... um ... auf ... gestiegen / gefallen.

Datenblatt A5
S. 39 / E

Situation 1

PARTNER **B** hat Fragen zum Porsche Konzern. Antworten Sie PARTNER **B**.

Situation 2

PARTNER **B** hat Informationen zur BASF-Gruppe. Fragen Sie PARTNER **B** und machen Sie Notizen zu folgenden Punkten:

- Branche und Produkte
- Umsatz
- Mitarbeiter
- Unternehmensstruktur und -standorte

Porsche Konzern

Sitz: Stuttgart-Zuffenhausen
Produktion: Stuttgart-Zuffenhausen, Leipzig
Entwicklung: Weissach
Branche: Automobilbau
Produkte: Sport-, Geländewagen

Gesamtumsatz im Jahr 2003/04: 6,36 Mrd.
Mitarbeiter: ca. 11 700 (weltweit)

Unternehmen des Porsche Konzerns (Auswahl)
Inland: Porsche Leipzig GmbH, Leipzig
Porsche Consulting GmbH, Stuttgart
Porsche Financial Services GmbH, Bietigheim-Bissingen
Ausland: Porsche Italia S.p.A., Padua/Italien
Porsche Cars Great Britain Ltd., Reading/England
Porsche Ibérica S.A., Madrid/Spanien
Porsche Cars North America, Inc., Wilmington/USA
Porsche Japan K.K., Tokio/Japan

Datenblatt A6
S. 47 / D

Situation 1

PARTNER **B** bereitet ein Seminar vor. Hat PARTNER **B** alles organisiert? Fragen Sie PARTNER **B**.

Wer schreibt / macht / ... ?
Wer kümmert sich um ...?
Wer achtet auf ...?
Wer ist für ... zuständig?
Wer ist für ... verantwortlich?

- die Einladungen
- das Programm
- die Begrüßung
- die Pausengetränke
- die Unterbringung der Teilnehmer
- den pünktlichen Beginn
- die Einhaltung der Zeiten

Situation 2

Sie müssen eine Dienstreise vorbereiten. PARTNER **B** erkundigt sich nach der Vorbereitung. Antworten Sie PARTNER **B**.

Das macht ...
Darum kümmert sich ...
Darauf achtet ....
Dafür ist / sind ... zuständig.
Dafür ist / sind ... verantwortlich.

- das Reisebüro
- meine Sekretärin
- mein Mann / meine Frau
- ich und die Vertriebsleitung
- unsere Praktikantin
- ich selbst

Datenblatt A 7
S. 53 / D

Situation 1

Wie geht es den Personen? Was haben die Personen? Was fehlt den Personen? Fragen Sie PARTNER **B**.

- Wie geht es Anita Blesch?
- Was fehlt Herrn Fuller?
- Was hat Alex?
- Was für Beschwerden hat Frau Castan?

Situation 2

Wie geht es den Personen? Was haben die Personen? Was fehlt den Personen? Antworten Sie PARTNER **B**.

Sabine

Tom Alber

Martin

Herr Dürr

- sich das Bein gebrochen
- zu viel getrunken, zu wenig geschlafen
- ist schlecht, das Essen nicht bekommen
- Husten, erkältet

Datenblatt A8
S. 55 / E

Situation 1

Sie haben Fragen zum Schweizer Kranken-
versicherungs-System. Fragen Sie PARTNER **B**.

1 Sind die Kinder durch die berufstätigen
   Eltern mitversichert?
2 Welche Prämien und Gebühren muss eine
   dreiköpfige Familie zahlen?
3 Sind durch die Prämien alle Kosten gedeckt?
4 Wie ist man gegen eine sehr lange Krankheit
   mit hohen Kosten gesichert?
5 Wie kann man einen Rabatt bekommen?

Situation 2

PARTNER **B** hat Fragen zur deutschen Krankenversicherung. Suchen Sie die Antworten im Text
und antworten Sie PARTNER **B**.

Fest angestellte Firmen-Mitarbeiter sind Mitglied der
gesetzlichen Krankenversicherung. Sie wählen eine
Krankenversicherung (Krankenkasse). Die monatlichen
Versicherungsbeiträge betragen ca. 14% des
Monatsgehalts. Ca. 7% zahlt der Arbeitgeber, ca. 7% zahlt
der Mitarbeiter. Nicht berufstätige Familienmitglieder sind
mitversichert. Pro Arztbesuch zahlt der Patient eine Gebühr
von 10 Euro (Praxisgebühr). Die Arztrechnung geht direkt
an die Versicherung. Sie übernimmt die Kosten für die
Untersuchung und die Behandlung. Für Medikamente gilt
seit 2004 die Regelung: Je Medikament zahlt der Patient
10%, mindestens aber 5 Euro, höchstens 10 Euro.

Datenblatt A9
S. 65 / C

Situation 1

In der Spedition. Erteilen Sie PARTNER **B**
folgende Arbeitsaufträge:

Bitte ...!
Könnten Sie bitte ...?
Sie sollen bitte ...

- den LKW entladen
- die Lieferung vom Flughafen abholen
- den Tourenplan machen
- den Kleintransporter waschen
- den Sprinter in die Werkstatt bringen
- 3 Paletten Kopierpapier nach Bern bringen

Situation 2

Im Sekretariat: PARTNER **B** erteilt Ihnen
Arbeitsaufträge. Können Sie das erledigen?
Antworten Sie PARTNER **B**.

Ja, das kann ich machen.
Ja, das kann ich machen, wenn ...
Tut mir leid, das kann ich nicht machen, weil ...

Datenblatt A 10
S. 66 / B

Situation 1

Folgende Aufgaben müssen erledigt werden.
Wer soll sie machen? Fragen Sie PARTNER **B**.

Wer soll:
- die Touren planen?
- das Frachtgut vom Bahnhof abholen
- die Ladepapiere fertig machen
- Firma Kögel benachrichtigen
- das Angebot für Hotel Clarissa schreiben
- mit dem Kunden sprechen

Situation 2

PARTNER **B** möchte, dass mehrere Aufgaben
erledigt werden. Aber Sie haben die Aufgaben
schon machen lassen. Wen haben Sie die
machen lassen? Antworten Sie PARTNER **B**.

- Herrn Wehmeyer
- zwei Mitarbeiter
- Herrn Kunz mit dem Transporter
- Frau Scholz
- unseren Service-Mann
- unsere Vertragswerkstatt

Antworten Sie so:
Den Transporter habe ich schon Herrn
Wehmeyer abholen lassen.

Datenblatt A11
S. 69 / D

Situation 1

Sie müssen neun Tonnen Stahlblech nach München bringen. Wie sollen Sie das machen? Lassen Sie sich von PARTNER **B** beraten.

Wie sollen wir die neun Tonnen Stahlblech nach München bringen?

Und wenn:
* die 5-Tonner nicht da sind?
* der Kunde die Lieferung schon am Vormittag erwartet?
* die Fahrt länger als zehn Stunden dauert?
* wir die Fahrzeuge am nächsten Tag brauchen?
* wir Verspätung haben?

Situation 2

PARTNER **B** sucht neue Kunden, aber seine Bemühungen waren nicht erfolgreich. Was hätten Sie an seiner Stelle gemacht. Beraten Sie PARTNER **B**.

* Ich wäre auf die Messe gefahren.
* Dann hätte / wäre ich ...
  – Prospekte verschicken
  – eine E-Mail schicken
  – anrufen
  – zuständigen Mitarbeiter ermitteln
  – persönlichen Brief schreiben
  – einen Gesprächstermin vorschlagen
  – hinfahren

Datenblatt A12
S. 79 / C

Situation 1

PARTNER **B** ist Ihr Lieferant. Bitten Sie PARTNER **B** um Informationen.

Können Sie mir bitte sagen, ...
Ich möchte noch wissen, ...

* kann er liefern?
* wie viel?
* in welcher Qualität?
* bis wann?
* Extrakosten für Fracht?
* höherer Preis als bei der letzten Lieferung?

Situation 2

Sie sind Kunde von PARTNER **B**. PARTNER **B** braucht von Ihnen Informationen. Antworten Sie PARTNER **B**.

* ja
* BMC 201
* 500 Stück
* so schnell wie möglich
* in unser Lager, Industriestraße 52
* nein, danke. Im Moment nicht.

Datenblatt A 13
S. 81 / D

Situation 1

Sie sind Mitglied der Projektgruppe zur Modernisierung des betrieblichen Computernetzwerks. PARTNER **B** will wissen, was die Gruppe geplant / besprochen / vorgeschlagen hat. Antworten Sie PARTNER **B**.

Wir haben geplant / besprochen / vorgeschlagen, dass ... / ... zu ...

* alle Geräte austauschen
* aktuelle Programme kaufen
* Lieferant kümmert sich um Datenübertragung
* mindestens zwei Geräte pro Abteilung
* Softwareberater weist Mitarbeiter ein
* Beleuchtung verbessern

Situation 2

PARTNER **B** hat den Liefervertrag über das neue Computernetzwerk verhandelt. Fragen Sie PARTNER **B**, was im Vertrag steht.

Was habt ihr / haben Sie zu ... festgelegt / vereinbart / beschlossen?

* zum Gegenstand
* zur Vertragsdauer
* zum Liefertermin
* zum Vertragsende
* zur Zahlungsweise
* zum Service

Datenblatt A14

S. 83 / D

Situation 1

Sie sind für die Anschaffung der neuen Arbeitskleidung zuständig. Teilen Sie PARTNER **B** mit, was Sie planen, und beantworten Sie die Fragen von PARTNER **B** nach dem Zweck der Maßnahmen.

Wir haben beschlossen:
- einheitliche Kleidung für die Mitarbeiter anschaffen
- damit eine Spezialfirma beauftragen
- das Firmenlogo anbringen
- die Mitarbeiter sollen Namensschilder tragen
- Sammelschränke aufstellen
- die Mitarbeiter in der Fertigung bekommen Overalls

um … zu … / damit …:
- unser positives Firmenimage unterstützen
- Kosten sparen
- unsere Corporate Identity verbessern
- persönlichen Kontakt zu den Kunden herstellen
- der Austausch der Garnituren funktioniert
- die Arbeitskleidung bequemes Arbeiten ermöglicht

Situation 2

PARTNER **B** ist für die neue Organisation des Teilelagers zuständig. PARTNER **B** informiert Sie über die Maßnahmen, die er plant. Fragen Sie PARTNER **B** nach dem Zweck der Maßnahmen: Wozu …? Hören Sie die Antworten von PARTNER **B** und kommentieren Sie sie kurz: Aha. / Gut. / Ja, klar. / …

Datenblatt A15

S. 101 / D

Situation

Ihr Unternehmen möchte Sie als Führungskraft aufbauen. Bei einem Seminar über Führung und Zusammenarbeit vergleichen Sie mit PARTNER **B**, einer Kollegin / einem Kollegen aus einem anderen Unternehmen, die jeweiligen Beurteilungssysteme. Fragen Sie nach dem Beurteilungssystem im Unternehmen von PARTNER **B** und antworten Sie auf die Fragen von PARTNER **B** anhand folgender Informationen.

Regelbeurteilung – wie oft?	1 x pro Jahr
Beurteilungsbogen: wie viele Bewertungskriterien?	8, für Führungskräfte 10
Beurteilungsskala? Stufen in der Skala?	nein, Beurteilung muss formuliert werden
Wie wird die Beurteilung erstellt?	Gespräch: Vorgesetzter mit Mitarbeiter, beide unterschreiben
Wer noch beteiligt?	Personalabteilung, Personalleiter muss abzeichnen
Zielvereinbarungen?	Zielvereinbarungen jedes Quartal mit allen Mitarbeitern, je nach Arbeitsplatz Ziele für einzelnen Mitarbeiter oder für Team
Bonus für Zielerreichung?	bei Zielerreichung 10% des Jahresgehalts

Datenblatt A16
S. 102 / B

Situation 1

Sie sind neu bei der Firma. In der Kantine treffen Sie PARTNER **B**, eine neue Kollegin / einen neuen Kollegen. Stellen Sie sich PARTNER **B** vor. Fragen Sie PARTNER **B** nach seiner Arbeit und nach einigen Arbeitsbedingungen in der Firma.

Fangen Sie das Gespräch so an:
Entschuldigung, ist hier noch frei? Ich bin hier neu. Ich arbeite in der Entwicklungsabteilung. In welcher Abteilung arbeiten Sie?

Fragepunkte:
- Abteilung?
- Zuständigkeiten?
- Arbeitszeit?
- Schichtarbeit?
- Menge und Bezahlung von Überstunden?
- Zahl der Urlaubstage?
- Prämien?
- Weihnachtsgeld und Urlaubsgeld?

Situation 2

In der Kantine stellt sich Ihnen PARTNER **B**, eine neue Kollegin / ein neuer Kollege vor. PARTNER **B** stellt Ihnen Fragen zu Ihrer Arbeit und zur Firma. Antworten Sie auf die Fragen von PARTNER **B** mithilfe folgender Informationen.

- Abteilung: Entwicklung
- Zuständigkeiten: Projektmanagement und -controlling
- wöchentliche Arbeitszeit: 39 Stunden
- keine Schichtarbeit, gleitende Arbeitszeit – Kernarbeitszeit von 9.00–15.30 Uhr
- viele Überstunden, pro Monat werden aber maximal 25 Überstunden bezahlt
- 30 Tage Urlaub
- Prämien: bei Zielerfüllung des Teams ein halbes Monatsgehalt
- kein Weihnachtsgeld oder Urlaubsgeld, sondern ein 13. Monatsgehalt

Datenblatt A17
S. 113 / D

Situation 1

Sie besprechen mit PARTNER **B** die Vertriebs- und Marketingziele für das nächste Geschäftsjahr. Machen Sie PARTNER **B** Vorschläge.

- Könnten wir nicht ...?
- Wie wäre es, wenn wir ... würden?
- Ich schlage vor, ... zu ...

- Preise erhöhen
- Kosten senken
- Sortiment erweitern
- Service verbessern
- neue Märkte erschließen
- Absatz steigern
- Rabatte anbieten

um ... zu ...
- den Umsatz erhöhen
- Marktchancen verbessern
- neue Kunden gewinnen
- Altkunden halten

Situation 2

In der Fertigung sind die Kosten zu hoch, die Produktivität ist niedrig und die Qualität ist schlechter geworden. PARTNER **B** macht Vorschläge, um die Probleme zu lösen. Hören Sie sich die Vorschläge an und sagen Sie PARTNER **B**, was Sie von den Vorschlägen halten.
So können Sie Ihre Meinung ausdrücken.

Ich denke / meine / glaube auch, dass ...
Ich glaube nicht, dass wir ... würden, wenn wir ... würden.
Ich bin für / gegen ..., weil ...
Ich bin auch dafür / dagegen, ... zu ..., weil ...
Ich bin dafür / dagegen, dass ..., weil ...

Fragen Sie nach, wenn Sie PARTNER **B** nicht verstanden haben.

Datenblatt A18
S. 115 / C

Situation 1

Sie sind Kunde von PARTNER **B** und führen mit PARTNER **B** Verkaufsverhandlungen. Erkundigen Sie sich bei PARTNER **B** nach den Zahlungs- und Lieferbedingungen. Formulieren Sie Fragen.

- Lieferung frei Haus?
- Garantie?
- Lieferzeiten?
- bei welcher Liefermenge Mengenrabatt?
- Skonto?
- Wunsch: großzügiges Zahlungsziel

Situation 2

PARTNER **B** ist Ihr Lieferant. PARTNER **B** erkundigt sich nach Ihren Wünschen und Absichten. Antworten Sie PARTNER **B**. Welches Stichwort passt? Formulieren Sie vollständige Antworten.

- mindestens 2 000 Stück
- Zahlung innerhalb der Skontofrist
- in der 26. Kalenderwoche
- 5 % Rabatt
- Produktinformationen, Einweisung des Verkaufspersonals

Datenblatt A 19
S. 129 / E

Situation 1

Sie sind Frau / Herr Schumacher und arbeiten bei der Firma Kast Elektrik in Ulm. Sie haben PARTNER **B**, Frau / Herrn Weiß aus Augsburg, auf der letzten Messe kennen gelernt und PARTNER **B** einen Katalog geschickt. Sie möchten in der nächsten Woche einen ersten Besuch bei PARTNER **B** machen. Sehen Sie sich Ihren Terminkalender unten an und rufen Sie dann PARTNER **B** an, um einen Termin zu vereinbaren.

JUNI	24. Woche
Montag **12**	9.30 Besprechung mit dem Betriebsleiter 14.15 Herrn Blau vom Bahnhof abholen
Dienstag **13**	9.00–13.00 Kundenbesuche in München Frau Rees anrufen! Theaterkarten für Samstag bestellen
Mittwoch **14**	Düsseldorf: Messe ↓
Donnerstag **15**	Verkaufsberichte schreiben! 11.00 Besprechung mit Frau Dr. Jung (Handelskammer) 12.30 Mittagessen mit Herrn Schmidt
Freitag **16**	Termine für 28. Woche vereinbaren! 15.20 Flug von München nach Paris

Situation 2

Einen Tag nachdem Sie mit PARTNER **B**, Frau / Herrn Weiß, einen Termin ausgemacht haben, ruft PARTNER **B** zurück, weil PARTNER **B** den Termin nicht einhalten kann. Vereinbaren Sie mit PARTNER **B** einen neuen Termin in der gleichen Woche.

Datenblatt A20
S. 141 / D

Situation 1

Das Unternehmen von PARTNER **B** hat sich gerade an einer Messe beteiligt. Das interessiert Sie. Fragen Sie PARTNER **B** nach der Messe-Organisation.

Wer hat das gemacht?
- Auswahl der Messe
- Festlegung der Messeziele
- Buchung des Messestands
- Zusammenstellung des Messeteams
- Organisation des Standdiensts
- Auswertung der Messekontakte

Situation 2

Ihre Firma hat gerade eine neue Windkraftanlage entwickelt und aufgestellt. PARTNER **B** interessiert sich dafür, wer für die verschiedenen Aufgaben zuständig war. Antworten Sie PARTNER A.

- Der ist von der Marketingabteilung untersucht worden.
- ... ist von der Entwicklungsabteilung ...
- ... auch von der Entwicklungsabteilung ...
- ... von unserer Qualitätssicherung ...
- ... von einem Unternehmen für Spezialtransporte ...
- ... von einem Montageunternehmen, das wir beauftragt haben ...

Datenblatt A 21
S. 145 / D

Situation 1

Sie erwarten eine Lieferung von PARTNER **B**. Aber die Lieferung ist noch nicht angekommen. Was ist mit der Lieferung passiert? Fragen Sie PARTNER **B**.

Glauben Sie, dass die Ware ...?
Sind Sie sicher, dass die Ware ...?

- pünktlich bereitgestellt
- rechtzeitig abgeholt
- im Hafen angekommen
- dort nicht liegen geblieben
- zum Bestimmungsort unterwegs
- schon am Bestimmungsort ausgeladen

Situation 2

Der Drucker im Büro von PARTNER **B** funktioniert nicht. PARTNER **B** bittet um Ihren Rat. Was vermuten, was meinen Sie? Antworten Sie PARTNER **B**.

- Ja, ... könnte / dürfte ...
- Nein, ich glaube nicht, dass ...

Datenblatt A22

S. 161 / C

Situation

Der folgende Lebenslauf hat Lücken. Fragen Sie Ihren PARTNER **B** nach den entsprechenden Informationen und antworten Sie PARTNER **B**.

Fragen Sie z.B.:
- Welche Staatsangehörigkeit hat Stefan Schwing?
- Was für eine Schule besuchte Stefan Schwing ab 1982?
- Wann hat Stefan Schwing seine Berufsausbildung abgeschlossen?
- Wo und als was hat Stefan Schwing von 1995 bis 2000 gearbeitet?
- Seit wann ...?

ANGABEN ZUR PERSON

Name	Schwing, Stefan
Adresse	_____
Telefon	(0049-690) 45 92 065
Fax	(0049-690) 45 92 064
E-Mail	_____
Staatsangehörigkeit	_____
Geburtsdatum und -ort	08.07.1972, Aschaffenburg

SCHUL- UND BERUFSBILDUNG

1978–1982	Grundschule
1982–1988	_____
_____	Berufsausbildung zum Raumausstatter bei Einrichtungshaus Grün, Neuwied Abschluss: Gesellenprüfung
1996–1998	Fortbildung zum Raumausstattermeister bei der Handwerkskammer Koblenz Abschluss: Meisterprüfung zum Raumausstattermeister

BERUFSERFAHRUNG

01.07.1992–31.05.1995	Tätigkeit als Raumausstatter bei Einrichtungshaus Grün, Neuwied (Schwerpunkte: Verlegen von Bodenbelägen, Anbringen von Wand- und Deckenbekleidungen, Anfertigen von Polstermöbeln)
01.06.1995–31.03.2000	_____
01.04.2000–30.07.2000	Tätigkeit als Raumausstatter bei Möbel Danskes, Kopenhagen, Dänemark (Schwerpunkte: Entwurf und Anfertigung von Dekorationen)
_____	Leiter des Heimtex-Studios der Fa. Möbel Meyer, Frankfurt a. M.

PERSÖNLICHE FÄHIGKEITEN UND KOMPETENZEN

FREMDSPRACHEN	ENGLISCH • _____ • _____ • _____
	FRANZÖSISCH UND ITALIENISCH • Lesen gut • Schreiben Grundkenntnisse • Sprechen Grundkenntnisse
SOZIALE FÄHIGKEITEN UND KOMPETENZEN	_____
ORGANISATORISCHE FÄHIGKEITEN UND KOMPETENZEN	Geduld, Ausdauer, Teamgeist erworben u. a. beim Fußballspiel und im Radsport
IKT-FÄHIGKEITEN UND KOMPETENZEN	_____
FÜHRERSCHEIN(E)	Klasse B

Datenblätter für Partner B

Datenblatt B1
S. 15 / D

Situation 1

Sie arbeiten an der Hotelrezeption. PARTNER **A** ist Gast in dem Hotel. PARTNER **A** teilt Ihnen mit: Was ist los? Was ist passiert? Antworten Sie PARTNER **A** mithilfe der Stichwörter.

- sich um ein Taxi kümmern
- sich geirrt haben
- den Zimmerservice informieren
- Zimmer noch frei
- den Weg zeigen

Situation 2

Sie sind Gast in einem Hotel. PARTNER **A** arbeitet an der Hotelrezeption. Sie teilen PARTNER **A** mit: Was ist los? Was ist passiert?

- Sie möchten ins Theater gehen.
- Die Koffer sind noch nicht da.
- Das Zimmer ist zu laut.
- Im Bad funktioniert das warme Wasser nicht.
- Sie kennen den Weg zur Kunsthalle nicht.

Datenblatt B2
S. 16 / B

Situation 1

Sie planen mit PARTNER **A** die Tagesordnung für eine Vertriebskonferenz. PARTNER **A** bittet Sie um Angaben für die Zeitplanung. Antworten Sie PARTNER **A**. Benutzen Sie die Notizen unten.

10.00	Teilnehmer begrüßen
10.15–10.45	Bericht Abteilungsleiter
10.45–11.15	Bericht diskutieren
11.15–11.30	neuen Prospekt besprechen
11.30–12.00	Marketingplan überprüfen
12.00–13.00	Werbung für die neuen Produkte planen
13.00	gemeinsames Mittagessen

Antworten Sie so:
Um 10.00 Uhr begrüßen wie die Teilnehmer.

Situation 2

Sie erwarten Besucher zu einer Betriebsbesichtigung. Mit PARTNER **A** bereiten Sie den Besuch vor. Fragen Sie PARTNER **A**.

Wie lange dauern die folgenden Punkte, wann sollen sie stattfinden?
_____ Begrüßung der Gruppe
_____ Führung durch das Entwicklungslabor
_____ Präsentation der neuen Produkte
_____ Besichtigung der Fertigung
_____ Abschlussdiskussion
_____ Übergabe des Informationsmaterials
_____ Verabschiedung der Besucher

Fragen Sie so:
Wie lange dauert die Begrüßung der Besuchergruppe, wann soll sie stattfinden? Notieren Sie die Uhrzeiten. Überprüfen Sie am Ende Ihren Plan mit PARTNER **A**.

Datenblatt B3
S. 19 / D

Situation 1

Sie haben am Besuchsprogramm der Firma B&T Business Tours teilgenommen. PARTNER **A** fragt Sie nach Ihrer Meinung.

	-	+/-	+
Goethe-Haus			✓
Historisches Museum		✓	
Stadtführung	✓		
gemeinsames Mittagessen		✓	
Firmenbesichtigung			✓

- nicht so gut   +/- ganz gut   + sehr zufrieden

Antworten Sie PARTNER **A** so:
Diesen Programmpunkt fand ich ...
Mit dem Programmpunkt ... war ich ...
Dieser Programmpunkt hat mir ...

Situation 2

PARTNER **A** hat am Besuchsprogramm der Firma B&T Business Touring teilgenommen. Fragen Sie PARTNER **A** nach dem Programm.

Wie fanden Sie ...?
Wie waren Sie mit ... zufrieden?
Wie hat Ihnen ... gefallen?

- Stadtführung
- Besichtigung des Römers
- Besuch der Börse
- Besuch der Labors von der Medisan AG
- Fahrt nach Heidelberg

Datenblatt B4
S. 33 / E

Situation 1

PARTNER **A** braucht die Verkaufszahlen bei Bohse & Kaufmann von Januar bis Dezember in Stück. PARTNER **A** hat nicht alle Zahlen. PARTNER **A** fragt Sie. Antworten Sie so:

Im ... hat die Verkaufszahl ... betragen.
Von ... bis ... ist die Verkaufszahl gleich geblieben / von ... um ... auf ... gestiegen / gefallen.

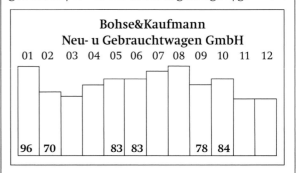

Bohse&Kaufmann
Neu- u Gebrauchtwagen GmbH

01 02 03 04 05 06 07 08 09 10 11 12

| 96 | 70 | | | 83 | 83 | | | 78 | 84 | | |

Situation 2

Ihnen fehlen auch Einige Zahlen. Fragen Sie PARTNER **A**.

Wie hoch war die Verkaufszahl im ...?
Wie haben sich die Verkaufszahlen von ... bis ... entwickelt?

Datenblatt B5
S. 39 / E

Situation 1

PARTNER **A** hat Informationen zum Porsche Konzern. Fragen Sie PARTNER **A** und machen Sie Notizen zu folgenden Punkten:

- Branche und Produkte
- Umsatz
- Mitarbeiter
- Unternehmensstruktur und -standorte

Situation 2

PARTNER **A** hat Fragen zur BASF-Gruppe. Antworten Sie PARTNER **A**.

BASF-Gruppe

Sitz: Ludwigshafen
Produktbereiche: Erdgas, Öl, Chemikalien, Petrochemikalien, Kunststoffe, Pflanzenschutz und Ernährung, Bio- und Gentechnologie

wichtige Produkte: – Kunststoffe: 10,5 Mrd.
– Veredelungsprodukte: 8 Mrd.
– Chemikalien: 7 Mrd.
– Öl u. Gas: 5,3 Mrd.
– Pflanzenschutz u. Ernährung: 5,1 Mrd.

Gesamtumsatz im Jahr 2004: 37,5 Mrd.

Regionen: – Europa: 21 Mrd. (55,9 %)
– Nordamerika: 8, 2 Mrd. (21,8 %)
– Südamerika: 2,1 Mrd. (5,5 %)
– Asien: 6,3 Mrd. (16,8 %)

Bedeutende Standorte: Antwerpen (Belgien), Tarragona (Spanien), Freeport (USA), Altamira (Mexiko), Guarantiguetá (Brasilien), Shanghai (China), Yokkaichi (Japan), Ulsan (Korea), Kuantan (Malaysia)

Datenblatt B6
S. 47 / D

Situation 1

Sie sind für die Vorbereitung eines Seminars zuständig. PARTNER **A** erkundigt sich nach der Vorbereitung. Antworten Sie PARTNER **A**.

Das macht ...
Darum kümmert sich ...
Darauf achtet ....
Dafür ist / sind ... zuständig.
Dafür ist / sind ... verantwortlich.

• Frau Probst
• der Seminarleiter
• der Geschäftsführer
• der Haumeister
• Herr Schulz
• die Teilnehmer selbst

Situation 2

Ihr Partner bereitet eine Dienstreise vor. Hat PARTNER **A** alles organisiert? Fragen Sie PARTNER **A**.

Wer besorgt / macht / ... ?
Wer kümmert sich um ...?
Wer achtet auf ...?
Wer ist für ... zuständig?
Wer ist für ... verantwortlich?

• das Flugticket
• die Zimmerreservierung
• die pünktliche Abfahrt
• die Gesprächstermine
• das Taxi zum Flughafen
• das Gepäck

Datenblatt B7
S. 53 / D

Situation 1

Wie geht es den Personen? Was haben die Personen? Was fehlt den Personen? Antworten Sie PARTNER **A**.

Anita Blesch   Herr Fuller

Alex   Frau Castan

• nicht gut, Kopfschmerzen
• tut Bauch weh
• Fieber
• Zahnschmerzen

Situation 2

Wie geht es den Personen? Was haben die Personen? Was fehlt den Personen? Fragen Sie PARTNER **A**.

• Was fehlt Sabine?
• Wie geht es Tom Alber?
• Was hat Martin?
• Geht es Herrn Dürr nicht gut?

Datenblatt B8
S. 55 / E

Situation 1

PARTNER **A** hat Fragen zur Schweizer Krankenversicherung. Suchen Sie die Antworten im Text
und antworten Sie PARTNER **A**.

Jeder Schweizer muss eine Krankenversicherung haben
– auch die Kinder. Das ist das so genannte Obligatorium.
Jeder zahlt eine feste Kopfprämie. Für Familien bieten die
Krankenkassen Pakete an. Für Familie Egli sind das mit
einem Kind 540 Franken pro Monat. Dazu kommt noch
eine Gebühr, die Franchise, von 300 Franken jährlich je
Versichertem und 10 % der tatsächlichen Kosten, aber
höchstens 750 Franken pro Erwachsenen bzw. 350 Euro pro
Kind. Familie Egli bekommt einen Rabatt auf die monatliche
Prämie, weil sie ihre Ärzte nicht frei wählt, sondern immer in
eine Gruppenpraxis geht.

Situation 2

Sie haben Fragen zum deutschen Kranken-
versicherungs-System. Fragen Sie PARTNER **A**.

1 Ist die ganze Familie durch die gesetzliche
  Krankenversicherung versichert?
2 Wer zahlt die Versicherungsbeiträge?
3 Wie hoch ist die Versicherungsprämie?
4 Welche Kosten trägt der Versicherte
  außerdem?
5 Wer bekommt die Arztrechnung?

Datenblatt B9
S. 65 / C

Situation 1

In der Spedition: PARTNER **A** erteilt Ihnen
Arbeitsaufträge. Können Sie das erledigen?
Antworten Sie PARTNER **A**.

Ja, das kann ich machen.
Ja, das kann ich machen, wenn ...
Tut mir leid, das kann ich nicht machen, weil ...

Situation 2

Im Sekretariat: Erteilen Sie PARTNER **A**
folgende Arbeitsaufträge:

Bitte ...!
Könnten Sie bitte ...?
Sie sollen bitte ...

• die Besprechung vorbereiten
• den Konferenzraum reservieren
• die zuständigen Mitarbeiter einladen
• die Tagesordnung mitteilen
• die Unterlagen zusammenstellen
• das Protokoll schreiben

Datenblatt B10
S. 66 / B

Situation 1

Partner **A** möchte, dass mehrere Aufgaben
erledigt werden. Aber Sie lassen die Aufgaben
schon machen. Wen lassen Sie die machen?
Antworten Sie PARTNER **A**.

• die Mitarbeiter in der Disposition
• den Fahrer, Herrn Kruse
• das Sekretariat
• die Praktikantin
• die Auftragsabteilung
• Kollegen Maurer

Antworten Sie so:
Die Touren lasse ich die Mitarbeiter in der
Disposition planen.

Situation 2

Wann werden folgende Aufgaben endlich
gemacht? Fragen Sie PARTNER **A**.

• den Transporter vom Kundendienst holen.
• das Lager in Ordnung bringen
• die Lieferung nach Stuttgart bringen
• den neuen Mitarbeiter einweisen
• die Fahrzeuge überprüfen
• den 12-Tonner reparieren

Fragen Sie so:
Wann wird endlich der Transporter vom
Kundendienst abgeholt?

Datenblatt B11
S. 69 / D

Situation 1

PARTNER **A** bittet Sie um Rat: Wie kann man neun Tonnen Stahlblech am besten nach München bringen? Beraten Sie PARTNER **A**. Wie würden Sie das machen?

Ich würde:
- zwei 5-Tonner nehmen.
- dann mit dem 12-Tonner fahren
- dann sehr früh losfahren
- dann erst am nächsten Tag zurückfahren
- dann zwei Fahrer fahren lassen
- dann Kunden rechtzeitig informieren

Situation 2

Sie suchen neue Kunden. Ihre Bemühungen waren aber nicht erfolgreich. Lassen Sie sich von PARTNER **A** beraten.

- Ich finde keine neuen Kunden. Was kann ich tun?
- Das habe ich gemacht. Aber ich habe keinen passenden Interessenten gefunden.
- Das habe ich auch gemacht, aber ...
  - eine Reaktion
  - keine Antwort
  - niemand erreicht
  - kein Interesse
  - ...
- Gut, das mache ich.

Datenblatt B12
S. 79 / C

Situation 1

Sie sind Lieferant von PARTNER **A**. PARTNER **A** braucht von Ihnen Informationen, antworten Sie PARTNER **A**.

- ja
- jede gewünschte Menge
- Güteklasse A, B und C
- sofort
- nein, Lieferung frei Haus
- ja, Preis um 1 Prozent erhöht

Situation 2

PARTNER **A** ist Ihr Kunde. Bitten Sie PARTNER **A** um Informationen.

Können Sie mir bitte sagen, ...
Ich möchte noch wissen, ...

- möchte Kunde bestellen?
- was?
- welche Liefermenge?
- wann?
- wohin?
- weitere Wünsche?

Datenblatt B13
S. 81 / D

Situation 1

Die Projektgruppe zur Modernisierung des betrieblichen Computernetzwerks hat getagt. Sie möchten wissen, was die Gruppe geplant / besprochen / vorgeschlagen hat. Fragen Sie PARTNER **A**.

Was habt ihr / haben Sie zu ... geplant / besprochen / vorgeschlagen?
- zur Hardware
- zur Software
- zur Datenübertragung
- zum Lieferumfang
- zur Einweisung der Mitarbeiter
- zur Gestaltung der Arbeitsplätze

Situation 2

Sie haben den Liefervertrag über das neue Computernetzwerk verhandelt. PARTNER **A** möchte wissen, was im Liefervertrag steht. Antworten Sie PARTNER **A**.

Wir haben geplant / besprochen / vorgeschlagen, dass ... / ... zu ...

- 20 PC leasen
- Geräte für vier Jahre leasen
- Lieferung erfolgt am 15. August
- nach vier Jahren neu verhandeln
- Leasingraten vierteljährlich überweisen
- Lieferant behebt alle Schäden

Datenblatt B14

S. 83 / D

Situation 1

PARTNER **A** ist für die Anschaffung der neuen Arbeitskleidung zuständig. PARTNER **A** informiert Sie über die Maßnahmen, die er plant. Fragen Sie PARTNER **A** nach dem Zweck der Maßnahmen: Wozu ...?

Hören Sie die Antworten von PARTNER **A** und kommentieren Sie sie kurz: Aha. / Gut. / Ja, klar. / ...

Situation 2

Sie sind für die neue Organisation des Teilelagers zuständig. Teilen Sie PARTNER **A** mit, was Sie planen, und beantworten Sie die Fragen von PARTNER **A** nach dem Zweck der Maßnahmen.

Wir planen / schlagen vor:
- das Lager um 50 Quadratmeter erweitern
- die Teile nach Größe sortieren
- große und schwere Teile in der Nähe der Teileausgabe lagern
- alle Teile nummerieren
- Bestellungen sofort in die Lager-EDV eingeben
- die Lager-EDV ans Intranet anschließen

um ... zu ... / damit ...
- das Material besser unterbringen
- den Platz besser nutzen
- den Transport und die Ausgabe erleichtern
- die Aufträge schneller erledigen
- die Lagerbestände besser kontrollieren können
- die Abteilungen Aufträge übers Intranet erteilen können

Datenblatt B15

S. 101 / D

Situation

Ihr Unternehmen möchte Sie als Führungskraft aufbauen. Bei einem Seminar über Führung und Zusammenarbeit vergleichen Sie mit PARTNER **A**, einer Kollegin / einem Kollegen aus einem anderen Unternehmen, die jeweiligen Beurteilungssysteme. Fragen Sie nach dem Beurteilungssystem im Unternehmen von PARTNER **A** und antworten Sie auf die Fragen von PARTNER **A** anhand folgender Informationen.

Regelbeurteilung – wie oft?	alle 2 Jahre
Beurteilungsbogen: wie viele Bewertungskriterien?	9, für Führungskräfte mehr, unbekannt wie viele genau
Beurteilungsskala? Stufen in der Skala?	ja, 5 Stufen, von *erfüllt die Anforderungen im Wesentlichen nicht* bis *übertrifft die Anforderungen in außergewöhnlichem Maße*
Wie wird die Beurteilung erstellt?	Gespräch: Vorgesetzter mit Mitarbeiter
Wer noch beteiligt?	nächsthöhere Führungskraft muss unterschreiben, dann zur Personalabteilung
Zielvereinbarungen?	ja, aber nur bis Ebene Gruppenleiter, also nur Führungskräfte, für Mitarbeiter keine konkreten Ziele, nur Festlegungen zur Weiterbildung
Bonus für Zielerreichung?	keine Informationen

Datenblatt B16

S. 102 / B

Situation 1

In der Kantine stellt sich Ihnen PARTNER **Ⓐ**, eine neue Kollegin / ein neuer Kollege, vor. PARTNER **Ⓐ** stellt Ihnen Fragen zu Ihrer Arbeit und zur Firma. Antworten Sie auf die Fragen von PARTNER **Ⓐ** mithilfe folgender Informationen.

- Abteilung: Fertigung/Montage
- Zuständigkeiten: Warten und Instandhalten der Fertigungsanlagen
- wöchentliche Arbeitszeit seit Jahresbeginn von 38 auf 40 Stunden erhöht
- zwei Schichten: 6.00–14.30 Uhr/14.30–23.00 Uhr
- manchmal (ca. zweimal im Vierteljahr) Sonderschichten am Wochenende, 8 Stunden, voll bezahlt
- 28 Tage Urlaub
- keine Prämien
- Weihnachtsgeld und Urlaubsgeld, jeweils ein halber Monatslohn

Situation 2

Sie sind neu bei der Firma. In der Kantine treffen Sie PARTNER **Ⓐ**, eine neue Kollegin / einen neuen Kollegen. Stellen Sie sich PARTNER **Ⓐ** vor. Fragen Sie PARTNER **Ⓐ** nach seiner Arbeit und nach einigen Arbeitsbedingungen in der Firma.

Fangen Sie das Gespräch so an:
Entschuldigung, ist hier noch frei? Ich bin hier neu. Ich arbeite in der Fertigung. In welcher Abteilung arbeiten Sie?

Fragepunkte:
- Abteilung?
- Zuständigkeiten?
- Arbeitszeit?
- Schichtarbeit?
- Menge und Bezahlung von Überstunden?
- Zahl der Urlaubstage?
- Prämien?
- Weihnachtsgeld und Urlaubsgeld?

Datenblatt B17

S. 113 / D

Situation 1

Sie besprechen mit PARTNER **Ⓐ** die Vertriebs- und Marketingziele für das nächste Geschäftsjahr. PARTNER **Ⓐ** macht Vorschläge. Hören Sie sich die Vorschläge an und sagen Sie PARTNER **Ⓐ**, was Sie von den Vorschlägen halten.
So können Sie Ihre Meinung ausdrücken.

Ich denke / meine / glaube auch, dass ...
Ich glaube nicht, dass wir ... würden, wenn wir ... würden.
Ich bin für / gegen ..., weil ...
Ich bin auch dafür / dagegen, ... zu ..., weil ...
Ich bin dafür / dagegen, dass ..., weil ...

Fragen Sie nach, wenn Sie PARTNER **Ⓐ** nicht verstanden haben.

Situation 2

In der Fertigung sind die Kosten zu hoch, die Produktivität ist niedrig und die Qualität ist schlechter geworden. Machen Sie PARTNER **Ⓐ** Vorschläge, um die Probleme zu lösen.

- Könnten wir nicht ...?
- Wie wäre es, wenn wir ... würden?
- Ich schlage vor, ... zu ...

- neue Maschinen installieren
- mehr Personal einstellen
- Mitarbeiter fortbilden
- besseres Material verwenden
- Qualitätssicherung stärken
- Teamarbeit einführen
- Arbeitsklima verbessern

um ... zu ...
- die Kosten senken
- die Produktivität steigern
- die Qualität verbessern
- die Arbeitsabläufe verbessern

Datenblatt B18
S. 115 / C

Situation 1

PARTNER **A** ist Ihr Kunde. PARTNER **A** erkundigt sich bei Ihnen nach den Zahlungs- und Lieferbedingungen. Antworten Sie PARTNER **A**. Welches Stichwort passt? Formulieren Sie vollständige Antworten.

- vier Monate nach Erhalt der Ware
- 5 % bei Abnahme von mindestens 1 500 Stück
- drei Jahre auf alle Modelle
- Frachtpauschale von 5 % des Warenwerts
- 2 % bei Zahlung innerhalb von 14 Tagen
- zehn Tage ab Eingang der Bestellung

Situation 2

Sie beliefern PARTNER **A**. Erkundigen Sie sich nach den Wünschen und Absichten von PARTNER **A**. Formulieren Sie Fragen.

- mit dem Preis einverstanden?
- Zahlungsziel?
- Zusatzleistungen?
- Liefermenge?
- Liefertermin?

Datenblatt B19
S. 129 / E

Situation 1

Sie sind Frau / Herr Weiß und haben PARTNER **A**, Frau / Herrn Schumacher, auf der letzten Messe am Stand der Firma Kast Elektrik aus Ulm kennen gelernt. PARTNER **A** hat Ihnen einen Katalog geschickt. PARTNER **A** ruft Sie an, weil er nächste Woche einen Besuch bei Ihnen in Augsburg machen möchte. Sehen Sie sich Ihren Terminkalender unten an und vereinbaren Sie mit PARTNER **A** einen Termin.

JUNI	24. Woche
Montag **12**	11.30 Besprechung mit Produktionsleiter: Lieferung der neuen Maschine an Blinn KG
Dienstag **13**	14.00–17.00 Besprechung bei Gaida, Frankfurt
Mittwoch **14**	9.00 Vorstandssitzung 16.30 Zahnarzt Peter Geburtstag!
Donnerstag **15**	9.00–12.00 Betriebsrundgang (Fa. Schickel) Mittagessen mit Frau Reiter Bericht über Gaida-Projekt schreiben
Freitag **16**	Eva anrufen! Blumen besorgen! 14.00 Sitzung der Betriebsleitung

Situation 2

Sie können den Termin leider nicht einhalten. Es ist etwas dazwischengekommen. Rufen Sie PARTNER **A**, Frau / Herrn Schumacher, an und vereinbaren Sie mit PARTNER **A** einen neuen Termin in der gleichen Woche.

Datenblatt B20

S. 141 / D

Situation 1

Ihre Firma hat sich gerade an einer Messe beteiligt. PARTNER **A** erkundigt sich nach Ihren Erfahrungen. Antworten Sie PARTNER **A**.

- Die ist vom Marketing ausgewählt worden.
- ... sind von der Geschäftsführung ...
- ... vom Vertrieb ...
- ... von der Personalabteilung ...
- ... vom Leiter des Messeteams ...
- ... vom Vertrieb ...

Situation 2

Das Unternehmen von PARTNER **A** hat vor kurzem eine neue, sehr leistungsstarke Windkraftanlage entwickelt und aufgestellt. Das interessierte Sie. Fragen Sie PARTNER **A**, wer für die verschiedenen Aufgaben zuständig war.

- Untersuchung des Bedarfs für eine so große Anlage?
- Konstruktion der Kraftübertragung?
- Durchführung der Testläufe?
- Überprüfung der Funktionsfähigkeit?
- Transport der Anlage zum Standort?
- Montage der Anlage?

Datenblatt B21

S. 145 / D

Situation 1

Sie haben PARTNER **A** Waren geliefert. Aber die Lieferung ist bisher nicht angekommen. PARTNER **A** möchte von Ihnen wissen, was mit der Lieferung passiert ist. Was wissen Sie, was vermuten Sie? Antworten Sie PARTNER **A**.

Ja, ich weiß, dass ...
Ja, ich bin sicher, dass ...
Nein, aber die Ware könnte / dürfte / müsste ...
Ja, die Ware könnte / dürfte / müsste ...

Situation 2

Der Drucker in Ihrem Büro funktioniert nicht. Besprechen Sie das Problem mit PARTNER **A**.

Glauben Sie, dass ...?
Könnte ...?

- kein Papier eingelegt
- Tonerpatrone leer
- Gerät nicht eingeschaltet
- Drucker nicht installiert
- nicht der richtige Drucker angesprochen
- Drucker nicht ans Netz angeschlossen

Datenblatt B22
S. 161 / C

Situation

Der folgende Lebenslauf hat Lücken. Fragen Sie Ihren PARTNER **A** nach den entsprechenden Informationen und antworten Sie PARTNER **A**.

Fragen Sie z. B.:

- Wie lautet die Telefonnummer von Stefan Schwing?
- Von wann bis wann besuchte Stefan Schwing die Grundschule?
- Welche Ausbildung machte Stefan Schwing von 1996 bis 1998?
- Was hat Stefan Schwing vom 1. Juli 1992 bis Mai 1995 gemacht?
- Von wann ... bis wann ...?

ANGABEN ZUR PERSON

Name	Schwing, Stefan
Adresse	Höhenstraße 57, 60385 Frankfurt a. M.
Telefon	_____
Fax	_____
E-Mail	s.schwing@ort.de
Staatsangehörigkeit	Deutsch
Geburtsdatum und -ort	_____

SCHUL- UND BERUFSBILDUNG

_____	Grundschule
1982–1988	Staatliche Realschule Aschaffenburg Abschluss: Mittlere Reife
1989–1992	Berufsausbildung zum Raumausstatter, bei Einrichtungshaus Grün, Neuwied Abschluss: Gesellenprüfung
1996–1998	_____ _____

BERUFSERFAHRUNG

01.07.1992–31.05.1995	_____ _____
01.06.1995–31.03.2000	Tätigkeit als Raumausstatter bei Raumausstattung Brenner, Boppard (Schwerpunkte: Anfertigung von Vorhängen, Restaurierung von Antikmöbeln, Kundenberatung)
_____	Tätigkeit als Raumausstatter bei Möbel Danskes, Kopenhagen, Dänemark (Schwerpunkte: Entwurf und Anfertigung von Dekorationen)
seit 01.08.2000	Leiter des Heimtex-Studios der Fa. Möbel Meyer, Frankfurt a. M.

PERSÖNLICHE FÄHIGKEITEN UND KOMPETENZEN

FREMDSPRACHEN	ENGLISCH • Lesen ausgezeichnet • Schreiben gut • Sprechen gut FRANZÖSISCH UND ITALIENISCH • _____ • _____ • _____
SOZIALE FÄHIGKEITEN UND KOMPETENZEN	Freundlicher Umgang mit Mitmenschen erworben u. a. durch einen internationalen Freundeskreis sowie langjährige Erfahrung in der Kundenbetreuung
ORGANISATORISCHE FÄHIGKEITEN UND KOMPETENZEN	_____ _____
IKT-FÄHIGKEITEN UND KOMPETENZEN	Gute PC-Kenntnisse (insbes. Word, Excel, Power Point) erworben in diversen Fortbildungskursen
FÜHRERSCHEIN(E)	_____

AUFBAUKURS LEHRBUCH

WÖRTERLISTE

Wörterliste

Die folgende Wörterliste enthält den Wortschatz der Texte, Dialoge und Aufgaben der Lehrbuch-Kapitel 1 bis 10.
- Nicht mitaufgenommen wurden Wörter, die bereits in *Unternehmen Deutsch Grundkurs* aufgeführt sind.
- Ebenfalls nicht aufgenommen wurden Artikelwörter, Zahlwörter und grammatische Fachbegriffe sowie Eigennamen von Personen und Städten.
- Nomen erscheinen mit ihrem Artikel und der Pluralform. Nomen, die nur im Singular oder Plural verwendet werden, sind entsprechend mit (*nur Sing.*) oder (*nur Pl.*) gekennzeichnet.
- Verben erscheinen nur im Infinitiv. Verben, mit einem oder mehreren Objekten sind versehen mit (+ A) für das Akkusativobjekt, (+ D) für das Dativobjekt oder mit (+ D + A), wenn ein Verb ein Dativ- und ein Akkusativobjekt fordert.
- Zur Erleichterung des Auffindens sind hinter jedem Eintrag Kapitel, Seite und die jeweilige Aufgabennummer angegeben; zum Beispiel bedeutet „Mappe K 1, S. 13/D1", dass das Wort „Mappe" zum ersten Mal in Kapitel 1, auf Seite 13 und dort in der Aufgabe D1 erscheint. Wenn Wörter zum ersten Mal in einem Grammatikkasten auftauchen, finden Sie die Quellenangabe *GK*.
- Verwendete Abkürzungen und ihre Entsprechungen sind mit (*Abk.*) gekennzeichnet.

A

ab Werk K 9, S. 142/A2
abfeiern (Überstunden) K 6, S. 102/A3
Abgabe, die, -n K 5, S. 76/B2
Abgabequote, die, -n K 6, S. 103/E1
abgeben (+ A) K 5, S. 76/B1
Abgemacht! K 8, S. 129/D1
abhängen (von + D) K 7, S. 118/B1
abhängig K 9, S. 147/C1
Abhängigkeit, die, -en K 6, S. 94/A
Abholung, die (*nur Sing.*) K 4, S. 65/D
abhören (Anrufbeantworter) K 5, S. 78/B1
Abitur, das (*nur Sing.*) K 10, S. 158/B2
Ablauf, der, ¨e K 5, S. 87/D
ablegen (Prüfung) K 2, S. 37/B2
Abnahme, die, -n K 7, S. 119/D
abnehmen (Hörer) K 4, S. 71/D1
abnehmen (Gewicht) K 6, S. 96/A1
Abnehmer, der, - K 2, S. 29/B1
abrunden (ergänzen) (+ A) K 10, S. 156/A2
Absatz, der, ¨e K 7, S. 108/C2
Absatzmarkt, der, ¨e K 2, S. 32/A
Abschiedsessen, das, - K 1, S. 22/B
abschließen (Vertrag) K 5, S. 87/C
abschließen (mit + D) K 10, S. 158/B2
Abschnitt, der, -e K 4, S. 71/D1
absetzen (+ A) K 3, S. 49/C2
absolvieren (+ A) K 10, S. 156/A2
Absprache, die, -n K 8, S. 133/D1
Abteilungsleitung, die, -en K 6, S. 92/A1

abtreten (+ A) K 9, S. 147/C1
Abwasser, das, ¨er K 3, S. 48/A
abwechselnd K 10, S. 165/F
abwechslungsreich K 10, S. 156/A2
Abweichung, die, -en K 9, S. 147/C1
abweisend K 6, S. 98/B1
abwickeln (+ A) K 9, S. 142/B1
Abwicklung, die, -en K 5, S. 85/D
abziehen (+ A) K 8, S. 130/B
Abzug, der, ¨e K 6, S. 103/E1
Ach so! K 4, S. 63/C
achten (auf + A) K 3, S. 46/B3
Afrika, das (*nur Sing.*) K 2, S. 32/B3
Aha! K 3, S. 47/E
ähneln (+ D) K 10, S. 158/B2
Ähnlichkeit, die, -en K 10, S. 159/D
akquirieren (+ A) K 8, S. 127/B2
Akquisition, die, -en K 10, S. 163/C1
Aktie, die, -n K 2, S. 31/D1
Aktiengesellschaft, die, -en (*Abk.* AG) K 2, S. 31/C2
Aktienkurs, der, -e K 2, S. 33/D1
Aktienkurve, die, -n K 2, S. 33/D2
Aktienmarkt, der, ¨e K 2, S. 31/D1
Aktionär, der, -e K 2, S. 31/D1
Aktivität, die, -en K 1, S. 17/D1
aktualisieren (+ A) K 7, S. 109/GK
Aktualisierung, die, -en K 10, S. 156/A2
aktuell K 4, S. 71/D1
akustisch K 4, S. 71/D1
akzeptabel K 6, S. 97/C1
Akzeptanz, die (*nur Sing.*) K 5, S. 87/C
akzeptieren (+ A) K 9, S. 147/C1
allerdings K 5, S. 82/B1

Allergie, die, -n K 3, S. 53/E
Alles Gute! K 1, S. 19/C
allgemeinbildend K 10, S. 158/B2
Allgemeine Geschäftsbedingungen (*Abk.* AGB) K9, S. 146/B
Allgemeinmedizin, die (*nur Sing.*) K 3, S. 53/C1
Alltag, der (*nur Sing.*) K 5, S. 82/A1
als (als Vorspeise) K 1, S. 22/A2
als (*Konj.*) K 10, S. 161/B1
als Nächstes K 4, S. 61/C1
Altbausanierung, die, -en K 7, S. 111/B4
Altkunde, der, -n K 7, S. 111/C
amerikanisch K 2, S. 31/D1
an Stelle/anstelle von K 4, S. 69/C2
Analyse, die, -n K 8, S. 133/C1
Anbau, der (*nur Sing.*) K 9, S. 141/C1
Anbieter, der, - K 4, S. 67/C1
anbringen (+ A) K 5, S. 81/C1
ändern (+ A) K 9, S. 148/A
ändern, sich K 2, S. 31/D1
anderthalb K 5, S. 87/C
Änderungswunsch, der, ¨e K 9, S. 148/B1
anerkennen (+ A) K 6, S. 92/A1
Anfahrtsplan, der, ¨e K 7, S. 117/C1
anfallen K 6, S. 102/C1
anfordern (+ A) K 8, S. 135/D2
Anforderung, die, -en K 5, S. 76/A
Angabe, die, -n K 2, S. 35/B
angeben (+ A) K 7, S. 114/A1
angeblich K 6, S. 99/D4
Angebot, das, -e K 1, S. 23/D
Angebotspalette, die, -n K 5, S. 79/D1

Angelegenheit, die, -en K 5,
S. 82/B1

angemessen K 9, S. 147/C1

angewinkelt K 3, S. 49/C2

Angst, die, ¨e K 6, S. 94/A

Anhaltspunkt, der, -e K 7,
S. 118/B1

anhand K 1, S. 20/B3

Anhänger, der, - K 4, S. 65/D

anheben (+ A) K 3, S. 49/C2

Anklopfen, das (nur Sing.) K 4,
S. 70/A

Anklopfsymbol, das, -e K 4,
S. 71/D1

ankommen (auf + A) (es kommt
auf ... an) K 7, S. 118/B1

ankündigen (+ A) K 9, S. 150/A

Ankunftshalle, die, -n K 1,
S. 12/B1

Anlage, die, -n K 3, S. 44/A2

Anlageberatung, die, -en K 10,
S. 160/A1

anlässlich K 6, S. 92/A1

anliefern (+ A) K 9, S. 142/A1

Anlieferung, die, -en K 5,
S. 86/B2

Anliegen, das, - K 1, S. 15/E

anliegend K 7, S. 117/C1

anmieten (+ A) K 5, S. 81/C1

Anmietung, die (nur Sing.) K 4,
S. 66/A3

annehmen K 3, S. 44/A2

annehmen (Auftrag/Lieferung)
K 4, S. 65/E3

anonym K 10, S. 166/A1

anpassen (+ A) K 6, S. 95/C

Anpassung, die, -en K 5, S. 86/B1

anpassungsfähig K 8, S. 131/D2

Anpassungsfähigkeit, die
(nur Sing.) K 10, S. 160/A1

Anrede, die, -n K 1, S. 13/D2

Anrufbeantworter, der, - K 4,
S. 66/A1

anschaffen (+ A) K 5, S. 78/A1

anschließend K 7, S. 111/B4

Anschluss, der, ¨e K 4, S. 70/B1

Ansprechpartnerin, die, -nen
K 10, S. 163/C1

anspruchsvoll K 2, S. 29/B1

Anstalt, die, -en K 2, S. 36/A2

anstellen (Vermutungen) (+ A)
K3, S. 44/A2

Anstellungsvertrag, der, ¨e K 3,
S. 44/A2

Anteil, der, -e K 2, S. 33/C1

Antibiotikum, das, Antibiotika
K 3, S. 54/B2

antreiben (+ A) K 3, S. 50/A2

Antwortmöglichkeit, die, -en
K 7, S. 118/B1

anwenden (+ A) K 9, S. 141/C1

anwesend K 4, S. 66/A1

Apfelsaft, der, ¨e K 2, S. 29/B1

Apotheke, die, -n K 2, S. 36/A1

Apotheker, der, - K 2, S. 36/A1

Appetit, der (nur Sing.) K 3,
S. 53/E

April, der (nur Sing.) K 2, S. 33/D1

Arbeiter, der, - K 6, S. 99/D2

Arbeitgeber, der, - K 3, S. 54/B1

Arbeitnehmer, der, - K 6,
S. 102/C1

Arbeitnehmervertreter, der, -
K 2, S. 31/D1

Arbeitsausführung, die, -en K 6,
S. 92/A1

Arbeitsbeginn, der (nur Sing.)
K 7, S. 112/A

Arbeitsbewilligung, die, -en
K 10, S. 167/B2

Arbeitsergebnis, das, -se K 6,
S. 92/A1

Arbeitsform, die, -en K 7,
S. 108/B1

Arbeitsgruppe, die, -n K 4,
S. 60/A2

Arbeitsgüte, die (nur Sing.)
K 6, S. 92/A1

Arbeitskittel, der, - K 5, S. 79/D1

Arbeitskleidung, die (nur Sing.)
K 5, S. 76/B1

Arbeitsklima, das, -ta K 10,
S. 156/A2

Arbeitslosenrate, die, -n K 10,
S. 167/B2

Arbeitslosenversicherung, die,
-en K 6, S. 103/D1

Arbeitslosigkeit, die (nur Sing.)
K 10, S. 167/B2

Arbeitsmarkt, der, ¨e K 10, S.
167/B2

Arbeitsmenge, die (nur Sing.)
K 6, S. 92/A1

Arbeitspause, die, -n K 3, S. 48/A

Arbeitsschutz, der (nur Sing.)
K 3, S. 46/A1

Arbeitssicherheit, die (nur Sing.)
K 3, S. 44/A2

Arbeitsstelle, die, -n K 10,
S. 167/C1

arbeitsteilig K 6, S. 100/A4

Arbeitsteilung, die, -en K 8,
S. 132/A1

Arbeitstempo, das (nur Sing.)
K 6, S. 92/A1

Arbeitsuche, die (nur Sing.)
K 10, S. 167/B1

arbeitsuchend K 10, S. 166/A1

Arbeitsvermittlung, die, -en
K 10, S. 157/C3

Arbeitsweise, die, -n K 10,
S. 156/A2

Arbeitswoche, die, -n K 5,
S. 77/C3

Arbeitszeugnis, das, -se K 6,
S. 92/A2

archivieren (+ A) K 8, S. 132/A1

arg K 5, S. 76/A

ärgerlich K 9, S. 151/C

Argument, das, -e K 7, S. 113/C

Arm, der, -e K 3, S. 49/D

arrogant K 6, S. 98/A

Art, die, -en K 5, S. 79/D2

artgerecht K 2, S. 29/B1

Artikelbezeichnung, die, -en
K 5, S. 80/B1

Artikelnummer, die, -n K 5,
S. 80/B1

Arzneimittel, das, - K 2, S. 29/B1

Arzt, der, ¨e K 3, S. 53/B3

Arztbesuch, der, -e K 3, S. 55/D

Arzttermin, der, -e K 4, S. 62/B1

Asien, das (nur Sing.) K 2, S. 32/B3

Aspekt, der, -e K 10, S. 162/A2

Assistent, der, -en K 1, S. 12/B2

Atemwegserkrankung, die, -en
K 3, S. 48/B3

ätherisch K 9, S. 141/C1

atmen K 3, S. 49/D

Aubergine, die, -n K 1, S. 22/A1

aufarbeiten (+ A) K 8, S. 132/A1

Aufbauarbeit, die, -en K 10,
S. 156/A2

aufbauen (+ A) K 1, S. 19/E1

aufbauen (auf + D) K 7, S. 109/D2

aufbereiten (+ A) K 3, S. 45/C2

Aufenthaltsbewilligung, die, -en
K 10, S. 167/B2

Aufenthaltserlaubnis, die, -se
K 10, S. 167/B2

Aufenthaltsgenehmigung, die,
-en K 10, S. 167/B2

Auffassungsgabe, die (nur Sing.)
K 10, S. 165/E1

auffordern (zu + D) K 4, S. 68/A2

Aufforderung, die, -en K 5,
S. 81/E1

Aufgabenfeld, das, -er K 10,
S. 156/A2

aufgeben (Anzeige) K 10,
S. 157/A3

aufgeben (Bestellung) K 1,
S. 22/B

aufgerichtet K 3, S. 49/C2

aufgrund K 10, S. 163/B1

aufhalten, sich K 1, S. 21/C1

auflegen (Hörer) K 4, S. 71/D1

Aufmerksamkeit, die (hier nur
Sing.) K 1, S. 19/C

aufnehmen (Bestellung)
K 1, S. 22/B

aufnehmen (Kontakt) (zu + D)
K 8, S. 127/B2

aufrecht (Körper) K 3, S. 49/C2

aufrechterhalten (+ A) K 7, S. 118/B1

Aufschalten, das (*nur Sing.*) K 4, S. 70/A

aufsetzen (+ A) K 3, S. 51/C2

Aufsichtsrat, der, ⸚e K 2, S. 31/D1

aufstellen (+ A) K 5, S. 81/C1

Auftrag, der, ⸚e K 4, S. 62/A1

Auftragbestätigung, die, -en K 8, S. 130/B

Auftraggeber, der, - K 2, S. 36/A2

Auftragnehmer, der, - K 4, S. 65/E1

Auftragsbestätigung, die, -en K 5, S. 81/E1

Auftragseingang, der, ⸚e K 2, S. 39/C1

Auftragserteilung, die, -en K 9, S. 143/D2

auftreten K 6, S. 92/A1

Auftritt, der, -e K 8, S. 135/D1

Auge, das, -n K 3, S. 48/B3

Augenarzt, der, ⸚e K 3, S. 54/B1

Augenheilkunde, die (*nur Sing.*) K 3, S. 53/C1

Augensalbe, die, -n K 3, S. 54/B1

Augenschaden, der, ⸚ K 3, S. 48/B3

Ausbildung, die, -en K 2, S. 37/B1

Ausbildungseinrichtung, die, -en K 10, S. 160/A1

Ausbildungsgang, der, ⸚e K 10, S. 159/B1

Ausbildungsplatz, der, ⸚e K 10, S. 167/C1

Ausbildungsstelle, die, -n K 10, S. 157/A1

Ausbildungssystem, das, -e K 10, S. 158/B2

Ausbildungsweg, der, -e K 10, S. 159/D

Ausbildungswesen, das, - K 10, S. 158/B2

Ausblick, der, -e K 7, S. 118/B1

Ausdauer, die (*nur Sing.*) K 6, S. 92/A1

ausdehnen (+ A) K 9, S. 147/C1

Ausdrucksmöglichkeit, die, -en K 6, S. 98/C1

Ausflug, der, ⸚e K 1, S. 20/A

ausführen (+ A) K 9, S. 147/C1

ausführlich K 5, S. 87/C

Ausfuhrrekord, der, -e K 8, S. 125/B1

Ausgangsposition, die, -en K 3, S. 49/D

ausgeglichen K 10, S. 165/E1

ausgeruht K 1, S. 12/A

ausgesucht K 2, S. 29/B1

ausgezeichnet K 7, S. 109/D2

auskennen, sich (bei/mit + D) K 6, S. 98/B1

Ausladezeit, die, -en K 4, S. 60/A

Ausland, das (*nur Sing.*) K 7, S. 111/C

ausländisch K 8, S. 134/A

Auslandsanteil, der, -e K 2, S. 33/F

Auslandsaufenthalt, der, -e K 10, S. 160/A1

Auslandskontakt, der, -e K 5, S. 87/D

Auslandsmarkt, der, ⸚e K 7, S. 112/A

ausliefern (+ A) K 9, S. 142/A1

Auslieferung, die, -en K 3, S. 46/A1

ausprobieren (+ A) K 4, S. 70/C2

ausreichend K 9, S. 149/B3

Ausrichtung, die, -en K 6, S. 99/D2

Aussage, die, -n K 5, S. 83/C1

ausschlaggebend K 8, S. 134/B2

Ausschnitt, der, -e K 2, S. 34/A1

ausschreiben (+ A) K 10, S. 163/B1

Außendarstellung, die, -en K 10, S. 163/B1

Außendienst, der, -e K 5, S. 81/C1

Außenmaterial, das, -ien K 8, S. 130/A1

außer K 1, S. 21/C1

außerdem K 1, S. 29/B1

außergewöhnlich K 6, S. 92/A1

außerhalb K 4, S. 70/B1

Äußerung, die, -en K 3, S. 52/B2

aussprechen, sich (für/gegen + A) K 7, S. 111/C

ausstatten (mit + D) K 3, S. 48/B3

Ausstattung, die, -en K 7, S. 117/C1

ausstellen (Zeugnis) K 6, S. 92/A1

ausstellen (Produkte) K 8, S. 126/A1

Aussteller, der, - K 8, S. 126/A1

ausstrecken K 3, S. 49/D

Austauschschülerin, die, -nen K 10, S. 160/A1

Australien, das (*nur Sing.*) K 2, S. 32/B3

Auswahl, die (*nur Sing.*) K 6, S. 94/A

Auswahlkriterium, das, -kriterien K 10, S. 163/C1

Ausweitung, die, -en K 7, S. 111/C

auszahlen (+ A) K 6, S. 102/A3

auszeichnen, sich (durch + A) K 8, S. 130/A3

Auszug, der, ⸚e K 8, S. 130/A1

Autohersteller, der, - K 2, S. 31/D1

Automobilkonzern, der, -e K 2, S. 35/C1

Autoreparatur, die, -en K 5, S. 84/A1

avisieren (+ A) K 9, S. 144/A1

Avocado, die, -s K 1, S. 22/B

B

Bachelor-Abschluss, der, ⸚e K 10, S. 158/B2

Bäckerei, die, -en K 2, S. 30/B

Bad, das, ⸚er K 1, S. 14/A2

Badetuchhalter, der, - K 7, S. 108/A

Badewanne, die, -n K 7, S. 108/A

Badezimmerspiegel, der, - K 7, S. 108/A

Baguette, die, -s K 1, S. 22/B

Bahnausrüstung, die, -en K 8, S. 124/A1

Bahnexpress, der (*nur Sing.*) (per Bahnexpress) K 9, S. 142/A2

Bandnudel, die, -n K 1, S. 22/B

Bandscheibe, die, -n K 3, S. 48/B3

Bankausbildung, die, -en K 10, S. 163/C1

Bankeinzug, der, ⸚e K 5, S. 80/B1

Bankleitzahl, die, -en (*Abk.* BLZ) K 5, S. 85/B1

Banknote, die, -n K 5, S. 84/A2

Bankverbindung, die, -en K 5, S. 85/B2

Bargeld, das (*nur Sing.*) K 5, S. 84/A2

bargeldlos K 5, S. 84/A1

Barzahlung, die (*nur Sing.*) K 5, S. 84/A1

Basis, die (*hier nur Sing.*) K 6, S. 92/A1

Basismodell, das, -e K 8, S. 131/E

Basiszinssatz, der, ⸚e K 9, S. 147/C1

Bau, der (*hier nur Sing.*) K 2, S. 39/D1

Bauch, der, ⸚e K 3, S. 52/A

bauen (+ A) K 2, S. 36/A1

Baukonjunktur, die, -en K 7, S. 111/B4

Baumarkt, der, ⸚e K 7, S. 108/A

Baustahl, der (*nur Sing.*) K 2, S. 28/A2

Baustein, der, -e K 7, S. 115/D2

Baustelle, die, -n K 7, S. 112/A

Bauteil, das, -e K 3, S. 44/A2

beantragen (+ A) K 10, S. 167/B2

beauftragen (+ A) K 7, S. 111/C

Beauftragte, die/der, -n K 3, S. 44/A2

bedanken, sich (für + A) K 1, S. 21/D2

Bedarf, der (nur Sing.) K 7, S. 111/B3

bedauerlich K 5, S. 85/C1

bedenken (+ A) K 7, S. 119/E

bedeutend K 2, S. 39/F1

bedeutsam K 6, S. 97/C1

Bedeutung, die, -en K 8, S. 125/B1

bedienerfreundlich K 8, S. 131/D2

bedingt K 4, S. 65/E3

Bedingung, die, -en K 7, S. 109/D2

bedrohen (+ A) K 7, S. 111/B4

beeilen, sich K 1, S. 15/C

beenden (+ A) K 3, S. 52/B2

Beendigung, die, -en K 8, S. 129/F

befinden, sich K 5, S. 77/C3

Befinden, das (nur Sing.) K 1, S. 13/E

befördern (+ A) K 4, S. 60/A1

befördern (+ A + zu + D) K 6, S. 93/GK

befragen (+ A) K 5, S. 78/A1

Befragung, die, -en K 5, S. 78/A2

befristen (+ A) K 5, S. 80/A

begleichen (+ A) K 9, S. 147/C1

begleiten (+ A) K 4, S. 65/D

Begleitschreiben, das, - K 7, S. 114/A1

begrenzen (auf + A) K 6, S. 99/D1

Begriff, der, -e K 3, S. 55/F

begründet K 7, S. 118/B1

Begründung, die, -en K 4, S. 68/A2

Begünstigte, der/die, -n K 5, S. 85/B2

behalten (+ A) K 8, S. 125/B1

Behälter, der, - K 1, S. 19/B2

behandeln (thematisieren) (+ A) K 5, S. 86/B1

Behandlung, die, -en K 3, S. 54/A

behaupten (+ A) K 5, S. 85/C1

beherrschen (+ A) K 10, S. 163/B1

behindern (+ A) K 6, S. 99/D2

behördlich K 9, S. 146/B

Beilage, die, -n K 1, S. 22/A1

beilegen (+ A) K 6, S. 92/A1

beiliegend K 8, S. 132/A1

Bein, das, -e K 3, S. 52/A

Beisammensein, das (nur Sing.) K 7, S. 108/B1

beitragsfrei K 6, S. 103/E1

beitreten (+ D) K 10, S. 167/B2

Bekannte, die/der, -n K 1, S. 13/E

bekommen (gut/schlecht + D) K 3, S. 52/A

belasten (Konto) K 5, S. 82/B1

belasten (+ A + mit + D) K 3, S. 45/C1

Belastung, die, -en K 5, S. 85/C2

belaufen, sich (auf + A) K 2, S. 33/C1

belegt (Leitung) K 4, S. 66/A1

beliefern (+ A) K 2, S. 36/A2

Belieferung, die, -en K 7, S. 112/B1

Bemerkung, die, -en K 8, S. 133/C1

bemühen, sich (um + A) K 1, S. 15/C

Bemühung, die, -en K 10, S. 158/B2

benachteiligen (+ A) K 9, S. 146/B

beobachten (+ A) K 8, S. 126/B1

Beobachter, der, - K 10, S. 165/F

Beobachtung, die, -en K 8, S. 126/A1

Bequemlichkeit, die, -en K 5, S. 76/A

Beratungsgespräch, das, -e K 5, S. 78/B2

Beratungsintensität, die (nur Sing.) K 10, S. 163/C1

berechnen (+ A) K 7, S. 114/B3

berechtigt K 9, S. 147/C1

Berechtigung, die, -en K 10, S. 158/B2

Bereich, der, -e K 3, S. 44/B3

bereit K 6, S. 100/A1

bereits K 8, S. 130/B

bereitstellen (+ A) K 5, S. 81/C2

Bereitstellung, die, -en K 5, S. 76/A

berücksichtigen (+ A) K 5, S. 80/A

beruflich K 1, S. 21/E

Berufsanfänger, der, - K 10, S. 163/C1

Berufsausbildung, die, -en K 10, S. 158/B2

Berufsbildung, die, -en K 10, S. 160/A1

Berufsbildungssystem, das, -e K 10, S. 159/D

Berufsfeld, das, -er K 10, S. 160/A1

Berufsgruppe, die, -n K 10, S. 156/A2

Berufspraxis, die (nur Sing.) K 10, S. 156/A2

Berufsschule, die, -n K 10, S. 158/B2

Berufssprache, die, -n K 1, S. 19/B3

berufstätig K 3, S. 54/B1

beschädigt K 5, S. 77/C3

beschäftigen (+ A) K 2, S. 36/A2

beschäftigen, sich (mit + D) K 10, S. 164/B

Beschäftigtenzahl, die, -en K 2, S. 37/B1

Beschäftigungsart, die, -en K 10, S. 156/A2

beschließen (+ A) K 4, S. 67/C1

Beschwerde, die, -n K 5, S. 85/C1

Beschwerdemanagement, das (nur Sing.) K 9, S. 150

Beschwerden, die (hier nur Pl.) K 3, S. 49/C2

beschweren, sich (über + A/bei + D) K 1, S. 14/B2

Besitz (im Besitz sein von + D) K 2, S. 31/D1

besitzen (+ A) K 5, S. 86/B2

Besitzverhältnis, das, -se K 2, S. 35/B

besonderer, besondere, besonderes K 7, S. 119/E

Besonderheit, die, -en K 1, S. 13/D2

besonders K 1, S. 19/C

Bestandskunde, der, -n K 7, S. 110/A

Bestätigung, die, -en K 1, S. 17/D1

bestehen (aus + D) K 3, S. 50/B2

bestehend (Kontakt) K 8, S. 126/A1

Bestellmenge, die, -n K 9, S. 149/B3

Bestimmungsort, der, -e K 9, S. 144/A3

Bestrahlung, die, -en K 9, S. 140/B

Besucherstruktur, die, -en K 8, S. 134/B2

beteiligen, sich (an + D) K 7, S. 113/C

beteiligt sein (an + D) K 2, S. 34/A2

Beteiligung, die, -en K 2, S. 37/C

Beteiligungsziel, das, -e K 8, S. 127/B2

betrachten (+ A) K 7, S. 99/D1

Betrag, der, ¨-e K 5, S. 82/A1

betreffend K 5, S. 85/C1

betreten (+ A) K 7, S. 118/B1

Betreuung, die (nur Sing.) K 1, S. 19/E1

Betriebsbesichtigung, die, -en K 1, S. 18

Betriebsklima, das, -ta K 10, S. 156/A2

Betriebsleiter, der, - K 3, S. 44/A2

Betriebsleitung, die, -en K 3, S. 46/A1

Betriebsmittel, die (*nur Pl.*) K 6, S. 92/A1

Betriebsrente, die, -n K 6, S. 103/D1

Betriebsrundgang, der, ⸚e K 6, S. 96/B1

Betriebswirtin, die, -nen K 10, S. 160/A1

Betriebswirtschaft, die (*nur Sing.*) K 10, S. 163/B1

beugen (+ A) K 3, S. 49/D

beurteilen (+ A) K 6, S. 101/B2

Beurteiler, der, - K 6, S. 92/A1

Beurteilung, die, -en K 6, S. 93/C

Beurteilungsbogen, der, - K 6, S. 92/A1

Beurteilungskriterium, das, -kriterien K 6, S. 100/A1

Beurteilungsmerkmal, das, -e K 6, S. 100/B1

Beurteilungsskala, die, -skalen K 6, S. 92/A1

Beurteilungsstufe, die, -n K 10, S. 165/E1

Beurteilungssystem, das, -e K 6, S. 93/C

bevor K 7, S. 117/C3

bewegen (+ A) K 3, S. 49/C2

beweisen (+ A) K 7, S. 119/D

bewerben, sich (um + A/bei + D) K 10, S. 162/A3

Bewerber, der, - K 10, S. 156/A2

Bewerberprofil, das, -e K 10, S. 166/A1

Bewerbungsbrief, der, -e K 10, S. 162/B4

Bewerbungsformular, das, -e K 10, S. 157/C3

Bewerbungsschreiben, das, - K 10, S. 162/B1

Bewerbungsunterlagen, die (*nur Pl.*) K 10, S. 156/A2

Bewertung, die, -en K 6, S. 97/C2

Bewertungskriterium, das, -kriterien K 10, S. 165/E1

Bewertungsskala, die, -skalen K 6, S. 101/C

Bezahlfunktion, die, -en K 8, S. 131/D2

bezeichnen (als + A) K 9, S. 146/B

beziehen, sich (auf + A) K 5, S. 82/B2

Beziehung, die, -en K 10, , S. 157/A1

bezüglich K 9, S. 147/C1

Bilanz, die, -en K 5, S. 86

Bildschirmarbeit, die (*nur Sing.*) K 3, S. 48/B3

Bildung, die (*nur Sing.*) K 2, S. 37/B1

Bildungsabschluss, der, ⸚e K 10, S. 158/B2

Bildungsraum, der, ⸚e K 10, S. 158/B2

Bildungssystem, das, -e K 10, S. 158

Bildungswesen, das, - K 10, S. 158/B2

binden (Schmutz) K 5, S. 76/A

Bio-Laden, der, ⸚ K 9, S. 140/B

Bis bald! K 3, S. 47/E

bisher K 5, S. 76/B1

bisherig K 6, S. 92/A1

bitten (um + A) K 1, S. 21/E

blass K 3, S. 52/A

Blattspinat, der (*nur Sing.*) K 1, S. 22/A1

Blech, das, -e K 2, S. 28/A2

Blechbearbeitung, die, -en K 8, S. 124/A1

Blindbewerbung, die, -en K 10, S. 167/B2

blinken K 4, S. 71/D1

Blumenkohl, der (*nur Sing.*) K 1, S. 22/B

Bodenbelag, der, ⸚e K 5, S. 76/A

Bohne, die, -n K 1, S. 22/B

Bohrdruck, der (*nur Sing.*) K 3, S. 51/C2

bohren K 3, S. 50/A2

Bohrer, der, - K 3, S. 50/A2

Bohrerbruch, der, ⸚e K 3, S. 51/C1

Bohrspan, der, ⸚e K 3, S. 51/C1

Bohrspindel, die, -n K 3, S. 50/B2

Bohrtisch, der, -e K 3, S. 50/B2

Bonus, der, Boni 10, S. 156/A2

Brainstorming, das, -s K 7, S. 116/A1

Branche, die, -n K 1, S. 18/A1

branchenfremd K 10, S. 165/E1

Braten, der, - K 1, S. 22/A1

braten K 1, S. 22/A1

brauchen (nicht brauchen zu) K 9, S. 150/B2

Brille, die, -n K 3, S. 55/C2

Brillenstärke, die, -n K 3, S. 54/B1

Brust, die (*hier nur Sing.*) K 3, S. 52/A

brutto K 6, S. 103/D1

Bruttoverdienst, der (*nur Sing.*) K 3, S. 55/D

Bruttowochenverdienst, der, -e K 6, S. 103/E1

Buchstabe, der, -n K 6, S. 100/A1

Buchungsposten, der, - K 5, S. 85/C1

Budget, das, -s K 8, S. 135/E

Bund, der (*hier nur Sing.*) K 10, S. 158/B2

Bundesland, das, ⸚er K 10, S. 158/B2

Bürger, der, - K 10, S. 167/B2

Bürgermeister, der, - K 1, S. 17/C2

Bürokauffrau, die, -en/leute K 10, S. 156/A2

Bürokaufmann, der, ⸚er/leute K 10, S. 156/A2

bürokratisch K 10, S. 167/B2

Bürostunde, die, -n K 4, S. 71/E

Busfahrt, die, -en K 4, S. 69/E1

Business-to-Business-Kommunikation, die (*nur Sing.*) K 8, S. 125/B1

Bustransfer, der, -s K 4, S. 66/A3

bzw. (*Abk. für beziehungsweise*) K 2, S. 28/A2

C

Callcenter, der, - K 7, S. 111/B4

Camping, das (*nur Sing.*) K 8, S. 124/A1

Cateringfirma, die, -firmen K 4, S. 67/C1

Chance, die, -n K 10, S. 157/B2

Chefin, die, -nen K 6, S. 98/A

Chemie, die (*nur Sing.*) K 2, S. 29/B1

Chemieindustrie, die (*nur Sing.*) K 2, S. 28/A1

Chemikalie, die, -n K 2, S. 28/A1

chemisch K 2, S. 29/B1

China, das (*nur Sing.*) K 1, S. 13/C

Chinesisch, das K 1, S. 17/C2

Chirurgie, die (*nur Sing.*) K 3, S. 53/C1

chronologisch K 10, S. 161/B1

computergestützt K 4, S. 70/C1

Consultingfirma, die, -firmen K 4, S. 67/C1

Controlling, das (*nur Sing.*) K 1, S. 18/B1

Corporate Identity, die, -s K 5, S. 76/ B1

Creme, die, -s K 9, S. 141/C1

Crouton, der, -s K 1, S. 22/B

D

dagegen K 6, S. 101/C

daher K 4, S. 64/B2

damals K 1, S. 17/C3

danken (+ D + für + A) K 1, S. 21/D2

darstellen (+ A) K 6, S. 99/D4

Daten, die (nur Pl.) K 2, S. 39/D2

Datenbank, die, -en K 10, S. 166/A1

Dauerbeschäftigung, die, -en K 10, S. 167/C1

dazubitten (+ A) K 8, S. 134/B1

definieren (+ A) K 2, S. 31/B

Defizit, das, -e K 6, S. 100/A2

delegieren (+ A) K 6, S. 99/D1

Demonstrationsobjekt, das, -e K 7, S. 116/B1

denken (an + A) K 3, S. 48/A

des Jahres (Abk. d. J.) K 5, S. 82/B1

Designer, der, - K 2, S. 31/D1

Detail, das, -s K 10, S. 156/A2

Deutsche Aktienindex, der (nur Sing.) (Abk. DAX) K 2, S. 33/D1

Diagnose, die, -n K 3, S. 53/C3

Dialogsystem, das, -e K 4, S. 70/C1

dienen (zu + D) K 3, S. 50/A2

dienstags K 1, S. 21/C1

Dienstgeber, der, - K 3, S. 55/D

Dienstleister, der, - K 4, S. 67/C1

Dienstleistung, die, -en K 2, S. 29/B1

Dienstleistungshandwerk, das (nur Sing.) K 2, S. 30/A1

Differenz, die, -en K 6, S. 102/C1

Diplom, das, -e K 10, S. 158/B2

Direktservice, der, -s K 5, S. 85/C1

Direktverkauf, der (nur Sing.) K 2, S. 29/B1

Direktwerbung, die (nur Sing.) K 8, S. 135/E

Diskussion, die, -en K 8, S. 134/B1

Diskussionsbeitrag, der, ⁻e K 7, S. 109/D1

Display, das, -s K 2, S. 29/B1

Disponent, der, -en K 4, S. 62/B1

Disposition, die (nur Sing.) K 4, S. 62/A2

Distributionsziel, das, -e K 8, S. 127/B2

diszipliniert K 6, S. 99/E

Dokument, das, -e K 6, S. 92/A1

Dokumentation, die, -en K 6, S. 101/C

dokumentieren (+ A) K 6, S. 94/B1

Dom, der, -e K 1, S. 17/C3

dominant K 8, S. 125/B1

donnerstags K 1, S. 21/GK

Doppelzahlung, die, -en K 5, S. 83/C1

drehen (+ A) K 3, S. 49/C2

Drehstuhl, der, ⁻e K 2, S. 29/B1

Drehzahl, die, -en K 3, S. 50/A2

Drehzahlbereich, der, -e K 3, S. 51/C1

Drehzahlmesser, der, - K 3, S. 50/A2

Drehzahlregler, der, - K 3, S. 50/B2

Dreiergruppe, die, -n K 8, S. 135/E

drin K 8, S. 128/A3

Drittel, das, - K 6, S. 102/C1

dritter (zu dritt) K 3, S. 47/E

Drogerie, die, -n K 8, S. 124/A1

Drogeriemarkt, der, ⁻e K 9, S. 146/C1

Druck, der, ⁻e K 1, S. 19/B2

Druckerei, die, -en K 10, S. 156/A2

Druckmaschine, die, -n K 2, S. 28/A2

Duale System, das (nur Sing.) K 10, S. 158/B1

Düngemittel, das, - K 9, S. 141/C1

Düngung, die (nur Sing.) K 2, S. 29/B1

durchführen (+ A) K 6, S. 95/C1

Durchführung, die, -en K 8, S. 135/D1

durchlesen (+ A) K 10, S. 164/A

Durchschnitt, der, -e K 6, S. 102/C1

durchschnittlich K 6, S. 100/A2

durchsetzungsfähig K 10, S. 156/A2

durchsetzungsstark K 6, S. 99/E

Durchsetzungsstärke, die (nur Sing.) K 10, S. 164/B

Durchsetzungsvermögen, das, - K 10, S. 156/A2

Durchwahl, die, -en K 4, S. 66/A1

Duschbatterie, die, -n K 7, S. 108/A

Duschgel, das, -e K 9, S. 149/D

Duschkabine, die, -n K 7, S. 108/A

DZ (Abk. für Doppelzimmer) K 1, S. 14/A1

E

ebenfalls K 2, S. 38/B2

ebenso K 8, S. 125/B1

EC (Abk. für electronic cash) K 5, S. 84/A2

EDV-Kenntnisse, die (nur Pl.) K 10, S. 156/A2

effizient K 4, S. 67/D1

egal K 3, S. 55/D

Ehe, die, -n K 6, S. 103/E1

Ehepaar, das, -e K 1, S. 15/C

Ehepartner, der, - K 6, S. 103/E1

eher K 6, S. 96/A2

Ehevermittlung, die, -en K 10, S. 156/A2

ehrgeizig K 10, S. 156/A2

ehrlich K 6, S. 99/E

Eigenkapital, das (nur Sing.) K 2, S. 39/C1

eigentlich K 8, S. 133/D3

Eigentum, das (nur Sing.) K 9, S. 147/C1

eignen, sich (zu + D) K 7, S. 112/A

Eignung, die (nur Sing.) K 10, S. 164/B

einbauen (in + A) K 8, S. 131/D2

Einbeziehung, die (nur Sing.) K 6, S. 95/D1

eindeutig K 6, S. 97/C1

Eindruck, der, ⁻e K 6, S. 101/C

Einfluss, der, ⁻e K 8, S. 134/B2

einführen (+ A) K 6, S. 96/B1

Einführung, die, -en K 6, S. 95/C1

Eingang, der, ⁻e K 5, S. 82/B1

eingehen (auf ein Konto) K 5, S. 82/B1

eingehend K 8, S. 132/A1

einhalten (+ A) K 3, S. 48/B3

Einhaltung, die (nur Sing.) K 6, S. 92/A1

Einheit, die, -en K 3, S. 45/C1

einheitlich K 10, S. 158/B2

einholen (Information) K 8, S. 126/A1

einigen, sich (auf + A) K 6, S. 101/C

Einkaufsentscheidung, die, -en K 8, S. 134/B2

Einladungsschreiben, das, - K 6, S. 94/B1

Einleitung, die, -en K 10, S. 162/B1

einloggen K 10, S. 166/A1

einmischen, sich (in + A) K 6, S. 98/A

Einmischung, die, -en K 6, S. 98/B1

einpacken (+ A) K 8, S. 130/A3

einplanen (+ A) K 4, S. 63/D

Einsatz, der, ⁻e K 4, S. 62/B1

Einsatzbereich, der, -e K 5, S. 78/B2

Einsatzfreude, die (nur Sing.) K 10, S. 156/A2

Einsatzort, der, -e K 10, S. 156/A2

Einsatzregion, die, -en K 10, S. 156/A2

einschenken (+ D + A) K 1, S. 23/C1

einschließlich K 9, S. 147/C1

einschränken (+ A) K 7, S. 118/B1

Einschränkung, die, -en K 8,
S. 131/GK

einseitig K 9, S. 146/B

einsetzbar K 2, S. 31/D1

Einsetzbarkeit, die (nur Sing.)
K 6, S. 92/A1

einsetzen K 2, S. 36/A2

einstellen (Mitarbeiter) K 3,
S. 44/A2

Einstellung, die, -en K 10,
S. 165/E1

Einstieg, der, -e K 10, S. 162/A2

einteilen (+ A) K 4, S. 63/B1

eintreffen K 7, S. 114/A1

eintreten (in + A) K 7, S. 118/B1

Eintritt, der (nur Sing.) K 1,
S. 21/C1

Eintrittspreis, der, -e K 1, S. 21/C1

Eintrittstermin, der, -e K 10,
S. 156/A2

Einwand, der, ˙-e K 7, S. 118/B1

einwandfrei K 5, S. 82/A1

einzahlen (+ A) K 2, S. 31/D1

einzeichnen (in + A) K 3, S. 46/B1

Einzelfahrschein, der, -e K 8,
S. 131/D2

Einzelfall, der, ˙-e K 9, S. 147/C1

Einzelhandel, der (nur Sing.) K 7,
S. 108/A

Einzelheit, die, -en K 4, S. 69/E1

Einzelpreis, der, -e K 5, S. 81/C2

Einzelstück, das, -e K 2, S. 31/D1

Einzelteil, das, -e K 3, S. 50

Einzelunternehmung, die, -en
K 2, S. 31/C2

Einzelvertrag, der, ˙-e K 9,
S. 146/B

einziehen (+ A) K 5, S. 82/B1

einzigartig K 7, S. 119/D

Einzugsermächtigung, die, -en
K 5, S. 85/B1

Einzugsvollmacht, die, -en
K 9, S. 147/C1

Eisbein, das, -e K 1, S. 22/B

Eisenbahn, die, -en K 2, S. 39/D1

Eleganz, die (nur Sing.) K 5,
S. 86/A

Elektriker, der, - K 10, S. 159/C

elektrisch K 2, S. 28/A2

Elektronik, die (nur Sing.) K 2,
S. 38/A1

Elektroniker, der, - K 6, S. 103/
D1

Elektrotechnik, die (nur Sing.)
K 2, S. 38/A1

Element, das, -e K 10, S. 162/B1

Ellenbogen, der, - K 3, S. 49/D

empfehlen (+D + A) K 1, S. 20/A

Empfehlung, die, -en K 1,
S. 23/D

Endverbraucher, der, - K 7,
S. 110/B2

Energie, die (nur Sing.) K 3,
S. 45/C1

Energieerzeugung, die
(nur Sing.) K 2, S. 38/A1

Energieträger, der, - K 3, S. 45/C1

Energiewirtschaft, die (nur Sing.)
K 2, S. 28/A1

Engagement, das, -s K 10, S.
156/A2

enorm K 7, S. 119/D

entdecken (+ A) K 8, S. 127/B2

Ente, die, -n K 1, S. 22/B

entfalten (+ A) K 6, S. 94/B1

Entfaltung, die (nur Sing.)
K 6, S. 95/D1

entgegennehmen K 4, S. 71/D1

Entladearbeit, die, -en K 4,
S. 62/B1

entlassen (+ A) K 6, S. 100/A4

Entlassung, die, -en K 6, S. 94/A

Entlastung, die, -en K 3, S. 45/C1

Entlohnung, die, -en K 6,
S. 96/B1

Entschädigung, die, -en K 5,
S. 85/C1

entscheiden, sich (für + A)
K 3, S. 47/C

entscheidend K 6, S. 99/D2

Entscheider, der, - K 8, S. 134/B2

Entscheidung, die, -en K 5,
S. 87/C

Entscheidungsfindung, die, -en
K 5, S. 87/D

Entscheidungsfreiheit, die, -en
K 6, S. 99/D1

entscheidungsfreudig K 6,
S. 99/E

Entscheidungskompetenz, die,
-en K 6, S. 99/D2

Entscheidungsvorbereitung,
die, -en K 5, S. 80/A

Entscheidungsvorlage, die, -n
K 8, S. 135/D1

entschuldigen, sich (für + A)
K 1, S. 21/D2

entsprechen (+ D) K 2, S. 31/C3

entsprechend K 5, S. 82/B1

Entsprechung, die, -en K 10,
S. 159/D

entweder … oder K 8, S. 131/C1

entwerfen (+ A) K 4, S. 71/F

Entwicklung, die, -en K 4,
S. 67/C1

Entwicklungsingenieur, der, -e
K 3, S. 44/A2

Entwicklungsleiter, der, - K 9,
S. 141/C1

Entwicklungsperspektive, die, -n
K 10, S. 164/B

Entwicklungstrend, der, -s K 8,
S. 127/B2

Entwicklungsziel, das, -e K 6,
S. 94/B1

Entzündung, die, -en K 3, S. 52/A

Erdatmosphäre, die (nur Sing.)
K 3, S. 45/C1

Erdöl, das (nur Sing.) K 9,
S. 140/B

Ereignis, das, -se K 2, S. 39/D1

erfahren (über + A) K 1, S. 18/A1

erfassen (+ A) K 10, S. 165/E1

Erfindung, die, -en K 2, S. 39/F1

erfolgen K 1, S. 19/B3

erfolglos K 8, S. 135/D1

erfragen (+ A) K 9, S. 148/A3

erfüllen (D + A) K 6, S. 100/A2

Ergänzung, die, -en K 10,
S. 156/A2

Ergebnis, das, -se K 2, S. 33/C2

Erhalt, der (nur Sing.) K 9,
S. 147/C1

erhältlich K 8, S. 130/A3

erheblich K 8, S. 131/C1

erhöhen (+ A) K 5, S. 87/C

Erhöhung, die, -en K 7, S. 112/A

erinnern (an + A) K 5, S. 83/C1

erkältet K 3, S. 52/A

Erkältung, die, -en K 3, S. 52/A

erkennbar K 10, S. 162/A2

erkennen (+ A) K 1, S. 16/A1

Erklärung, die, -en K 6, S. 100/
A2

Erkrankung, die, -en K 3,
S. 49/C2

erkundigen, sich (nach + D) K 1,
S. 20/A

erlangen (+ A) K 9, S. 146/B

erläutern (+ A) K 1, S. 17/C1

Erläuterung, die, -en K 1,
S. 17/C3

erleben (+ A) K 6, S. 98/A

Erledigung, die, -en K 7,
S. 118/B1

Erlös, der, -e K 2, S. 33/C1

ermächtigen (+ A) K 5, S. 85/B1

ermäßigt K 1, S. 21/C1

Ermittlung, die, -en K 6,
S. 95/D1

ermöglichen (+ A) K 6, S. 94/A

Ernährungswirtschaft, die
(nur Sing.) K 8, S. 124/A1

erneuerbar K 3, S. 45/C1

erneut K 4, S. 71/D1

ernst K 7, S. 118/B1

eröffnen (+ A) K 2, S. 37/B1

Eröffnung, die, -en K 10,
S. 157/C1

erproben (+ A) K 7, S. 119/E

Ersatzteil, das, -e K 7, S. 117/C1

erschließen (+ A) K 7, S. 110/A

Erschließung, die, -en K 7,
  S. 111/C
erstatten (+ D + A) K 5, S. 82/B1
erstklassig K 7, S. 119/D
erstmals K 5, S. 80/B1
erstrecken, sich (bis zu + D)
  K 10, S. 158/B2
erteilen (+ A) K 4, S. 65/E1
erwachsen K 3, S. 55/C1
Erwachsene, die/der, -n K 1,
  S. 21/C1
erwähnen (+ A) K 1, S. 17/C1
Erwartung, die, -en K 10,
  S. 162/B2
erweitern (+ A) K 7, S. 108/C2
Erweiterung, die, -en K 7,
  S. 110/A
erwerben (+ A) K 2, S. 34/A1
erwirtschaften (+ A) K 3, S. 45/C1
erzeugen (+ A) K 3, S. 45/C2
Erzeugnis, das, -se K 7, S. 114/A1
erzielen (+ A) K 7, S. 108/A
essen gehen K 1, S. 23/D
etabliert K 8, S. 127/D
EU-Bürger, der, - K 10, S. 167/B2
Europa, das (nur Sing.) K 2,
  S. 32/B3
Europäische Union (Abk. EU), die
  (nur Sing.) K 10, S. 167/B2
europaweit K 1, S. 18/A1
evaluieren (+ A) K 5, S. 79/D2
Evaluierung, die, -en K 5,
  S. 87/D
expandieren K 10, S. 156/A2
experimentieren (mit + D) K 2,
  S. 36/A1
Exponat, das, -e K 1, S. 20/A
Exportabteilung, die, -en K 9,
  S. 143/C1
Exporteur, der, -e K 9, S. 142/B1
exportieren K 3, S. 45/C2
Exportmarkt, der, ¨e K 8,
  S. 127/D
exportorientiert K 8, S. 134/B3
extern K 9, S. 140/B
extra K 8, S. 129/C1
extrem K 8, S. 130/A1
EZ (Abk. für Einzelzimmer)
  K 1, S. 14/A1

F

Facharbeiter, der, - K 6, S. 103/E1
Facharbeiterfamilie, die, -n K 6,
  S. 103/E1
Facharzt, der, ¨e K 3, S. 53/C1
Fachberatung, die, -en K 8,
  S. 133/C1
Fachbesucher, der, - K 8, S. 134/B2
Fachhandel, der (nur Sing.) K 7,
  S. 108/A

Fachhandwerk, das (nur Sing.)
  K 7, S. 110/B2
Fachhochschule, die, -n K 10,
  S. 158/B1
Fachhochschulreife, die
  (nur Sing.) K 10, S. 158/B2
Fachkenntnis, die, -se K 6,
  S. 92/A1
Fachkompetenz, die, -en K 6,
  S. 100/B1
Fachkraft, die, ¨e K 10, S. 167/B2
fachlich K 6, S. 94/B1
Fachmann, der, ¨er/leute K 9,
  S. 140/B
Fachmesse, die, -n K 8, S. 124/A1
Fachoberschulabschluss, der, ¨e
  K 10, S. 159/C
Fachoberschule, die, -n K 10,
  S. 158/B2
Fachpresse, die (nur Sing.) K 8,
  S. 134/B2
Fachprogramm, das, -e K 1,
  S. 13/D2
Fähigkeit, die, -en K 6, S. 92/A1
Fahrer, der, - K 4, S. 61/B
Fahrerdisposition, die (nur Sing.)
  K 4, S. 62/B1
Fahrkartenautomat, der, -en
  K 8, S. 131/D2
Fahrscheinautomat, der, -en
  K 8, S. 128/B1
Fahrscheindrucker, der, - K 8,
  S. 133/C1
Fahrscheinentwerter, der, - K 8,
  S. 133/C1
Fahrzeit, die, -en K 4, S. 60/A2
Fahrzeug, das, -e K 4, S. 61/C1
Fahrzeugbau, der (nur Sing.) K 2,
  S. 28/A1
fallen (von + D/um + A/auf + A)
  K 2, S. 33/D2
fällig K 5, S. 82/B1
Fälligkeit, die (nur Sing.) K 5,
  S. 82/B1
Fallstudie, die, -n K 5, S. 87/C
Familienunternehmen, das, -
  K 10, S. 156/A2
Farbstoff, der, -e K 9, S. 140/B
faxen (+ A) K 9, S. 149/D
Feedback, das, -s K 6, S. 99/D2
Fehlbuchung, die, -en K 5,
  S. 85/C1
fehlerfrei K 6, S. 101/C
Feinblech, das, -e K 2,
  S. 28/A2
Feld, das, -er K 2, S. 29/B1
Feldsalat, der (nur Sing.) K 1,
  S. 22/A1
Fernfahrer, der, - K 4, S. 61/B
Fernost K 2, S. 34/A2
Fernsehapparat, der, -e K 9,

S. 146/A
fertig K 4, S. 63/C
Fertiggericht, das, -e K 2,
  S. 28/A2
Fertigmenü, das, -s K 4, S. 67/C1
fest angestellt K 3, S. 54/B1
festlegen (+ A) K 5, S. 80/B
feststellen (+ A) K 5, S. 87/C
Feuchtigkeit, die (nur Sing.) K 8,
  S. 130/A1
Feuchtigkeitscreme, die, -s K 9,
  S. 141/C2
Fieber, das (nur Sing.) K 3, S. 52/A
Filiale, die, -n K 10, S. 156/A2
Finanzdienstleistung, die, -en
  K 2, S. 30/A1
finanzieren (+ A) K 7, S. 113/C
Finanzmarketing, das (nur Sing.)
  K 10, S. 160/A1
Finanzzentrum, das, -zentren
  K 1, S. 13/D2
Firmenbild, das, -er K 5, S. 83/E1
Firmengründer, der, - K 2,
  S. 37/B1
Firmenjubiläum, das, -jubiläen
  K 2, S. 37/B1
Firmensitz, der, -e K 2, S. 39/D1
Firmenvertreter, der, - K 8,
  S. 127/C2
Fisch, der, -e K 1, S. 22/A2
Fischgericht, das, -e K 1, S. 22/A1
Fitnessraum, der, ¨e K 1,
  S. 14/A1
Fleischgericht, das, -e K 1, S.
  22/A1
Fleischware, die, -n K 2, S. 29/B1
fleißig K 6, S. 99/E
fließend K 10, S. 156/A2
Flipchart, das, -s K 4, S. 61/C3
Flugticket, das, -s K 5, S. 84/A1
Fluss, der, ¨e K 3, S. 48/A
flüssig K 9, S. 141/C1
Flüssigseife, die, -n K 9, S. 146/C1
Fokussierung, die (nur Sing.) K 6,
  S. 95/D1
folglich K 5, S. 76/B1
fördern (+ A) K 6, S. 99/D2
fordern (+ A) K 5, S. 81/E1
Förderung, die, -en K 6, S. 94/A
Forderung, die, -en K 9, S. 147/C1
Forelle, die, -n K 1, S. 22/A1
Form, die, -en K 5, S. 76/A
formal K 6, S. 98/B1
formell K 10, S. 162/B1
förmlich K 2, S. 37/B1
Förmlichkeit, die, -en K 5, S. 86/A
Formular, das, -e K 5, S. 85/B1
formulieren (+ A) K 4, S. 67/C1
Formulierung, die, -en K 6,
  S. 99/D3
Forschung, die (hier nur Sing.)

K 1, S. 18/B1
fortbilden (+ A) K 5, S. 83/E2
Fortbildung, die, -en K 3,
S. 44/A2
Fortentwicklung, die, -en K 2,
S. 31/D1
fossil K 3, S. 45/C1
Fotograf, der, -en K 1, S. 12/B2
Fracht, die, -en K 5, S. 78/B2
Frachtbrief, der, -e K 9, S. 142/B1
Frachtgut, das (hier nur Sing.)
K 4, S. 62/A1
Frachtklausel, die, -n K 9,
S. 142/B1
Frachtkosten, die (nur Pl.) K 7,
S. 114/B3
Frachtterminal, der, -s K 9,
S. 144/B1
Frachtweg, der, -e K 9, S. 144/A1
Frage (in Frage kommen) K 4,
S. 68/A2
Franchise, das (nur Sing.)
K 3, S. 55/C1
Franken, der, - K 3, S. 55/C1
frei (haben) K 4, S. 62/B1
frei an Bord K 9, S. 142/B1
frei Haus K 7, S. 115/D1
freibleibend K 7, S. 115/D1
Freiheit, die, -en K 6, S. 98/B1
Freisprechfunktion, die, -en
K 4, S. 70/A
freizeitbezogen K 2, S. 30/A1
Freizeiteinrichtung, die, -en
K 1, S. 14/A2
Freude (an + D) K 10, S. 163/C1
Friseur, der, -e K 8, S. 124/A1
Frist, die, -en K 9, S. 147/C1
frühestens K 6, S. 102/A3
frühestmöglich K 10,
S. 156/A2
frühzeitig K 10, S. 156/A2
führend K 2, S. 35/C1
Fuhrpark, der, -s K 4, S. 60/A2
Führung, die, -en K 1, S. 21/C1
Führungsgrundsatz, der, ¨e K 6,
S. 99/D1
Führungskraft, die, ¨e K 6,
S. 99/D4
Führungsmangel, der, ¨ K 6,
S. 99/D2
Führungsposition, die, -en K 10,
S. 156/A2
Führungspotenzial, das, -e K 6,
S. 94/B1
Füllsystem, das, -e K 8, S. 130/A1
Füllung, die, -en K 8, S. 130/A1
fünfköpfig K 6, S. 103/E1
funktionell K 5, S. 76/A
Funktionsweise, die, -n K 3,
S. 50
fusionieren K 2, S. 34/A2

Fuß, der, ¨e K 3, S. 49/C2
Fußweg, der, -e K 1, S. 21/C1

G

Galerie, die, -n K 1, S. 21/C1
ganztägig K 4, S. 67/D1
Garantieleistung, die, -en K 7,
S. 108/A
garantieren (+ A) K 2, S. 29/B1
Garnele, die, -n K 1, S. 22/B
Garnitur, die, -en K 5, S. 76/B1
Gartenbau, der (nur Sing.) K 8,
S. 124/A1
Gas, das, -e K 3, S. 45/C1
Gast, der, ¨e K1, S. 12/A
Gastgeschenk, das, -e K 1,
S. 13/D2
Gastronomie, die (nur Sing.)
K 10, S. 167/B2
Gebäck, das (nur Sing.) K 7,
S. 116/B1
gebacken K 1, S. 22/A1
Gebäudereinigung, die, -en K 4,
S. 67/C1
Gebäudetechnik, die (nur Sing.)
K 8, S. 124/A1
gebeugt K 3, S. 49/D
Gebietsfiliale, die, -n K 10,
S. 163/C1
Gebietskrankenkasse, die, -n
K 3, S. 55/D
geboren K 6, S. 92/A1
Gebrauchsnutzen, der, - K 7,
S. 118/B1
Gebühr, die, -en K 3, S. 54/B1
Geburt, die, -en K 10, S. 161/A1
Geburtsdatum, das, -daten K 6,
S. 92/A1
Geburtsort, der, -e K 9, S. 140/B
geeignet K 7, S. 110/A
Gefahr, die, -en K 3, S. 48/A
gefährlich K 3, S. 44/B3
Gefühl, das, -e K 7, S. 118/B1
gefüllt K 1, S. 22/B
Gegenargument, das, -e K 7,
S. 118/B1
Gegensatz, der, ¨e K 6, S. 98/C1
gegenseitig K 2, S. 38/B1
Gegenvorschlag, der, ¨e K 3,
S. 52/B2
Gehaltsanbindung, die, -en K 6,
S. 96/B1
Gehaltsberechnung, die, -en
K 6, S. 103/D1
Gehaltsbestandteil, der, -e K 6,
S. 103/D1
Gehaltserhöhung, die, -en K 6,
S. 96/A1
Gehäuse, das, - K 8, S. 131/D2
Geheimnummer, die, -n K 5,

S. 84/A2
gehemmt K 10, S. 165/E1
gehen (es geht um + A) K 3,
S. 47/C
Gehorsam, der (nur Sing.) K 6,
S. 94/A
Geldinstitut, das, -e K 5, S. 85/B1
gelegentlich K 1, S. 21/GK
gemischt K 1, S. 22/A1
Gemüseteller, der, - K 1, S. 22/B
genannt (so genannt) K 3,
S. 55/C1
generell K 8, S. 135/D1
Genussmittel, das, - K 2, S. 30/A1
geöffnet K 1, S. 21/C1
geografisch K 8, S. 125/B1
Gepäck, das (nur Sing.) K 1,
S. 12/A
Gepäckanhänger, der, - K 4,
S. 65/D
geplant K 7, S. 113/B2
gerade (≠ schief) K 3, S. 49/C2
Gerät, das, -e K 3, S. 50/A2
gerecht K 6, S. 98/C3
Gerechtigkeit, die (nur Sing.)
K 6, S. 94/A
Gericht, das, -e K 1, S. 22/A1
Gerichtsstand, der, ¨e K 9,
S. 147/C1
gering K 4, S. 61/C1
Geruch, der, ¨e K 9, S. 141/C1
Gesamtkosten, die (nur Pl.) K 8,
S. 135/E
Gesamtleistung, die, -en K 3,
S. 45/C1
Gesamtnote, die, -n K 10,
S. 163/B1
Gesamtumsatz, der, ¨e K 2,
S. 34/A2
Gesamtwirtschaft, die (nur Sing.)
K 6, S. 102/C1
Gesamtzahl, die, -en K 8, S. 134/A
Geschäft, das, -e K 9, S. 149/D
Geschäftsabschluss, der, ¨e K 7,
S. 118/B1
Geschäftsbereich, der, -e K 2,
S. 34/A2
Geschäftsbeziehung, die, -en
K 9, S. 147/C1
Geschäftsbrief, der, -e K 9,
S. 144/A1
Geschäftsfall, der, -e K 5, S. 87/C
Geschäftsführerin, die, -nen
K 8, S. 134/B1
Geschäftsjahr, das, -e K 2,
S. 32/B1
Geschäftsrisiko, das, -risiken
K 2, S. 31/D1
Geschäftsverbindung, die, -en
K 8, S. 126/A1
Geschäftsverkehr, der (nur Sing.)

K 9, S. 147/C1
geschehen K 1, S. 19/B3
Geschichte, die (hier nur Sing.)
K 1, S. 20/A
Geschick, das (nur Sing.) K 6,
S. 92/A1
Geschicklichkeit, die (nur Sing.)
K 6, S. 92/A1
Geschlecht, das, -er K 10,
S. 160/A1
geschockt sein K 5, S. 85/C1
Gesellschaft mit beschränkter
Haftung, die, -en (Abk. GmbH)
K 2, S. 31/C2
Gesetz, das, -e K 9, S. 147/C1
gesetzlich K 3, S. 54/B1
Gesicht, das, -er K 1, S. 13/D2
gesondert K 1, S. 21/C1
gesprächsbereit K 7, S. 118/A
Gesprächseröffnung, die, -en
K 10, S. 164/B
Gesprächstermin, der, -e K 4,
S. 67/D3
getrennt K 1, S. 23/C1
Getriebe, das, - K 3, S. 51/C2
Getriebegang, der, ¨e K 3,
S. 50/A2
Getriebeschaltung, die, -en K 3,
S. 50/B2
gewähren (+ A) K 7, S. 114/
B3
gewährleisten (+ D + A) K 10,
S. 156/A2
Gewerbeausstellung, die, -en
K 7, S. 112/A
Gewerbeunternehmen, das, -
K 9, S. 146/B
gewerblich K 5, S. 86/A
Gewinn, der, -e K 2, S. 39/C1
gewinnen (+ A) K 6, S. 96/A1
gewiss K 10, S. 158/B2
gewissenhaft K 6, S. 92/A1
gewünscht K 3, S. 51/C2
gezielt K 6, S. 99/D1
Gigawatt K 3, S. 45/C1
Girokonto, das, -konten K 5,
S. 84/A2
glaubwürdig K 6, S. 99/E
gleich bleiben K 2, S. 33/D1
gleichberechtigt K 2, S. 31/D1
gleichzeitig K 9, S. 141/C1
gleitend K 6, S. 102/A3
gliedern, sich (in +A) K 10,
S. 158/B2
Glossar, das, -e K 4, S. 71/D1
Gott sei Dank! K 3, S. 55/D
Grafik, die, -en K 10, S. 158/B2
Grafiker, der, - K 10, S. 167/B2
Granulat, das, -e K 1, S. 19/B2
granulieren (+ A) K 1, S. 19/B2
Grenzregion, die, -en K 10,

S. 166/A1
grillen K 1, S. 22/A1
Grippe, die (nur Sing.) K 3,
S. 53/C1
grob K 6, S. 103/E1
Großbetrieb, der, -e K 6,
S. 99/D4
Großhandel, der (nur Sing.) K 7,
S. 108/A
Großhändler, der, - K 7,
S. 115/E
Großunternehmen, das, - K 2,
S. 31/C1
großzügig K 7, S. 108/A
Grundanspruch, der, ¨e K 10,
S. 158/B2
Grundstoff, der, -e K 2, S. 30/A1
Gründer, der, - K 2, S. 39/F1
Grundgebühr, die, -en K 5,
S. 80/B1
Grundlaufzeit, die, -en K 5,
S. 82/B1
gründlich K 10, S. 156/A2
Grundschule, die, -n K 10,
S. 158/B1
Grundstoffgut, das, ¨er K 2,
S. 30/A1
Grüne, das (ins Grüne, im
Grünen) K 1, S. 17/D1
Gruppenleiter, der, - K 6,
S. 92/A1
Gruppenpraxis, die, -praxen
K 3, S. 55/C1
grüßen (+ A) K 3, S. 52/B2
Grußformel, die, -n K 10,
S. 162/B1
gültig K 9, S. 147/C1
Guten Appetit! K 1, S. 23/C1
Güterbahnhof, der, ¨e K 4,
S. 62/B1
gutschreiben (+ A) K 5, S. 85/C1
Gutschrift, die, -en K 5, S. 85/C2
gymnasial K 10, S. 158/B2
Gymnasium, das, Gymnasien
K 10, S. 158/B1

H

h (Abk. für Stunde) K 4, S. 60/A1
Hafen, der, Häfen K 9, S. 142/A1
haften (mit + D/für + A) K 2,
S. 31/D1
Haftung, die, -en K 9, S. 147/C1
halbstündig K 7, S. 117/C3
Hälfte, die, -n K 2, S. 31/D1
Hals, der, ¨e K 3, S. 52/A
halten (Anteile an + D) K 2,
S. 35/B
Haltung, die (Tiere) (hier nur
Sing.) K 2, S. 29/B1
Hand, die, ¨e K 3, S. 49/D

Handarbeit, die (hier nur Sing.)
K 2, S. 36/A2
handeln (bei ... handelt es sich
um + A) K 2, S. 29/B3
Handelsakademie, die, -n K 10,
S. 158/B2
Handelsgesetzbuch, das, ¨er
K 9, S. 147/C1
Handelsmesse, die, -n K 8,
S. 125/B1
Handelsplatz, der, ¨e K 8,
S. 125/B1
Handelsunternehmen, das, -
K 9, S. 146/B
Handfertigkeit, die (nur Sing.)
K 6, S. 92/A1
Händler, der, - K 8, S. 126/B1
Händlerrabatt, der, -e K 7,
S. 115/E
Handtuchhalter, der, - K 7,
S. 108/A
Handwerk, das (nur Sing.) K 2,
S. 30/A1
Handwerkermeister, der, - K 10,
S. 167/B2
Handwerksbetrieb, der, -e K 2,
S. 35/C1
Hard Skill, der, -s K 10, S. 164/B
häufig K 4, S. 68/A1
Hauptfach, das, ¨er K 10,
S. 160/A1
Hauptgericht, das, -e K 1,
S. 22/A2
Hauptpunkt, der, -e K 8,
S. 135/D2
hauptsächlich K 8, S. 124/A2
Hauptschalter, der, - K 3,
S. 50/A2
Hauptschule, die, -n K 10,
S. 158/B2
Hauptspeise, die, -n K 1, S. 22/B
Hauptteil, der, -e K 10, S. 162/B1
Hausbau, der, -ten K 7, S. 111/B4
hausgemacht K 1, S. 22/A1
Haushaltsgerät, das, -e K 2,
S. 38/A1
Hausmeister, der, - K 7, S. 116/B1
Hausmeisterei, die, -en K 1,
S. 15/C
Haustechnik, die (nur Sing.) K 8,
S. 124/A1
Haut, die (nur Sing.) K 9, S. 141/
C1
Hautcreme, die, -s K 2, S. 28/A2
Hebelmischer, der, - K 7, S. 108/A
heben (+ A) K 3, S. 48/A
Heidelbeere, die, -n K 1, S. 22/B
Heilpraktiker, der, - K 9, S. 140/B
Heim, das (hier nur Sing.)
K 8, S. 124/A1
Heimatland, das, ¨er K 2, S. 29/C

Heimatort, der, -e K 2, S. 36/A2
heimisch K 3, S. 45/C1
her K 2, S. 29/C
heranführen (an + A) K 3, S. 51/C1
herausfinden K 10, S. 164/A
Herausforderung, die, -en K 10, S. 163/B1
herholen (+ A) K 8, S. 128/B1
Herstellung, die (nur Sing.) K 1, S. 18/A1
hervorheben (+ A) K 10, S. 162/B3
hervorragend K 6, S. 100/A2
Herz, das, -en K 3, S. 52/A
Herz, das, -en (Zentrum) K 1, S. 13/D2
heutig K 5, S. 87/D
heutzutage K 10, S. 167/C1
Himbeere, die, -n K 1, S. 22/A1
hinaus K 2, S. 31/D1
Hinfahrt, die, -en K 4, S. 68/
hinschicken (+ A) K 1, S. 15/C
hinsichtlich K 9, S. 147/C1
hinterlassen (+ A) K 4, S. 66/A1
hinterlegen (+ A) K 10, S. 166/A1
Hinweis, der, -e K 4, S. 71/D1
hinweisen (auf + A) K 1, S. 20/B2
hinzu K 6, S. 103/E1
historisch K 1, S. 17/C3
Hochgebirge, das, - K 8, S. 130/A1
hochisolierend K 8, S. 130/A1
hochqualifiziert K 10, S. 167/B2
Hochschulabschluss, der, -e K 10, S. 156/A2
Hochschulbildung, die, -en K 10, S. 158/B2
Hochschule, die, -n K 10, S. 158/B1
Hochschulreife, die (nur Sing.) K 10, S. 158/B2
höchstens K 3, S. 54/B1
hochwertig K 2, S. 29/B1
hochwirksam K 2, S. 36/A1
Hörer, der, - K 4, S. 71/D1
Hörfunk, der (nur Sing.) K 8, S. 134/B2
Hörtext, der, -e K 6, S. 101/B2
Hoteleingang, der, -e K 4, S. 64/B1
Husten, der (nur Sing.) K 3, S. 52/A
Hygiene, die (nur Sing.) K 5, S. 76/A

I

ideal K 9, S. 145/B3
Ideal, das, -e K 6, S. 99/D4
idealerweise K 10, S. 156/A2

Idee, die, -n K 5, S. 78/A1
identifizieren K 2, S. 29/B3
im Blick haben (+ A) K 7, S. 118/B1
im Lauf (+ G) K 2, S. 31/D1
im Übrigen K 10, S. 167/B2
im Umlauf sein K 2, S. 31/D1
im Wesentlichen K 6, S. 100/A2
Image, das, -s K 5, S. 86/B1
Impfstoff, der, -e K 2, S. 28/A2
Import, der, -e K 9, S. 140/B
Importeur, der, -e K 9, S. 142/B1
in Anspruch nehmen (+ A) K 3, S. 55/C2
in Frage kommen K 4, S. 68/A2
in Kürze K 9, S. 150/A
in Ordnung K 1, S. 12/A
in Rechnung stellen (+ A) K 7, S. 114/A1
Inbegriff, der (nur Sing.) K 8, S. 125/B1
indem K 3, S. 49/C1
indiskret K 6, S. 103/F
Industriedesign, das (nur Sing.) K 2, S. 37/B1
Industrieroboter, der, - K 2, S. 28/A2
Info-Fluss, der, -e K 6, S. 101/C
Info-Mappe, die, -n K 1, S. 13/D2
Informationskampagne, die, -n K 10, S. 166/A1
Informationsverhalten, das (nur Sing.) K 8, S. 134/B2
Infostand, der, -e K 7, S. 112/A
Ingenieurskunst, die, -e K 8, S. 131/E
Inhaber, der, - K 4, S. 70/B1
Inhalt, der, -e K 6, S. 101/C
Inhaltspunkt, der, -e K 10, S. 162/B2
Inhaltsstoff, der, -e K 9, S. 141/C1
inklusive K 6, S. 96/B1
innen K 8, S. 130/A1
Innenstadt, die, -e K 1, S. 17/C3
Innovation, die, -en K 6, S. 100/A1
Innovationsbereitschaft, die (nur Sing.) K 6, S. 100/A1
innovativ K 2, S. 29/B1
insbesondere K 10, S. 160/A1
instand halten (+ A) K 5, S. 81/C2
instand setzen (+ A) K 3, S. 44/A2
Instandsetzung, die, -en K 10, S. 156/A2
Interesse wecken K 7, S. 118/B1
interessieren (+ A) K 1, S. 19/C
interessieren, sich (für + A) K 1, S. 20/A
interkulturell K 10, S. 160/A1
international K 1, S. 16/A1

Internetauftritt, der, -e K 8, S. 134/C
Internet-Shop, der, -s K 8, S. 131/C1
Internet-Zeitalter, das (nur Sing.) K 8, S. 125/B1
Internetzugang, der, -e K 10, S. 166/A2
Internist, der, -en K 3, S. 53/C1
Investitionsentscheidung, die, -en K 8, S. 134/B2
Investitionsgut, das, -er K 2, S. 30/A1
Investor, der, -en K 2, S. 31/D1
inzwischen K 5, S. 85/C1
irren, sich K 1, S. 15/C
Irrtum, der, -er K 5, S. 85/C1
Ist-Zustand, der, -e K 5, S. 76/B2
IT, die (Abk. für Informationstechnologie) (nur Sing.) K 2, S. 28/A1

J

Ja/Nein-Frage, die, -n K 7, S. 118/B1
Jahresumsatz, der, -e K 2, S. 32/A
Jahresvertriebskonferenz, die, -en K 7, S. 108/B1
Jahreswechsel, der, - K 6, S. 96/A3
Jahreszeit, die, -en K 8, S. 130/A1
Jahrhundert, das, -e K 1, S. 20/A
Jahrmarkt, der, -e K 8, S. 125/B1
jahrzehntelang K 8, S. 131/E
Japan, das (nur Sing.) K 9, S. 142/A2
je K 3, S. 54/B1
jedoch K 5, S. 82/B1
jemand K 4, S. 63/B1
jener, jene, jenes K 6, S. 98/B1
jetzig K 7, S. 119/E
jeweilig K 2, S. 28/B2
jeweils K 6, S. 98/C1
Jojobaöl, das, -e K 9, S. 141/C1
Jugend, die (nur Sing.) K 1, S. 17/C3
Jugendliche, die/der, -n K 10, S. 158/B2
Jura (nur Sing.) K 10, S. 159/C
juristisch K 10, S. 159/C

K

Kaffeepause, die, -n K 7, S. 108/B1
Kakaobutter, die (nur Sing.) K 9, S. 141/C1
Kalenderwoche, die, -n K 4, S. 62/B1
kalkulieren (+ A) K 4, S. 63/D
Kälteanlage, die, -n K 10, S. 156/A2

Kälteanlagenbauer, der, - K 10, S. 156/A2

Kaltgetränk, das, -e K 7, S. 116/B1

Kampf, der, ⁻e K 3, S. 45/C1

Kandidat, der, -en K 10, S. 166/A1

Kanton, der, -e K 10, S. 158/B2

Kapital, das, (nur Sing.) K 2, S. 34/A1

Kapitalmarkt, der, ⁻e K 10, S. 163/B1

Karotte, die, -n K 1, S. 22/A1

Karrierechance, die, -n K 10, S. 162/A2

Karriereplanung, die, -en K 6, S. 94/A

Karteikarte, die, -n K 8, S. 131/D2

Kartenabfrage, die, -n K 7, S. 116/A1

Karton, der, -s K 9, S. 145/C2

Käseteller, der, - K 1, S. 22/A1

Kästchen, das, - K 6, S. 100/A1

Kasten, der, ⁻ K 6, S. 102/A3

Katalogpreis, der, -e K 8, S. 129/C1

Kategorie, die, -n K 2, S. 30/B

Käufer, der, - K 7, S. 119/D

kaufmännisch K 10, S. 156/A2

Kaufpreis, der, -e K 9, S. 146/A

Kaufpreisforderung, die, -en K 9, S. 147/C1

Kellner, der, - K 1, S. 23/C2

Kellnerin, die, -nen K 1, S. 23/C2

Kenntnisnahme, die (nur Sing.) K 6, S. 92/A1

Keramikdichtung, die, -en K 7, S. 117/C1

Kernzeit, die, -en K 6, S. 102/A3

Kinderbetreuung, die, -en K 1, S. 14/A2

Kindergeld, das (nur Sing.) K 6, S. 103/D1

Kinofilm, der, -e K 3, S. 47/C

Kinoprogramm, das, -e K 1, S. 20/B2

klarmachen K 7, S. 112/B1

klassifizieren (+ A) K 2, S. 31/B

klassisch K 2, S. 31/D1

Klausel, die, -n K 9, S. 146/B

Klavier, das, -e K 6, S. 96/A1

Kleinbus, der, -se K 4, S. 64/A

Kleineisenteil, das, -e K 4, S. 62/A1

Kleingedruckte, das (nur Sing.) K 9, S. 146

Kleintransporter, der, - K 2, S. 31/D1

Kleinunternehmen, das, - K 2, S. 31/C1

Kleinwagen, der, - K 2, S. 31/D1

Klima, das (nur Sing.) K 3, S. 45/C1

Klimaanlage, die, -n K 1, S. 15/C

klimatechnisch K 10, S. 156/A2

Klingelsymbol, das, -e K 4, S. 71/D1

km (Abk. für Kilometer) K 4, S. 60/A1

km/h (Abk. für Kilometer pro Stunde) K 4, S. 60/A1

knapp K 2, S. 33/C1

Knie, das, - K 3, S. 49/C2

Knotenpunkt, der, -e K 8, S. 125/B1

knüpfen (Kontakt) K 8, S. 125/B1

Koffer, der, - K 1, S. 13/GK

Kohlroulade, die, -n K 1, S. 22/B

Komfort, der (nur Sing.) K 5, S. 79/D1

komfortabel K 1, S. 14/A2

Kommunikationsfähigkeit, die (nur Sing.) K 10, S. 163/B1

Kommunikationsmangel, der, ⁻ K 6, S. 99/D2

Kommunikationsmittel, das, - K 4, S. 68/A1

Kommunikationsmix, der (nur Sing.) K 8, S. 125/B1

Kommunikationsproblem, das, -e K 6, S. 99/D2

kommunikationsstark K 10, S. 156/A2

Kommunikationsstärke, die (nur Sing.) K 10, S. 156/A2

Kommunikationsziel, das, -e K 8, S. 127/B2

kommunikativ K 10, S. 163/C1

Kompetenz, die, -en K 6, S. 99/D2

komplett K 5, S. 76

Komplett-Angebot, das, -e K 5, S. 76

kompliziert K 3, S. 55/C1

Konferenztisch, der, -e K 2, S. 29/B1

Konkurrenz, die (nur Sing.) K 6, S. 99/D2

Konsequenz, die, -en K 8, S. 134/C

Konsistenz, die (nur Sing.) K 9, S. 141/C1

konstruieren (+ A) K 2, S. 36/A1

konsultieren (+ A) K 10, S. 166/A1

Konsumgut, das, ⁻er K 2, S. 30/A1

Kontaktaufnahme, die, -n K 7, S. 111/B4

kontaktieren (+ A) K 10, S. 166/A1

Kontinent, der, -e K 2, S. 29/B1

Konto, das, Konten K 5, S. 82/B1

Kontoauskunft, die, ⁻e K 4, S. 70/C2

Kontoauszug, der, ⁻e K 5, S. 85/C1

Kontodaten (nur Pl.) K 5, S. 83/C3

Kontoinhaber, der, - K 5, S. 85/B2

Kontokorrent, das (nur Sing.) K 9, S. 147/C1

Kontonummer, die, -n K 4, S. 70/C3

Kontostand, der, ⁻e K 4, S. 70/C3

Kontrolle, die, -n K 3, S. 50/A2

kontrollierbar K 6, S. 97/C1

kontrolliert-biologisch K 9, S. 141/C1

konzentrieren, sich (auf + A) K 2, S. 29/B1

Konzern, der, -e K 2, S. 31/C1

Konzerngewinn, der, -e K 2, S. 33/F

Konzernsitz, der, -e K 2, S. 34/A2

Konzert, das, -e K 1, S. 20/A

Kooperation, die (nur Sing.) K 6, S. 100/B1

köpernah K 3, S. 49/C2

Kopf, der, ⁻e K 3, S. 51/D

Kopfschmerzen, die (nur Pl.) K 1, S. 12/A

Körper, der, - K 3, S. 49/C2

Körpergröße, die, -n K 8, S. 130/A1

Körperhaltung, die, -en K 3, S. 49/C2

Körperpflege, die (nur Sing.) K 9, S. 140/B

Körperpflegemittel, das, - K 9, S. 141/C1

Kosmetikindustrie, die (nur Sing.) K 2, S. 28/A1

Kosmetika (nur Pl.) K 2, S. 28/A2

kostenfrei K 6, S. 103/E1

kostengünstig K 5, S. 76/B1

Kosten-Nutzen-Analyse, die, -n K 8, S. 134/C

Kosten-Nutzen-Verhältnis, das, -se K 7, S. 119/D

Kostenrechnung, die, -en K 8, S. 135/D1

kostspielig K 5, S. 76/B1

Kotelett, das, -s K 1, S. 22/A1

Kraftfahrzeug, das, -e K 3, S. 50/A2

Kraftwerk, das, -e K 2, S. 38/A1

Krankenkasse, die, -n K 3, S. 54/B1

Krankenschein, der, -e K 3, S. 55/D

Krankenversicherungssystem, das, -e K 3, S. 54

krankschreiben K 3, S. 53/C2

kreativ K 6, S. 100/A1

Kreativität, die (nur Sing.) K 6, S. 100/A1

Kreislauftablette, die, -n K 3,
   S. 55/D
Kriegsproduktion, die, -en K 2,
   S. 39/D1
Kriterium, das, Kriterien K 6,
   S. 97/C1
Kühlmittel, das, - K 3, S. 51/C2
Kühlschrank, der, ̈e K 2,
   S. 38/A1
kümmern, sich (um + A) K 1,
   S. 14/A2
Kundenerwartung, die, -en K 7,
   S. 119/F
kundenfreundlich K 8, S. 131/
   D2
Kundenkreis, der, -e K 7, S. 108/
   C2
Kundennummer, die, -n K 5,
   S. 85/B1
kundenorientiert K 4, S. 68/A2
Kundenterminal, der, -s K 5,
   S. 84/A1
Kundentyp, der, -en K 7, S. 118/A
Kundenzufriedenheit, die
   (nur Sing.) K 7, S. 108/C2
kündigen (+ A) K 4, S. 68/A2
kundtun (+ D + A) K 10, S. 166/
   A1
Kunst, die (hier nur Sing.) K 1,
   S. 20/A
Kunstfaser, die, -n K 8, S. 130/B
Kunstmuseum, das, -museen
   K 1, S. 17/D1
Kunststoff, der, -e K 2, S. 28/A1
Kurier, der, -e K 9, S. 148/B2
Kurs, der, -e (Aktienkurs) K 2,
   S. 33/D1
Kursort, der, -e K 1, S. 17/D1
Kurzdialog, der, -e K 7, S. 119/E
kürzen (um + A) K 5, S. 82/B1
Kurzpräsentation, die, -en K 2,
   S. 30/A2

L

Lachs, der, -e K 1, S. 22/A1
lackieren (+ A) K 1, S. 19/B2
laden (+ A) K 4, S. 65/D
Ladenpreis, der, -e K 7, S. 119/D
Ladenverkaufspreis, der, -e K 7,
   S. 115/E
Lage, die, -n K 5, S. 87/D
Lageplan, der, ̈e K 3, S. 46/A1
Lagerarbeit, die, -en K 4, S. 62/B1
Lagerbestand, der, ̈e K 9,
   S. 149/B3
Lagermenge, die, -n K 9, S. 149/B3
Lagerung, die, -en K 3, S. 50/B2
Landbrot, das, -e K 2, S. 29/B1
Landesgrenze, die, -n K 2,
   S. 31/D1

Landessprache, die, -n K 7,
   S. 112/A
Landwirtschaft, die (nur Sing.)
   K 8, S. 124/A1
lange dauern K 4, S. 62/A2
langfristig K 10, S. 164/B
langjährig K 7, S. 119/D
Langlebigkeit, die (nur Sing.)
   K 5, S. 86/A
lassen K 4, S. 66/A1
Last, die, -en K 3, S. 48/B3
Lateinamerika, das (nur Sing.)
   K 2, S. 32/B3
Latzhose, die, -n K 5, S. 80/B1
laufend K 4, S. 71/D1
laut (+ G) K 7, S. 114/A1
lauten K 4, S. 61/B
läuten (das Telefon) K 4, S. 71/D1
Lautsprecher, der, - K 4, S. 70/A
Lautsprechertaste, die, -n K 4,
   S. 71/D1
Lautstärke, die, -n K 4, S. 70/A
leasen (+ A) K 5, S. 81/C1
Leasing, das, -s K 5, S. 76/A2
Leasingsystem, das, -e K 5, S.
   76/A
Lebensdauer, die (nur Sing.) K 7,
   S. 119/D
Lebenshaltungskosten, die
   (nur Pl.) K 10, S. 167/B2
lebenslang K 2, S. 29/B1
Lebenslauf, der, ̈e K 10, S. 160
Lebensmittel, das, - K 2, S. 29/B1
lebhaft K 7, S. 111/B4
Lehre, die, -n K 2, S. 37/B1
Lehrer, der, - K 6, S. 98/C3
leicht K 2, S. 33/F
Leichtigkeit, die (nur Sing.) K 8,
   S. 130/A1
leisten (einen Beitrag) (+ A) K 3,
   S. 45/C1
leistungsabhängig K 10,
   S. 156/A2
Leistungsfähigkeit, die (nur
   Sing.) K 5, S. 78/B2
Leistungsmerkmal, das, -e K 7,
   S. 119/D
Leistungsmotivation, die
   (nur Sing.) K 6, S. 100/B1
leistungsstark K 2, S. 35/C1
leiten (in + A) K 3, S. 48/A
Leiter, der, - K 3, S. 45/D
Leiterin, die, -nen K 3, S. 45/D
Lektor, der, -en K 10, S. 161/B2
Lenkzeit, die, -en K 4, S. 61/B
Lernangebot, das, -e K 10,
   S. 166/A1
Lieblingsplatz, der, ̈e K 1,
   S. 17/C3
Lieferanschrift, die, -en K 5,
   S. 80/B1

Lieferbedingung, die, -en K 4,
   S. 68/A2
Lieferkosten, die (nur Pl.) K 9,
   S. 149/B3
Liefermenge, die, -n K 5,
   S. 78/B2
Lieferort, der, -e K 4, S. 60/A2
Lieferschein, der, -e K 7,
   S. 114/A1
Liefertermin, der, -e K 4,
   S. 62/A1
Lieferumfang, der, ̈e K 5,
   S. 82/B1
Lieferverzug, der (nur Sing.) K 9,
   S. 150/A
Lieferzeit, die, -en K 4, S. 60/A
liegen (bei + D) K 2, S. 33/C1
Lifestyle, der (nur Sing.) K 8,
   S. 124/A1
limitiert K 10, S. 166/A1
Link, der, -s K 10, S. 166/A1
Lizenzierung, die, -en K 7,
   S. 112/A
Lkw, der, -s (Abk. für
   Lastkraftwagen) K 2, S. 28/A2
Loch, das, ̈er K 3, S. 50/A2
Logistik, die (nur Sing.) K 1,
   S. 18/B1
Logo, das, -s K 5, S. 80/B
Lohn, der, ̈e K 10, S. 167/B2
lohnen, sich K 6, S. 103/E1
Lohnsteuer, die, -n K 6, S. 103/D1
lösen (+ A) K 1, S. 22/B
Lösungsvorschlag, der, ̈e K 5,
   S. 80/A
Lotto, das (nur Sing.) K 6,
   S. 96/A1
Luftbett, das, -en K 8, S. 129/C1
Luftfracht, die (nur Sing.) K 9,
   S. 142/A1
Luftfrachtterminal, der, -s K 9,
   S. 142/A1
Luxuslimousine, die, -n K 2,
   S. 31/D1

M

Magen, der, ̈ K 3, S. 53/C1
Magisterprüfung, die, -en K 10,
   S. 158/B2
mahnen (+ A) K 5, S. 82/A1
Mahnung, die, -en K 9, S. 146/C1
Mailing, das, -s K 7, S. 111/C
Mailing-Aktion, die, -en K 7,
   S. 110/A
Makeln, das (nur Sing.) K 4,
   S. 70/A
mancher, manche, manches
   K 6, S. 102/A3
Mandelöl, das, -e K 9, S. 141/C1
Mangel, der, Mängel K 6, S. 99/D2

Mängelfreiheit, die (*nur Sing.*) K 9, S. 147/C1

Mängelrüge, die, -n K 9, S. 147/C1

Mappe, die, -n K 1, S. 13/D1

Marke, die, -n K 2, S. 34/A2

Markenname, der, -n K 2, S. 37/B1

Markenprofil, das, -e K 7, S. 119/D

Marketing, das (*nur Sing.*) K 10, S. 163/B1

Marketingberatung, die, -en K 1, S. 19/E1

Marketinginstrument, das, -e K 8, S. 125/B1

Marketingplan, der, -̈e K 7, S. 113/E

Marketingzentrale, die, -n K 10, S. 156/A2

Markierung, die, -en K 9, S. 142/B1

Markt, der, -̈e K 2, S. 29/B1

Marktanteil, der, -e K 7, S. 109/D2

Marktchance, die, -n K 7, S. 113/C

Marktinformation, die, -en K 8, S. 127/B2

Marktnische, die, -n K 8, S. 127/B2

Marktposition, die, -en K 7, S. 111/C

Marktsituation, die, -en K 7, S. 110/B2

Marktstrategie, die, -n K 7, S. 108/A

März, der (*nur Sing.*) K 9, S. 146/C1

Maschine, die, -n K 7, S. 109/E

Maschinenbauingenieurin, die, -nen K 10, S. 159/C

Maschinenkunde, die (*nur Sing.*) K 3, S. 50/A2

Maß, das, -e K 6, S. 92/A1

Massenprodukt, das, -e K 7, S. 108/A

massiv K 8, S. 135/E

Master-Abschluss, der, -̈e K 10, S. 158/B2

Material, das, -ien K 5, S. 76/A

Matratze, die, -n K 8, S. 129/C1

Matura, die (*nur Sing.*) K 10, S. 158/B2

Maturität, die (*nur Sing.*) K 10, S. 158/B2

maximal K 6, S. 102/A3

MBA-Studium, das, -en K 6, S. 96/A1

Medikament, das, -e K 2, S. 36/A1

Medizintechnik, die (*nur Sing.*) K 2, S. 38/A1

Meer, das, -e K 6, S. 96/A1

mehr als (+ A) K 2, S. 33/C1

mehrere K 2, S. 36/A2

Mehrfachkarte, die, -n K 8, S. 131/D2

Mehrwertsteuer, die, -n K 9, S. 147/C1

Meisterprüfung, die, -en K 2, S. 37/B1

Meisterwerk, das, -e K 1, S. 20/A

melden, sich K 4, S. 66/A1

Mengenrabatt, der, -e K 7, S. 119/E

Menütaste, die, -n K 4, S. 70/A

Merkblatt, das, -̈er K 3, S. 49/C2

Merkmal, das, -e K 9, S. 151/C4

Merkzettel, der, - K 4, S. 67/D3

messbar K 6, S. 96/B1

Messeauftritt, der, -e K 8, S. 134/GK

Messebeteiligung, die, -en K 7, S. 110/A

Messegespräch, das, -e K 8, S. 129/F

Messeeinrichtung, die, -en K 6, S. 92/A1

Messekosten, die (*nur Pl.*) K 8, S. 134/C

Messeland, das, -̈er K 8, S. 125/B1

Messenachbereitung, die, -en K 8, S. 132/A2

Messenotiz, die, -n K 8, S. 132/A1

Messeprivileg, das, -ien K 8, S. 125/B1

Messerabatt, der, -e K 8, S. 126/A1

Messeservice, der, -s K 1, S. 19/E1

Messestadt, die, -̈e K 8, S. 125/B2

Messeticket, das, -s K 1, S. 17/C3

Messewesen, das (*nur Sing.*) K 8, S. 125/B1

Messeziel, das, -e K 8, S. 126/

Methode, die, -n K 6, S. 95/D1

Mietkleidung, die (*nur Sing.*) K 5, S. 82/B1

Mietwagen, der, - K 5, S. 84/A1

mikrobiologisch K 9, S. 141/C1

Milliarde, die, -n K 2, S. 31/D1

Million, die, -en K 2, S. 33/C2

Minderung, die, -en K 9, S. 147/C1

Mindestanforderung, die, -en K 6, S. 92/A1

Minibar, die, -s K 1, S. 14/A1

Minibus, der, -se K 4, S. 64/B2

Mischung, die, -en K 9, S. 141/C1

Missionshaus, das, -̈er K 10, S. 156/A2

misstrauisch K 6, S. 98/A

Missverständis, das, -se K 5, S. 82

mithilfe K 1, S. 22/B

Mitarbeiterbefragung, die, -en K 5, S. 79/D2

Mitarbeitergespräch, das, -e K 6, S. 96/B1

Mitarbeitergruppe, die, -n K 5, S. 80/A

Mitarbeiterwunsch, der, -̈e K 6, S. 95/C1

mitgeben K 8 (+ D + A), S. 128/A3

Mitglied, das, -er K 2, S. 31/D1

mithören K 4, S. 71/D1

Mitteilung, die, -en K 4, S. 66/A3

Mittelalter, das, - K 8, S. 125/B1

Mittelmeerraum, der (*nur Sing.*) K 3, S. 45/C1

mittelständisch K 10, S. 156/A2

mittwochs K 1, S. 21/GK

mitversichert K 3, S. 54/B1

Möbelherstellung, die (*nur Sing.*) K 5, S. 76/A2

Möbelindustrie, die (*nur Sing.*) K 2, S. 29/B2

mobil K 8, S. 131/D2

mobilisieren (+ A) K 7, S. 109/D2

Modell, das, -e K 2, S. 36/A2

modernisieren (+ A) K 7, S. 109/GK

Modernisierung, die, -en K 7, S. 111/B3

Modul, das, -e K 3, S. 45/C1

mögen (+ A) K 1, S. 22/A2

möglicherweise K 3, S. 44/A2

monatlich K 1, S. 21/GK

Monatsgehalt, das, -̈er K 3, S. 54/B1

Montageanleitung, die, -en K 7, S. 112/A

Montageseminar, das, -e K 7, S. 112/A

montags K 1, S. 21/C1

Monteur, der, -e K 5, S. 80/A

Monteurgruppe, die, -n K 6, S. 101/C

montieren (+ A) K 3, S. 44/A2

morgens K 1, S. 21/GK

Mühe, die, -n K 5, S. 76/B1

Multifunktionalität, die, -en K 8, S. 131/D2

Mund, der, -̈er K 3, S. 52/A

Münze, die, -n K 5, S. 84/A2

Museum, das, Museen K 1, S. 13/D2

Museumsbesuch, der, -e K 1, S. 16/A1

Muttergesellschaft, die, -en K 2, S. 35/B

Muttersprache, die, -n K 10,
  S. 157/B2
muttersprachlich K 10, S. 156/A2

N

Nachbarland, das, ¨er K 7,
  S. 110/B3
Nachbesserung, die, -en K 9,
  S. 147/C1
nachdem K 7, S. 117/C3
Nacherfüllungspflicht, die, -en
  K 9, S. 147/C1
Nachfrage, die, -n (um
  Informationen) K 1, S. 23/D
Nachfrage, die (nur Sing.) (auf
  dem Markt) K 7, S. 111/B3
nachkommen (+ D) K 9, S. 147/C1
Nachkontakt, der, -e K 8,
  S. 135/D1
nachlesen K 8, S. 128/A3
Nachlieferung, die, -en K 9,
  S. 147/C1
nachmachen (+ A) K 3, S. 49/C1
Nachspeise, die, -n K 1, S. 22/A1
Nachtcreme, die, -s K 9, S. 148/A1
nahezu K 5, S. 76/A
Nahrungsmittel, das, - K 2,
  S. 30/A1
Nahrungsmittelindustrie, die
  (nur Sing.) K 2, S. 28/A1
Namensschild, das, -er K 5,
  S. 79/D2
namentlich K 4, S. 68/A2
nämlich K 10, S. 158/B2
Nase, die, -n K 3, S. 52/A
Nasentropfen, die (nur Pl.) K 3,
  S. 53/C1
national K 10, S. 156/A2
Naturkosmetik, die (nur Sing.)
  K 9, S. 140/B
Naturkostladen, der, ¨ K 9,
  S. 146/C1
natürlich K 9, S. 141/C1
nebenstehend K 8, S. 128/B1
Nebenstelle, die, -n K 4, S. 70/A
negativ K 5, S. 76/GK
netto K 6, S. 103/D1
Nettoeinkommen, das, - K 6,
  S. 103/D1
neuartig K 7, S. 117/C1
Neubau, der, -ten K 7, S. 111/B4
Neuheit, die, -en K 8, S. 126/A1
Neuigkeit, die, -en K 10, S. 166/A1
Neukunde, der, -n K 7, S. 110/A
Neuorganisation, die, -en K 6,
  S. 101/C
Neustart, der, -s K 2, S. 37/B1
nicht nur ... sondern auch K 9,
  S. 148/A1
Niederlassung, die, -en K 1,

S. 19/E1
Niedrigpreis, der, -e K 7, S. 111/B4
Nordamerika, das (nur Sing.)
  K 2, S. 32/B3
Norddeutschland, das (nur Sing.)
  K 10, S. 156/A2
Note, die, -n K 10, S. 165/D
notwendig K 3, S. 54/B1
November, der (nur Sing.) K 9,
  S. 146/C1
Nuss, die, ¨e K 1, S. 22/A1
Nutzen, der, - K 7, S. 119/D
Nutzenargumentation, die, -en
  K 7, S. 118/B1
Nutzfahrzeug, das, -e K 2,
  S. 34/A1
Nutzlast, die (nur Sing.) K 4,
  S. 60/A1
nützlich K 6, S. 101/C

O

ob K 5, S. 78/B3
Ober, der, - K 1, S. 22/B
Oberbegriff, der, -e K 2, S. 29/B3
Oberkörper, der, - K 3, S. 49/C2
Oberstufe, die, -n K 10, S. 158/B2
obwohl K 6, S. 98/B1
ofenfrisch K 2, S. 29/B1
offen K 7, S. 112/A
Offene Handelsgesellschaft, die,
  -en (Abk. OHG) K 2, S. 31/C2
offiziell K 6, S. 93/B3
Öffnungszeit, die, -en K 1,
  S. 21/C1
Ohr, das, -en K 3, S. 51/D
Ohrenschutz, der (nur Sing.) K 3,
  S. 48/A
Ökologie, die (nur Sing.) K 9,
  S. 140/B
Ökonomie, die (nur Sing.) K 9,
  S. 140/B
OK-Taste, die, -n K 4, S. 70/A
Öl, das, -e K 3, S. 45/C1
Olivenöl, das, -e K 9, S. 141/C1
online K 10, S. 163/C2
Online-Banking, das (nur Sing.)
  K 5, S. 84/A1
Opernkasse, die, -n K1, S. 20/B2
optimistisch K 7, S. 109/D2
Optionstaste, die, -n K 4, S. 70/A
ordnungsgemäß K 9, S. 144/A3
Organisationsgeschick, das
  (nur Sing.) K 6, S. 92/A1
Organisationstalent, das, -e
  K 10, S. 156/A2
organisatorisch K 10, S. 156/A2
orientieren, sich (an + D) K 4,
  S. 62/B1
Orthopädie, die (nur Sing.) K 3,
  S. 53/C1

örtlich K 4, S. 67/C1
Ost K 7, S. 108/B1
Österreicher, der, - K 6, S. 102/C1
Osteuropa, das (nur Sing.)
  K 10, S. 156/A2
osteuropäisch K 10, S. 156/A2
östlich K 7, S. 111/B4
outsourcen (+ A) K 5, S. 87/C
Outsourcing, das (nur Sing.) K 5,
  S. 83/E1
Overall, der, -s K 5, S. 79/GK

P

Packmaß, das, -e K 8, S. 130/A1
Packsack, der, ¨e K 8, S. 130/B
Packung, die, -en K 3, S. 54/B2
Palette, die, -n K 4, S. 65/D
Parfümerie, die, -n K 8,
  S. 124/A1
Partnervermittlung, die, -en
  K 10, S. 156/A2
Patient, der, -en K 3, S. 52/B2
Pauschale, die, -n K 5, S. 80/B1
PC-Kenntnisse, die (nur Pl.) K 10,
  S. 160/A1
Personalbeurteilung, die, -en
  K 6, S. 93/C
Personalbeurteilungssystem,
  das, -e K 6, S. 94/B2
Personalchef, der, -s K 10,
  S. 165/D
Personaleinsatz, der, ¨e K 4,
  S. 62/B1
Personalentscheidung, die, -en
  K 6, S. 100/A4
Personalnummer, die, -n K 6,
  S. 100/B1
Personalvermittlung, die, -en
  K 10, S. 157/C2
Personalwesen, das (nur Sing.)
  K 1, S. 18/B1
personell K 7, S. 112/B1
Personenverkehr, der (nur Sing.)
  K 9, S. 146/B
Perspektive, die, -n K 10,
  S. 156/A2
Pfeffersoße, die, -n K 1,
  S. 22/B
Pflanze, die, -n K 9, S. 141/C1
Pflanzenschutzmittel, das, - K 2,
  S. 28/A1
pflanzlich K 2, S. 36/A1
Pflege, die (nur Sing.) K 5,
  S. 77/C3
Pflegeversicherung, die, -en K 6,
  S. 103/D1
Pflegewirkung, die, -en K 9,
  S. 141/C1
Pharmaindustrie, die (nur Sing.)
  K 2, S. 28/A1

Pharmakologe, der, -n K 1,
S. 13/GK
Pharmakologie, die (nur Sing.)
K 1, S. 16/A1
Pharmaunternehmen, das, -
K 2, S. 29/B1
pharmazeutisch K 1, S. 18/A1
Pharmaziehersteller, der, - K 1,
S. 16/A1
Phase, die, -n K 7, S. 118/B1
Phone-Banking, das (nur Sing.)
K 4, S. 70/C2
Pilz, der, -e K 1, S. 22/A1
PIN, die, -s (Abk. für Private
Identifikation Number) K 4,
S. 70/C3
Planspiel, das, -e K 7, S. 113/E
Platz, der, ⁻e K 1, S. 17/C3
Plenumsdiskussion, die, -en K 7,
S. 116/A1
PLZ, die (Abk. für Postleitzahl) K
8, S. 133/C1
Polnisch, das (nur Sing.) K 10,
S. 157/B2
Polstergarnitur, die, -en K 2,
S. 29/B1
Position, die, -en K 6, S. 103/F
positiv K 5, S. 76/B1
Posten, der, - K 5, S. 82/B1
Potenzial, das, -e K 6, S. 94/A
potenziell K 8, S. 127/B2
Powerfrau, die, -en K 10,
S. 156/A2
Praktikantenstelle, die, -n K 10,
S. 167/C1
Praktikumsplatz, der, ⁻e K 10,
S. 157/A1
Präsentationsvorlage, die, -n
K 6, S. 95/D1
präsentieren (+ A) K 1, S. 20/A
Praxis, die, Praxen K 3, S. 52/B1
Praxis, die (nur Sing.) (praktisches
Handeln) K 6, S. 99/D2
Praxisbewährung, die (nur Sing.)
K 7, S. 119/D
praxisbezogen K 10, S. 158/B2
präzise K 4, S. 67/D1
Preisänderung, die, -en K 9,
S. 147/C1
preisbewusst K 7, S. 118/A
Preiselbeere, die, -n K 1, S. 22/B
preisgünstig K 5, S. 87/C
Preis-Leistungs-Verhältnis, das,
-se K 5, S. 86/B2
Preisliste, die, -n K 4, S. 67/D3
Preisnachlass, der, ⁻e K 7,
S. 111/B4
Preisniveau, das, -s K 7, S. 111/B4
pressen (+ A) K 1, S. 19/B2
Primarschule, die, -n K 10,
S. 158/B2

Primarstufe, die, -n K 10,
S. 158/B2
Prinzip, das, -ien K 2, S. 29/B1
Privatkleidung, die (nur Sing.)
K 5, S. 76/B1
Privatkunde, der, -n K 10,
S. 163/C1
Privatleben, das (nur Sing.) K 5,
S. 87/D
probieren (ein Gericht/Getränk)
K 1, S. 22/A1
Probiergröße, die, -n K 9,
S. 147/C1
Produktalternative, die, -n K 8,
S. 126/A1
Produkteinführung, die, -en
K 7, S. 112/B1
Produktinnovation, die, -en K 8,
S. 127/B2
Produktionsgut, das, ⁻er K 2,
S. 30/A1
Produktionsstätte, die, -n K 10,
S. 156/A2
Produktlinie, die, -n K 7, S. 111/C
Produktmerkmal, das, -e K 7,
S. 119/D
Produktpalette, die, -n K 2,
S. 37/C
Produktpräsentation, die, -en
K 8, S. 128/B1
Produktprofil, das, -e K 7, S.
108/A
Produktsortiment, das, -e K 8,
S. 127/B2
Produktunterlage, die, -n K 5,
S. 76/B1
Produktvorführung, die, -en
K 8, S. 128/A2
professionell K 4, S. 67/C1
Profil, das, -e K 10, S. 156/A2
Programmablauf, der, ⁻e K 7,
S. 117/C4
Programmplanung, die, -en K 7,
S. 117/C1
Programmpunkt, der, -e K 1,
S. 16/A1
Projektgruppe, die, -n K 6,
S. 94/B1
Projektteam, das, -s K 8,
S. 135/D1
Promotion, die, -en K 10,
S. 159/C
prompt K 2, S. 29/B1
Protokoll, das, -e K 8, S. 135/D1
Protokollauszug, der, ⁻e K 8,
S. 135/D1
protokollieren (+ A) K 6,
S. 95/D2
Prototyp, der, -en K 8, S. 126/B1
Provision, die, -en K 10, S. 156/A2
Prozent, das, -e K 2, S. 34/A2

Prozentpunkt, der, -e K 9,
S. 147/C1
Prozesskette, die, -n K 2, S. 29/B1
Publikumsmesse, die, -n K 8,
S. 124/A1
Pulver, das, - K 1, S. 19/B2
Pumpe, die, -n K 8, S. 129/C1
Punkteabfrage, die, -n K 7,
S. 116/A1
punktgenau K 7, S. 112/B1
Pute, die, - K 1, S. 22/A1

Q

Qual, die, -en K 10, S. 162/A1
qualifizieren (für + A) K 10,
S. 164/B
qualifiziert K 10, S. 165/E1
Qualitätsanspruch, der, ⁻e K 10,
S. 156/A2
Qualitätsprodukt, das, -e K 7,
S. 108/A
Qualitätsprüfung, die, -en K 3,
S. 46/A1
Qualitätsstandard, der, -s K 2,
S. 35/C1
Quartal, das, -e K 3, S. 55/D

R

Rabatt, der, -e K 1, S. 21/C1
Rabattaktion, die, -en K 7,
S. 110/A
rabattfähig K 9, S. 147/C1
Rabattstaffel, die, -n K 7, S. 115/E
radioaktiv K 9, S. 140/B
raffiniert K 6, S. 99/E
Ragout, das, -s K 1, S. 22/B
Rahmen, der, - K 10, S. 158/B2
Rahmenprogramm, das, -e K 1,
S. 19/E1
Rahmsoße, die, -n K 1, S. 22/B
rasch K 10, S. 156/A2
Rate, die, -n K 10, S. 167/B2
Rathaus, das, ⁻er K 1, S. 17/C3
real K 6, S. 99/D2
realisierbar K 6, S. 96/B1
realistisch K 7, S. 109/D1
Realschulabschluss, der, ⁻e
K 10, S. 158/B2
Realschule, die, -n K 10,
S. 158/B2
Rechengeschwindigkeit, die, -en
K 8, S. 131/D2
rechnen K 1, S. 21/C2
Rechnungsbetrag, der, ⁻e K 5,
S. 82/A1
Rechnungsdatum, das, -daten
K 8, S. 129/C1
Rechnungseingang, der, ⁻e K 7,
S. 115/D1

Rechnungsnummer, die, -n K 5,
S. 85/B2

Rechnungsstellung, die, -en K 9,
S. 147/C1

Recht (zu Recht) K 5, S. 83/C3

Recht haben K 7, S. 119/E

rechtlich K 9, S. 147/C1

Rechtsanwältin, die, -nen K 10,
S. 159/C

Rechtsform, die, -en K 2, S. 31/C2

Rechtsgrund, der, ⁻e K 9,
S. 147/C1

rechtsgültig K 4, S. 68/A2

rechtzeitig K 6, S. 95/C1

redegewandt K 10, S. 165/E1

Redegewandtheit, die (nur Sing.)
K 10, S. 165/E1

Redemittel, das, - K 2, S. 38/B1

Redner, der, - K 6, S. 97/C3

Referat, das, -e K 7, S. 116/A1

Referenz, die, -en K 7, S. 119/D

Referenznummer, die, -n K 5,
S. 85/B2

Reform, die, -en K 6, S. 94/B1

Reformhaus, das, ⁻er K 9,
S. 149/C

reformieren (+ A) K 6, S. 95/C1

Regalbrett, das, -er K 4, S. 62/A1

Regeleinrichtung, die, -en K 6,
S. 92/A1

regeln (+ A) K 9, S. 146/B

Regelung, die, -en K 3, S. 54/B1

Region, die, -en K 1, S. 13/D2

regional K 10, S. 156/A2

registrieren K 10, S. 166/A1

reichen (+ D + A) K 1, S. 23/C1

Reife, die (nur Sing.) K 10,
S. 158/B2

Reihe, die, -n K 10, S. 156/A2

rein (herein) K 6, S. 102/A3

Reinigung, die, -en K 5, S. 76/B2

Reinigungsmilch, die (nur Sing.)
K 9, S. 149/D

Reinigungspersonal, das (nur
Sing.) K 4, S. 67/C1

Reisebus, der, -se K 2, S. 31/D1

Reisegeschwindigkeit, die, -en
K 4, S. 65/E2

Reiselimousine, die, -n K 2,
S. 35/C1

reizvoll K 10, S. 163/B1

rekonstruieren (+ A) K 10,
S. 161/A1

relevant K 10, S. 164/B

renommiert K 10, S. 156/A2

Rentenversicherung, die, -en
K 6, S. 103/D1

Reparaturabteilung, die, -en
K 5, S. 77/C3

repräsentativ K 2, S. 29/B1

reserviert K 10, S. 165/E1

Reservierung, die, -en K 1,
S. 21/E

Rezept, das, -e K 3, S. 53/E

Rezeptgebühr, die, -en K 3,
S. 55/D

rezeptpflichtig K 2, S. 29/B1

Rezeptur, die, -en K 9,
S. 141/C1

richten, sich (an + A) K 6,
S. 97/B2

Richtigkeit, die (nur Sing.) K 6,
S. 92/A1

Richtlinie, die, -n K 9, S. 141/C1

Rind, das, -er K 1, S. 22/A1

Risiko, das, Risiken K 2, S. 31/D1

risikoscheu K 7, S. 118/A

Rohstoff, der, -e K 1, S. 19/B2

Rollcontainer, der, - K 7, S. 115/E

Rollenspiel, das, -e K 4, S. 71/F

röntgen (+ A) K 3, S. 53/E

Rosenblütenextrakt, der, -e K 9,
S. 141/C1

Röstkartoffel, die, -n K 1,
S. 22/A1

Rote Grütze, die (nur Sing.) K 1,
S. 22/A1

Rotkraut, das (nur Sing.) K 1,
S. 22/A1

ruckartig K 3, S. 49/C2

Rückblick, der, -e K 7, S. 108/B1

Rückenschmerzen, die (nur Pl.)
K 3, S. 48/B3

Rückfahrt, die, -en K 1, S. 16/A1

Rückfrage, die, -n K 4, S. 70/A

Rückfragetaste, die, -n K 4,
S. 71/D1

Rückmeldung, die, -en K 9,
S. 145/E

Rückruf, der, -e K 4, S. 67/D2

rücksichtslos K 6, S. 99/E

Rücksprache halten K 8,
S. 129/D1

Rücktritt, der, -e K 9, S. 147/C1

Ruf, der (hier nur Sing.) K 7,
S. 111/C

rügen K 9, S. 147/C1

Ruhezeit, die, -en K 4, S. 61/B

Russisch, das K 10, S. 156/A2

Russland, das (nur Sing.)
K 2, S. 39/D1

S

sachorientiert K 7, S. 118/A

Sachverhalt, der, -e K 9, S. 148/A3

Sahne, die (nur Sing.) K 1,
S. 22/A1

Salatplatte, die, -n K 1, S. 22/A1

Salbe, die, -n K 3, S. 53/E

Sammelcontainer, der, - K 5, S.
77/C1

Sammelschrank, der, ⁻e K 5,
S. 81/C1

sämtlich K 9, S. 147/C1

Sauberkeit, die (nur Sing.) K 5,
S. 76/A

säubern (+ A) K 5, S. 80/B1

sauer sein K 5, S. 85/C

Sauna, die, -s K 1, S. 14/A1

schade sein K 6, S. 92/A1

Schaden, der, ⁻ K 3, S. 48/B3

Schadenersatz, der (nur Sing.)
K 9, S. 147/C1

Schadstoff, der, -e K 3, S. 45/C1

Schafskäse, der (nur Sing.) K 2,
S. 29/B1

schätzen (+ A) K 2, S. 32/A

Schaubild, das, -er K 2, S. 30/A2

Schema, das, -ta K 10, S. 159/D

schenken (+ D + A) K 1, S. 17/C2

Schicht, die, -en K 8, S. 130/A1

Schichtarbeit, die (nur Sing.) K 6,
S. 102/A3

schieben (+ A) K 3, S. 49/D

schieflaufen (+ A) K 9, S. 145/E

Schiff, das, -e K 9, S. 142/A1

Schlachtvieh, das (nur Sing.) K 2,
S. 29/B1

Schlafkomfort, der (nur Sing.)
K 8, S. 130/A1

Schlafsack, der, ⁻e K 8, S. 130/A1

Schließfach, das, ⁻er K 5,
S. 77/C1

Schließfachanlage, die, -n K 8,
S. 133/C1

Schlusssatz, der, ⁻e K 10,
S. 162/B1

Schmerzen, die (nur Pl.) K1,
S. 12/A

Schmutz, der (nur Sing.) K 5,
S. 76/A

schmutzig K 3, S. 48/A

Schmutzwäsche, die (nur Sing.)
K 5, S. 81/C1

Schneidemaschine, die, -n K 2,
S. 28/A2

Schnittstelle, die, -n K 10,
S. 156/A2

Schnitzel, das, - K 1, S. 22/A1

Schokolade, die (nur Sing.) K 2,
S. 28/A2

schonen (+ A) K 3, S. 51/C1

Schonung, die (nur Sing.) K 5,
S. 76/A

Schreibblock, der, ⁻e K 7,
S. 116/B1

Schreiben, das, - K 5, S. 85/C1

Schreibmappe, die, -n K 7,
S. 116/B1

Schreibtischstuhl, der, ⁻e K 7,
S. 115/E

Schreiner, der, - K2, S. 31/D1

Schulbildung, die, -en K 10, S. 160/A1

Schulbildungswesen, das, - K 10, S. 158/B2

schulden (+ D + A) K 9, S. 147/C1

Schuldige, die/der, - K 6, S. 99/D1

schulen (+ A) K 7, S. 113/C

Schüler, der, - K 1, S. 21/C1

schulisch K 10, S. 158/B2

Schulabschluss, der, ⸚e K 10, S. 159/C

Schuljahr, das, -e K 10, S. 158/B2

Schultyp, der, -en K 10, S. 158/B2

Schulung, die, -en K 7, S. 112/A

Schutz, der (*nur Sing.*) K 3, S. 45/C1

Schutzanzug, der, ⸚e K 3, S. 51/D

Schutzbrille, die, -n K 3, S. 51/C2

schützen (+ A) K 3, S. 51/C1

Schutzhandschuh, der, -e K 3, S. 51/D

Schutzhelm, der, -e K 3, S. 48/A

Schutzmittel, das, - K 3, S. 51/D

schwach K 9, S. 146/B

Schwäche, die, -n K 10, S. 164/B

schweigsam K 10, S. 165/E1

Schweizer, der, - K 3, S. 55/C1

Schwerpunkt, der, -e K 1, S. 13/D1

Schwimmbad, das, ⸚er K 1, S. 14/A1

schwindlig K 3, S. 52/A

Seefracht, die (*nur Sing.*) K 9, S. 142/A1

Seehafen, der, ⸚ K 9, S. 142/A2

Seezunge, die, -n K 1, S. 22/B

Sekundarstufe, die, -n K 10, S. 158/B2

selbstaufblasbar K 8, S. 129/C1

selbstbewusst K 6, S. 99/E

Selbstmedikation, die (*nur Sing.*) K 2, S. 29/B1

selbstverständlich K 10, S. 156/A2

Selbstvorstellung, die, -en K 10, S. 164/B

Seminareinladung, die, -en K 6, S. 96/B1

Seminarevaluierung, die, -en 7, S. 117/C1

Seminarpersonal, das (*nur Sing.*) K 7, S. 116/B1

Seminarplanung, die, -en K 7, S. 117/C1

Seminarveranstalter, der, - K 7, S. 117/C3

Semmelkloß, der, ⸚e K 1, S. 22/B

Sendung, die, -en K 9, S. 144/A1

senken (+ A) K 3, S. 55/C1

Serie, die, -n K 7, S. 114/A1

Serienproduktion, die, -en K 9, S. 141/C1

Serviceangebot, das, -e K 10, S. 166/A1

serviceorientiert K 10, S. 156/A2

Serviceseminar, das, -e K 7, S. 117/C1

Serviceteam, das, -s K 10, S. 156/A2

Service-Vertrag, der, ⸚e K 5, S. 80/A

setzen (sich etwas zum Ziel setzen) K 6, S. 96/A3

Shampoo, das, -s K 9, S. 149/D

Shopping, das (*nur Sing.*) K 1, S. 16/A1

sichergehen K 5, S. 85/C1

Sicherheit, die, -en K 5, S. 86/A

sicherheitshalber K 9, S. 147/C1

Sicherheitszeichen, das, - K 3, S. 51/D

sicherstellen (+ A) K 6, S. 102/A3

Sicherung, die, -en K 6, S. 101/C

Signalton, der, ⸚e K 4, S. 70/C1

sinken (von + D/um + A/auf + A) K 2, S. 33/D1

sinnvoll K 6, S. 97/D

Sitz, der, -e K 1, S. 17/C2

Sitzmöbel, das, - K 2, S. 29/B1

Skonto, der/das, -s/Skonti K 7, S. 114/B2

Slowakei, die (*nur Sing.*) K 7, S. 111/B4

SMS, die, - K 4, S. 68/A1

so ... wie K 4, S. 61/C1

so genannt (*Abk. sog.*) K 6, S. 103/E1

sobald K 9, S. 147/C1

sodass K 8, S. 134/C

Soft Skill, der, -s K 10, S. 164/B

Solarenergie, die (*nur Sing.*) K 3, S. 45/C1

solide K 10, S. 163/B1

Soll-Zustand, der ⸚e K 5, S. 76/B2

Sonderaktion, die, -en K 7, S. 112/A

Sonderanfertigung, die, -en K 7, S. 119/E

Sonderregelung, die, -en K 10, S. 167/B2

sonstig K 8, S. 134/B2

sorgen (für + A) K 2, S. 29/B1

sortieren (+ A) K 8, S. 132/A1

Sortimentsliste, die, -n K 5, S. 80/B1

Soße, die, -n K 1, S. 22/A1

soweit K 9, S. 147/C1

sowie K 2, S. 29/B1

sowohl ... als auch K 3, S. 45/C1

Sozialabgabe, die, -n K 6, S. 103/E1

Sozialverhalten, das (*nur Sing.*) K 6, S. 100/A1

Sozialversicherung, die, -en K 6, S. 103/F

Spalte, die, -n K 7, S. 118/B1

Spargel, der, - K 1, S. 22/A1

Sparkonto, das, -konten K 5, S. 85/B1

Sparte, die, -n K 2, S. 38/A1

spätestens K 4, S. 67/D3

Speck, der (*nur Sing.*) K 1, S. 22/B

Spediteur, der, -e K 9, S. 145/E

Spedition, die, -en K 5, S. 83/E2

Speichertaste, die, -n K 4, S. 70/A

Speise, die, -n K 1, S. 22/A1

sperrig K 3, S. 49/C2

Spezialist, der, -en K 3, S. 54/C1

Spezialität, die, -en K 1, S. 20/A

Spezialunternehmen, das, - K 4, S. 67/C1

Spezifikation, die, -en K 8, S. 130/A1

Spital, das, ⸚er K 3, S. 55/C2

Spitzenleistung, die, -en K 6, S. 96/B1

spontan K 7, S. 118/A

Sportartikel, der, - K 8, S. 130/A1

Sportbekleidung, die (*nur Sing.*) K 2, S. 28/A3

Sporthose, die, -n K 2, S. 28/A2

Sportmode, die, -n K 8, S. 130/A1

Sportwagen, der, - K 2, S. 31/D1

Spracheingabe, die (*nur Sing.*) K 4, S. 70/C2

Sprachkenntnisse (*nur Pl.*) K 10, S. 167/C1

Sprachverwendung, die (*nur Sing.*) K 10, S. 160/A1

sprechen (für + A) K 7, S. 119/D

sprichwörtlich K 2, S. 29/B1

springen K 4, S. 71/D1

Staat, der, -en K 6, S. 103/E1

Staatsangehörigkeit, die, -en K 10, S. 160/A1

Staatsexamen, das, -/examina K 10, S. 158/B2

stabil K 7, S. 109/GK

stabilisieren (+ A) K 7, S. 109/GK

Stabilisierung, die, -en K 3, S. 45/C1

Stabilitätstest, der, -s K 9, S. 141/C1

Stadtfahrt, die, -en K 4, S. 62/B1

Stadtführung, die, -en K 1, S. 16/A1

Stadtgebiet, das, -e K 1, S. 13/D2

Stadtrundgang, der, ⸚e K 1, S. 20/A

stagnieren K 7, S. 108/B2

Stahl, der, ⸚e K 2, S. 28/A2

Stahlindustrie, die (nur Sing.)
K 2, S. 28/A1

stammen (von/aus + D)
K 9, S. 141/C1

Stammkapital, das (nur Sing.)
K 2, S. 31/D1

Stammkunde, der, -n K 4,
S. 68/A2

Standard, der, -s K 9, S. 141/C1

Standardlebenslauf, der, -e
K 10, S. 161/D2

Standgerät, das, -e K 8, S. 131/D2

ständig K 6, S. 98/B1

Standmitarbeiter, der, - K 8,
S. 129/C1

Standort, der, -e K 2, S. 34/A1

stark K 2, S. 33/D1

stärken (+ A) K 3, S. 49/D

Stärkung, die, -en K 6, S. 95/D1

Station, die, -en K 1, S. 17/C3

stationär K 8, S. 131/D2

Statistik, die, -en K 10, S. 166/A1

statt K 8, S. 125/B1

Status quo, der (nur Sing.) K 2,
S. 34/A1

Staub, der (nur Sing.) K 5, S. 76/A

Steak, das, -s K 1, S. 22/A1

stehend K 1, S. 17/C3

steigen (von + D/um + A/auf + A)
K 2, S. 33/D1

steigern (+ A) K 7, S. 108/B2

Stellenantritt, der (nur Sing.)
K 10, S. 167/B2

Stellenanzeige, die, -n K 10,
S. 157/C1

Stellenbezeichnung, die, -en
K 6, S. 92/A1

Stellenmarkt, der, -e K 10,
S. 157/A1

Stellung, die, -en K 8, S. 133/C1

Stellungnahme, die, -n K 5,
S. 82/B1

stellvertretend K 8, S. 134/B1

Stetigkeit, die (nur Sing.) K 6,
S. 92/A1

stets K 6, S. 92/A1

Steuer, die, -n K 2, S. 39/C1

Steuereinrichtung, die, -en K 6,
S. 92/A1

steuerlich K 6, S. 103/E1

Steuersplitting, das, -s K 6,
S. 103/E1

Steuerungstechnik, die
(nur Sing.) K 2, S. 38/A1

Stichpunkt, der, -e K 1,
S. 21/E

Stichwort, das, -er K 4,
S. 67/D1

Stimmt so! K 1, S. 23/D

strapazierfähig K 8, S. 131/C1

strategisch K 6, S. 99/D2

Strom, der (nur Sing.) K 2,
S. 28/A2

Stromerzeugung, die (nur Sing.)
K 3, S. 45/C1

Struktur, die, -en K 2, S. 39/F1

Stückzahl, die, -en K 8, S. 129/C1

Studiengang, der, -e K 10,
S. 160/A1

Studienmodell, das, -e K 10,
S. 158/B2

Studium, das, Studien K 2,
S. 37/B1

Stufe, die, -n K 3, S. 51/C2

stufenlos K 3, S. 50/A2

stündlich K 1, S. 21/GK

Süd K 7, S. 108/B1

südlich K 3, S. 45/C1

sympathisch K 6, S. 99/E

Synonym, das, -e K 6, S. 97/B2

synthetisch K 9, S. 140/B

systematisieren (+ A) K 6,
S. 94/B1

Systematisierung, die, -en K 6,
S. 95/D1

Systemschrank, der, -e K 5,
S. 81/GK

T

t (Abk. für Tonne) K 4, S. 60/A1

Tablette, die, -n K 1, S. 18/B1

Tafel, die, -n K 4, S. 61/C3

Tagescreme, die, -s K 9, S. 141/C1

Tagesordnungspunkt, der, -e
K 7, S. 108/B2

Tagesseminar, das, -e K 6,
S. 96/B1

Tagungsablauf, der, -e K 7,
S. 108/B1

Tagungsdauer, die (nur Sing.)
K 7, S. 108/B1

TAN, die, -s (Abk. für
Transaktionsnummer) K 5,
S. 84/A2

tariflich K 10, S. 156/A2

Tarifvertrag, der, -e K 6,
S. 102/C1

Tastenfeld, das, -er K 4, S. 70/C1

tätig K 2, S. 29/B1

Tausch, der (nur Sing.)
K 5, S. 86/B2

Teamassistentin, die, -nen K 10,
S. 156/A2

Teamfähigkeit, die (nur Sing.)
K 6, S. 99/D2

Technologiemesse, die, -n K 8,
S. 124/A1

Teilzeitform, die, -en K 10,
S. 158/B2

Teilzeitschule, die, -n K 10,
S. 158/B1

Telefonanlage, die, -n K 2,
S. 28/A2

Telefon-Banking, das (nur Sing.)
K 5, S. 84/A1

Telefonnotiz, die, -en K 4,
S. 67/D1

Telegraf, der, -en K 2, S. 36/A2

Telekommunikation, die
(nur Sing.) K 2, S. 38/A1

Teller, der, - K 1, S. 22/A1

Temperatur, die, -en K 3, S. 50/A2

Temperaturbereich, der, -e K 8,
S. 130/A1

Temperaturregler, der, - K 3,
S. 50/A2

Terminal, der, -s K 4, S. 65/E1

Termineinhaltung, die
(nur Sing.) K 6, S. 92/A1

termingerecht K 10, S. 156/A2

terminierbar K 6, S. 97/C1

Terminvereinbarung, die, -en
K 8, S. 129/F

Test, der, -s K 9, S. 140/B

Textauszug, der, -e K 6, S. 92/A1

Textilindustrie, die (nur Sing.)
K 2, S. 28/A1

Textskizze, die, -n K 8, S. 128/B1

theoretisch K 10, S. 158/B2

Therapie, die, -n K 3, S. 53/C3

Ticket, das, -s K 1, S. 21/C1

Tintenstrahldrucker, der, - K 9,
S. 151/C

Tischbohrmaschine, die, -n K 3,
S. 50/B1

Tischreservierung, die, -en K 7,
S. 116/B1

Tochtergesellschaft, die, -en K 2,
S. 35/D

Tochterunternehmen, das, - K 2,
S. 34/A1

Toilette, die, -n K 5, S. 76/A

Tomatensuppe, die, -n K 1,
S. 22/A1

Ton, der, -e K 4, S. 71/D1

Tonband, das, -er K 1, S. 21/C2

Touchscreen, der, -s K 8,
S. 131/D2

Tour, die, -en K 4, S. 62/A2

Tourenplanung, die, -en K 4,
S. 61/C1

Tradition, die, -en K 8, S. 125/
B1

traditionell K 10, S. 158/B2

Tragekomfort, der (nur Sing.)
K 5, S. 87/C

Träger, der, - K 5, S. 80/B1

Trainee, der, -s K 6, S. 102/A1

Trainee-Programm, das, -e K 10,
S. 156/A2

Traineestelle, die, -n K 10,
S. 167/C1

Transfer, der, -s K 1, S. 16/A1
Transport, der, -e K 4, S. 67/C1
Transportauftrag, der, ¨e K 4, S. 68/A2
Transportmittel, das, - K 3, S. 49/C2
Transportweg, der, -e K 9, S. 142/A1
treffen (Vereinbarung/ Entscheidung) (+ A) K 6, S. 97/B2
Treffpunkt, der, -e K 10, S. 166/A1
Trekking, das (nur Sing.) K 8, S. 130/A1
trocken K 1, S. 22/A2
Tropfen, der, - K 3, S. 53/E
trotz K 5, S. 76/B1
trotzdem K 4, S. 67/C1
Tube, die, -n K 3, S. 54/B2
TV, das (= Television) (nur Sing.) K 1, S. 14/A1

U

übel K 3, S. 52/A
üben (+ A) K 3, S. 48/B3
über (mehr als) K 2, S. 33/C1
Überblick, der (nur Sing.) K 8, S. 128/A3
überdurchschnittlich K 6, S. 101/B2
übereinstimmen (in + A) K 3, S. 55/F
Übereinstimmung, die, -en K 9, S. 141/E
überflüssig K 5, S. 83/C1
Übergang, der, ¨e K 9, S. 147/C1
Übergangslösung, die, -en K 10, S. 165/E1
übergeben (+ A) K 8, S. 133/D3
übermitteln (+ D + A) K 9, S. 143/C1
übernächster, übernächste, übernächstes K 9, S. 142/A2
Übernahme, die, -n K 6, S. 92/A1
übernehmen (+ A) K3, S. 54/B1
Überprüfung, die, -en K 5, S. 85/C1
Überraschung, die, -en K 1, S. 13/D2
überregional K 8, S. 134/A
überreichen (+ A) K 8, S. 128/A3
überschreiten (+ A) K 7, S. 110/B2
Überschrift, die, -en K 6, S. 97/C1
Übersee (aus/in/nach Übersee) K 9, S. 149/D
übersehen (+ A) K 4, S. 68/B1
Überstunde, die, -n K 6, S. 102/A3
übertreffen (+ A) K 6, S. 92/A1

Überwachung, die, -en K 9, S. 146/B
überweisen (+ A) K 3, S. 54/B1
Überweisung, die, -en K 5, S. 82/B1
Überweisungsauftrag, der, ¨e K 5, S. 85/B2
Überweisungsformular, das, -e K 5, S. 84/A2
Überzahlung, die, -en K 5, S. 82/B1
überzeugen (+ A) K 6, S. 99/E
überzeugend K 7, S. 118/B1
üblich K 7, S. 115/E
übrig K 10, S. 163/B1
übrig bleiben K 8, S. 134/C
Übung (Gymnastik), die, -en K 3, S. 49/D
um (das Jahr...) K 5, S. 86/A
um ... zu K 5, S. 82/B1
Umfang, der, ¨e K 7, S. 117/C1
umfangreich K 1, S. 13/D2
umfassen (+ A) K 2, S. 29/B1
umformen (+ A) K 8, S. 132/B2
umformulieren (+ A) K 6, S. 95/C2
Umgang, der (nur Sing.) K 6, S. 92/A1
Umgebung, die, -en K 1, S. 20/A
umladen (+ A) K 9, S. 142/A1
Umsatz, der, ¨e K 2, S. 32/A
Umsatzerhöhung, die, -en K 7, S. 110/A
Umsatzplanung, die, -en K 7, S. 110/B3
Umsatzsteigerung, die, -en K 6, S. 101/C
Umsatzvolumen, das, -/volumina K 8, S. 131/D2
Umsatzziel, das, -e K 7, S. 108/B2
umschauen, sich K 8, S. 128/A3
umsehen, sich K 8, S. 128/A3
umsetzbar K 7, S. 110/A
umsetzen (+ A) K 6, S. 99/D2
Umsetzung, die, -en K 5, S. 87/D
umstellen (+ A) K 7, S. 117/C2
Umtausch, der (nur Sing.) K 9, S. 148/B2
umtauschen (+ A) K 9, S. 149/C
umwandeln (in + A) K 3, S. 45/C2
Umwandlung, die, -en K 2, S. 39/D1
Umwelt, die (nur Sing.) K 3, S. 45/C1
Umweltschutz, der (nur Sing.) K 3, S. 44/A2
umziehen K 10, S. 161/A1
Umzug, der, ¨e K 10, S. 166/A1
unabhängig K 9, S. 140/B
unangemeldet K 4, S. 68/B1

unbeschränkt K 2, S. 31/D1
uneingeschränkt K 6, S. 100/A2
Unfall, der, ¨e K 3, S. 51/D
ungeduldig K 9, S. 151/C3
ungehindert K 3, S. 49/C2
ungenau K 10, S. 162/B4
ungünstig K 10, S. 162/A3
universell K 8, S. 130/A1
unklar K 8, S. 133/D1
unkonzentriert K 10, S. 165/E1
unnötig K 5, S. 82/B1
unter anderem (Abk. u. a.) K 2, S. 31/D1
Unterbegriff, der, -e K 2, S. 29/B3
unterbrechen (+ A) K 3, S. 51/C2
unterbringen (+ A) K 3, S. 46/A1
unterdurchschnittlich K 6, S. 100/A2
Untergang, der, ¨e K 9, S. 147/C1
unterliegen (+ D) K 9, S. 146/B
Unternehmensbereich, der, -e K 2, S. 29/B1
Unternehmensdaten, die (nur Pl.) K 2, S. 39/C1
Unternehmensgeschichte, die, (nur Sing.) K 2, S. 39/F1
Unternehmensgründer, der, - K 9, S. 140
Unternehmensimage, das, -s K 7, S. 111/C
Unternehmensphilosophie, die, -n K 9, S. 140/B
Unternehmensporträt, das, -s K 2, S. 38
Unternehmensstruktur, die, -en K 2, S. 38/B1
Unternehmenstyp, der, -en K 2, S. 31/C1
Unternehmensvertreter, der, - K 8, S. 126/A2
Unternehmensziel, das, -e K 6, S. 94/A
unterscheiden (zwischen + D) K 2, S. 30/B
unterscheiden, sich (in + A) K 3, S. 55/F2
Unterschied, der, -e K 8, S. 131/C1
unterschiedlich K 8, S. 131/E
unterschreiben (+ A) K 3, S. 44/A2
unterschreiten (+ A) K 7, S. 110/B2
unterstellt (+ D) K 3, S. 45/D
unterstützen (+ A) K 5, S. 86/B2
untersuchen (+ A) K 3, S. 54/B1
Untersuchung, die, -en K 3, S. 54/A
unterweisen (+ A) K 3, S. 51/E
Unterweisung, die, -en K 3, S. 50

unverbindlich K 9, S. 147/C1
unverzichtbar K 6, S. 97/C1
unverzüglich K 9, S. 147/C1
unvorhergesehen K 4, S. 68/A2
unwirksam K 9, S. 146/B
unwirtschaftlich K 5, S. 83/E1
unzufrieden K 4, S. 68/A2
USA, die (nur Pl.) K 3, S. 45/C1

V

Vanilleeis, das (nur Sing.) K 1,
    S. 22/A1
variabel K 6, S. 96/B1
Variante, die, -n K 5, S. 76/A
Variationsbreite, die, -n K 10,
    S. 158/B2
verabreden, sich (mit + D) K 1,
    S. 15/GK
Veränderung, die, -en K 6,
    S. 93/B1
Veranstaltungsservice, der, -s
    K 4, S. 67/D3
verantwortlich (für + A)
    K 3, S. 46/A1
Verantwortungsbereitschaft, die
    (nur Sing.) K 6, S. 100/A1
Verantwortungsübernahme, die,
    -n K 10, S. 156/A2
verantwortungsvoll K 10,
    S. 163/B1
verarbeiten (+ A) K 2, S. 29/B1
verärgert K 7, S. 118/B1
veräußern (+ A) K 9, S. 147/C1
verbergen (+ A) K 10, S. 166/A1
Verbesserung, die, -en K 6,
    S. 95/D1
Verbindung, die, -en K 4, S. 71/D1
verbleiben K 8, S. 129/D1
Verbraucher, der, - K 9, S. 140/B
Verbrauchermesse, die, -n K 8,
    S. 124/A1
verbreitern (+ A) K 7, S. 109/GK
Verbrennung, die, -en K 3,
    S. 51/D
Verbrennungsmotor, der, -en
    K 3, S. 50/A2
verbringen (+ A) K 1, S. 17/C2
verdienen (+ A) K 6, S. 102/C1
verdrehen (+ A) K 3, S. 49/C2
Vereinbarung, die, -en K 3,
    S. 52/B2
verflochten (mit + D)
    K 2, S. 38/B2
verfügbar K 7, S. 114/A1
verfügen (über + A) K 2,
    S. 35/C1
Verfügung (zur Verfügung
    stehen) (+ D + A) K 4,
    S. 60/A1
    (zur Verfügung stellen) (+ D +

A) K 5, S. 81/C1
vergangen K 3, S. 55/C2
vergleichen (mit + D) K 3, S.
    46/GK
vergrößern (+ A) K 2, S. 36/A2
Vergrößerung, die, -en K 2,
    S. 37/B1
vergüten (+ A) K 9, S. 147/C1
Vergütung, die, -en K 6, S. 96/B1
Verhalten, das (nur Sing.) K 6,
    S. 92/A1
verhalten, sich (gegenüber + D)
    K 6, S. 98/B3
Verhältnis, das (hier kein Sing.)
    (ins Verhältnis setzen) K 7,
    S. 118/B1
Verhandlungsgeschick, das
    (nur Sing.) K 6, S. 92/A1
verkaufen (+ D +A) K 2, S. 36/A1
Verkaufsabschluss, der, ̈e K 8,
    S. 126/A1
Verkaufsförderung, die, -en K 7,
    S. 110/A
Verkaufsgebiet, das, -e K 10,
    S. 156/A2
Verkaufsgespräch, das, -e K 7,
    S. 118/B1
verkaufsoffen K 7, S. 112/A
Verkaufspersonal, das (nur Sing.)
    K 7, S. 112/A
Verkaufspreis, der, -e K 8,
    S. 130/A1
Verkaufssachbearbeiter, der, -
    K 10, S. 156/A2
verkaufsstark K 7, S. 112/A
Verkaufsunterlage, die, -n K 10,
    S. 156/A2
Verkaufsunterstützung, die, -en
    K 7, S. 112/A
Verkaufsverhandlung, die, -en
    K 7, S. 115/E
verkehrsgünstig K 1, S. 14/A2
Verkehrstechnik, die (nur Sing.)
    K 2, S. 38/A1
Verkehrsverbindung, die, -en
    K 1, S. 21/C1
Verkehrsverbund, der, -e K 8,
    S. 128/A2
verknüpfen (mit + D) K 6,
    S. 96/B1
Verladebahnhof, der, ̈e K 9,
    S. 144/A3
verladen (+ A) K 9, S. 142/A1
Verladung, die, -en K 9,
    S. 143/B2
verlagern (+ A) K 3, S. 49/D
verlangen (+ A) K 5, S. 85/C1
verlängern (+ A + um + A)
    K 5, S. 80/B1
Verlauf, der, ̈e K 1, S. 13/D2
verlaufen K 4, S. 66/A2

verlaufen, sich K 1, S. 14/B2
verlegen (nach + D) K 2, S. 36/A2
Verlegung, die, -en K 2, S. 37/B1
verleihen (+ D + A) K 8, S. 125/B1
Verletzung, die, -en K 3, S. 51/D
vermarkten (+ A) K 2, S. 29/C
vermeiden (+ A) K 3, S. 48/A
Vermeidung, die (nur Sing.) K 3,
    S. 48/B3
vermitteln (+ A) K 5, S. 76/B1
Vermögen, das, - K 2, S. 31/D1
vermögend K 10, S. 163/C1
Vermutung, die, -en K 2,
    S. 31/D1
vernünftig K 10, S. 167/C2
verpacken (+ A) K 1, S. 19/B2
Verpfleggeld, das (nur Sing.) K 3,
    S. 55/D
verpflichten, sich (zu + D) K 5,
    S. 81/C2
Verpflichtung, die, -en K 5,
    S. 81/C2
verrechnen (+ A + mit + D)
    K 5, S. 82/B1
verringern (+ A) K 3, S. 51/C2
Versandart, die, -en K 9,
    S. 142/B1
Versandauftrag, der, ̈e K 9,
    S. 142/B1
versandfertig K 9, S. 143/C1
Versandhaus, das, ̈er K 5,
    S. 85/C1
Versandkosten, die (nur Pl.) K 9,
    S. 143/C1
Versandweg, der, -e K 9, S. 147/
    C1
verschaffen, sich (+ A) K 8,
    S. 128/A3
verschicken (+ A) K 8, S. 132/A1
verschlechtern (+ A) K 7,
    S. 111/C
Verschlechterung, die, -en K 9,
    S. 147/C1
Verschleißteil, der, -e K 7,
    S. 117/C1
verschlossen (Person) K 7,
    S. 118/A
verschönern (+ A) K 7, S. 109/GK
verschreiben (+ D + A) K 3,
    S. 53/E
Versehen, das, - K 5, S. 85/C1
versenden (+ A) K 1, S. 19/E1
versetzen (+ A) K 6, S. 100/A4
Versicherte, der/die, - K 3,
    S. 55/C1
Versichertenkarte, die, -n K 3,
    S. 54/B1
Versicherungsbeitrag, der, ̈e
    K 3, S. 54/B1
Versicherungsobligatorium, das,
    -obligatorien K 3, S. 55/C1

versiert K 10, S. 156/A2

versorgen (+ A + mit + D)
  K 5, S. 87/C

Versorgung, die (nur Sing.) (+ mit
  + D) K 5, S. 86/B2

verspäten, sich K 1, S. 15/GK

versprechen (+ D + A) K 8,
  S. 132/A1

verständnisvoll K 9, S. 150/A

verstärken (+ A) K 7, S. 109/GK

Verstärkung, die, -en K 10,
  S. 156/A2

verstehen (unter + D) K 2,
  S. 30/B

versuchen (+ A) K 6, S. 102/C1

vertraglich K 6, S. 92/A1

Vertragsbedingung, die, -en K 9,
  S. 146/B

Vertragsbeginn, der (nur Sing.)
  K 5, S. 80/B1

Vertragsbestandteil, der, -e K 9,
  S. 146/B

Vertragsdauer, die (nur Sing.)
  K 5, S. 80/B1

Vertragsende, das (nur Sing.) K 5,
  S. 80/B1

Vertragsgegenstand, der, ̈e K 5,
  S. 80/B1

Vertragshändler, der, - K 2,
  S. 29/B1

Vertragspartner, der, - K 9,
  S. 146/B

Vertragsperiode, die, -n K 5,
  S. 80/B1

vertrauen (+ D) K 6, S. 98/A

Vertrauen, das (nur Sing.) K 6,
  S. 98/B1

vertreiben (Produkt) K 7,
  S. 113/E

vertreten (+ A) K 8, S. 128/A3

vertreten (sein) K 8, S. 124/A2

Vertreter, der, - K 2, S. 31/D1

Vertriebsassistenz, die, -en K 7,
  S. 115/D1

Vertriebsgesellschaft, die, -en
  K 8, S. 126/B1

Vertriebskonferenz, die, -en K 7,
  S. 108

Vertriebsleiter, der, - K 5, S. 87/C

Vertriebsleitung, die, -en K 7,
  S. 113/C

Vertriebsmitarbeiter, der, - K 7,
  S. 109/D2

Vertriebssekretariat, das, -e K 5,
  S. 82/B1

Vertriebstagung, die, -en K 7,
  S. 112/B1

Vertriebsweg, der, -e K 7,
  S. 108/A

vervollständigen (+ A) K 8,
  S. 130/A2

Verwaltungsaufwand, der
  (nur Sing.) K 5, S. 82/B1

Verwendbarkeit, die (nur Sing.)
  K 6, S. 92/A1

Verwendungszweck, der (nur
  Sing.) K 5, S. 85/B2

verzichten (auf + A) K 8,
  S. 134/GK

verzögern (+ A) K 6, S. 95/GK

verzollen (+ A) K 9, S. 142/A1

Verzug, der (nur Sing.) K 9,
  S. 147/C1

Viel Erfolg! K 1, S. 19/C

Viel Spaß! K 1, S. 13/D2

vielseitig K 2, S. 31/D1

Vitamin, das, -e K 9, S. 141/C1

Vollkaufmann, der, ̈er K 9,
  S. 147/C1

vollständig K 5, S. 76/A

Vollzeit, die (nur Sing.) K 10,
  S. 156/A2

Vollzeitschule, die, -n K 10,
  S. 158/B1

vor Ort K 7, S. 111/B4

vorausgehen (+ D) K 7, S. 114/B1

voraussetzen (+ A) K 10,
  S. 156/A2

Voraussetzung, die, -en K 9,
  S. 143/C1

vorbehalten, sich K 9, S. 147/C1

vorbehaltlich K 10, S. 166/A1

Vorbehaltsware, die, -n K 9,
  S. 147/C1

Vorführung, die, -en K 8,
  S. 133/C1

Vorgabe, die, -n K 7, S. 110/A

Vorgang, der, ̈e K 3, S. 49/C1

vorgeben (Ziel, Weg) (+ A) K 6,
  S. 99/D1

Vorgesetzte, der/die, -n K 3,
  S. 46/A1

vorhanden K 7, S. 116/B1

vorherig K 4, S. 66/A1

Vorkasse , die (nur Sing.) K 9,
  S. 143/C1

Vorlage, die, -n K 8, S. 135/D1

vorlegen (+ A) K 3, S. 54/B1

Vorliebe, die, -n K 7, S. 118/B1

vorliegen K 4, S. 71/D1

vormachen (+ A) K 3, S. 49/C1

vormittags K 1, S. 21/GK

vornehmen, sich (+ A) K 6,
  S. 96/A3

Vorsatz, der, ̈e K 6, S. 96/A1

Vorschrift, die, -en K 4, S. 61/B

Vorschubhebel, der, - K 3,
  S. 50/B2

vorsehen (beinhalten) (+ A) K 6,
  S. 102/C1

Vorspeise, die, -n K 1, S. 22/A1

Vorstand, der, ̈e K 2, S. 31/D1

Vorstandsvorsitzende, die/der,
  - K 2, S. 31/D1

vorstellen, sich (+ A) K 6, S. 98/B2

Vorstellung, die (hier nur Sing.)
  K 3, S. 47/E

Vorstellungsgespräch, das, -e K
  10, S. 163/B1

Vorstellungstermin, der, -e K 10,
  S. 156/A2

Vorteil, der, -e K 5, S. 80/A

VW, der, -s (Abk. für Volkswagen)
  K 4, S. 60/A1

W

wachsen K 8, S. 127/D

Wachstumspotenzial, das, -e
  K 10, S. 156/A2

Wahl, die (hier nur Sing.)
  K 3, S. 50/A2

Wahltaste, die, -n K 4, S. 70/C1

Wahlwiederholung, die, -en K 4,
  S. 70/A

während K 4, S. 71/D1

Wandzeitung, die, -en K 4,
  S. 61/C3

Warenannahme, die, -n K 4,
  S. 67/D1

Warenwert, der, -e K 7, S. 115/E

Warmwasser, das (nur Sing.) K 3,
  S. 45/C2

Warmwasserbereitung, die
  (nur Sing.) K 3, S. 45/C1

warnen (vor + D) K 3, S. 48/A

warten (Anlagen/Maschinen)
  K 3, S. 44/A2

warten (auf + A) K 1, S. 20/B2

Wartestellung, die, -en K 4,
  S. 71/D1

Wartezeit, die, -en K 4, S. 65/E2

Wartung, die, -en K 4, S. 62/B1

Wartungsarbeit, die, -en K 10,
  S. 156/A2

Wäsche, die (nur Sing.) K 1,
  S. 17/D1

Wäscherei, die, -en K 5, S. 76/B1

was für (ein-) K 4, S. 63/C

Waschbecken, das, - K 7, S. 108/A

waschen (+ A) K 1, S. 17/D1

Waschraum, der, ̈e K 5, S. 76/A

Waschraumhygiene, die
  (nur Sing.) K 5, S. 76/A

wasserdicht K 8, S. 130/A1

WC, das, -s K 1, S. 14/A1

Web, das (nur Sing.) K 8,
  S. 135/D1

Web-Auftritt, der, -e K 8,
  S. 135/D1

Webseite, die, -n K 10, S. 156/A2

Wechsel, der, - K 6, S. 92/A1

Wechselgeldsystem, das, -e K 8,

S. 133/C1

wechselnd K 6, S. 101/E

wecken (Interesse) K 7, S. 118/B1

weder ... noch K 8, S. 131/C1

wegen K 4, S. 67/D1

Wegweiser, der, - K 10, S. 166/A1

wehtun (+ D + A) K 3, S. 52/A

weiblich K 10, S. 160/A1

Weinberg, der, -e K 1, S. 13/D2

weit gehend K 7, S. 112/B1

weiter K 5, S. 83/C1

weitergehen K 2, S. 37/B1

Weiterbildung, die, -en K 6, S. 94/A

weitere K 1, S. 21/D2

Weiterentwicklungsmöglich-keit, die, -en K 10, S. 163/C1

weiterleiten (+ A) K 9, S. 142/A1

Weiterleitung, die, -en K 9, S. 142/B1

Weiterreise, die, -n K 1, S. 16/A1

weiterreisen K 1, S. 16/A2

Weiterverkauf, der, ¨e K 9, S. 147/C1

Welthandel, der (nur Sing.) K 8, S. 125/B1

Weltkrieg, der, -e K 8, S. 125/B1

Weltspitze, die (nur Sing.) K 8, S. 125/B1

weltweit K 1, S. 20/A

wenden, sich (an + A) K 4, S. 71/E

wenigstens K 5, S. 87/B3

wenn K 4, S. 61/B

Werbeagentur, die, -en K 10, S. 156/A2

werben (+ A) K 8, S. 127/B2

Werbung, die (nur Sing.) K 5, S. 76/A1

Werdegang, der, ¨e K 9, S. 140/B

werfen (+ A) K 5, S. 77/C1

Werkleiter, der, - K 10, S. 159/C

Werkstück, das, -e K 3, S. 50/B2

Wert, der, -e K 2, S. 33/D1

Wert legen (auf + A) K 7, S. 119/E

Wertpapierspezialist, der, -en K 10, S. 163/C1

wesentlich K 10, S. 165/E1

West K 7, S. 108/B1

westdeutsch K 8, S. 128/A2

Weste, die, -n K 5, S. 80/B1

Wettbewerbsposition, die, -en K 7, S. 111/C

Wettbewerbssituation, die, -en K 7, S. 118/B1

W-Frage, die, -n K 7, S. 118/B1

widersprechen (+ D) K 7, S. 118/B1

Widerspruch, der, ¨e K 6,

S. 98/C1

wie folgt K 1, S. 16

wie hoch K 2, S. 33/C2

wiederum K 10, S. 166/A1

Wiederverkäufer, der, - K 7, S. 110/A

Wildgericht, das, -e K 1, S. 22/B

Wildschwein, das, -e K 1, S. 22/A1

Wind, der, -e K 8, S. 130/A1

winddicht K 8, S. 130/A1

Windenergie, die, -n K 3, S. 45/C1

Windkraftanlage, die, -n K 2, S. 28/A2

Winkel, der, - K 3, S. 49/D

Wirbelsäule, die, -n K 3, S. 49/C2

wirken K 10, S. 165/E1

Wirklichkeit, die (nur Sing.) K 6, S. 99/D4

wirksam K 9, S. 147/C1

Wirksamkeit, die (nur Sing.) K 9, S. 147/C1

Wirkstoff, der, -e K 1, S. 18/A1

Wirtschaftlichkeit, die (nur Sing.) K 5, S. 78/B2

Wirtschaftsbereich, der, -e K 2, S. 30/A1

Wirtschaftspresse, die (nur Sing.) K 8, S. 134/B2

wirtschaftswissenschaftlich K 10, S. 156/A2

wissenschaftlich K 10, S. 158/B1

Wochenarbeitszeit, die, -en K 6, S. 102/A3

Wochenbesprechung, die, -en K 8, S. 134/B1

Wochenpauschale, die, -n K 5, S. 80/B

wöchentlich K 1, S. 21/GK

wohl (wird/werden wohl) K 8, S. 124/A2

wohl fühlen, sich K 3, S. 55/D

Wohnungsbau, der, -ten K 7, S. 111/B4

Wohnungseinrichtung, die, -en K 2, S. 36/A2

Wortschatz, der (nur Sing.) K 10, S. 165/E1

wundern, sich (über +A) K 1, S. 14/B2

wünschenswert K 10, S. 163/C1

wunschgemäß K 6, S. 92/A1

Wurstware, die, -n K 2, S. 29/B1

würzig K 2, S. 29/B1

Z

zahlbar K 7, S. 115/D1

Zahlung, die, -en K 3, S. 55/D

Zahlungsabwicklung, die, -en K 3, S. 55/F

Zahlungsbedingung, die, -en K 7, S. 114/B1

Zahlungseingang, der, ¨e K 9, S. 143/D1

Zahlungsmittel, das, - K 8, S. 131/D2

Zahlungsverkehr, der (nur Sing.) K 5, S. 84/

Zahlungsweise, die, -n K 5, S. 80/B1

Zahlungsziel, das, -e K 7, S. 114/B2

Zahnarzt, der, ¨e K 3, S. 53/C1

Zahnschmerz, der, -en K 3, S. 52/A

Zeitaufwand, der (nur Sing.) K 6, S. 92/A1

Zeitkarte, die, -n K 8, S. 131/D2

Zeitplan, der, ¨e K 6, S. 101/C

Zeitraum, der, ¨e K 6, S. 100/B1

Zeugnis, das, -se K 10, S. 163/B1

Zielerreichung, die, -en K 6, S. 96/B1

Zielformulierung, die, -en K 6, S. 97/D

Zielgruppe, die, -n K 7, S. 108/A

zielgruppenorientiert K 7, S. 112/B1

Zielkatalog, der, -e K 8, S. 126/B1

Zielort, der, -e K 4, S. 62/A1

Zielprozess, der, -e K 6, S. 96/B1

zielstrebig K 10, S. 156/A2

Zielsystem, das, -e K 6, S. 94/B1

Zielvereinbarung, die, -en K 6, S. 94/B1

Zielvorgabe, die, -n K 7, S. 110/B2

Zielvorstellung, die, -en K 6, S. 101/E

Ziffer, die, -n K 10, S. 162/B2

Zins, der, -en K 9, S. 147/C1

Zoll, der (hier nur Sing.) K 9, S. 142/A1

Zollerklärung, die, -en K 9, S. 142/B1

Zollkontrolle, die, -n K 1, S. 12/A

zu Lasten K 9, S. 147/C1

zu Recht K 5, S. 83/C3

Zubehör, das (nur Sing.) K 8, S. 129/C1

Zucchini, die, -s K 1, S. 22/B

Zufall, der, ¨e K 8, S. 126/A1

zufällig K 6, S. 103/D1

zufrieden stellen K 5, S. 82/A1

Zufriedenheit, die (nur Sing.) K 5, S. 86/B1

zukünftig K 5, S. 82/B1

Zukunftsplan, der, ¨e K 10, S. 167/C1

zumindest K 6, S. 103/E1

zunächst K 8, S. 132/A1

zunehmend K 3, S. 45/C1

zurückbringen (+ A) K 5,
    S. 77/C3

zurückgeben (+ A) K 9, S. 151/C

zurückhaltend K 7, S. 118/A

zurückrufen K 4, S. 70/C1

zurückschicken (+ A) K 9,
    S. 146/C1

zurücktreten (von + D) K 9,
    S. 147/C1

zurücküberweisen (+ A) K 5,
    S. 85/C1

zurzeit K 5, S. 76/B1

zusagen K 4, S. 69/E1

zusammenbringen (+ A) K 6,
    S. 95/C1

zusammenkommen K 8,
    S. 125/B1

zusammenschließen, sich K 8,
    S. 125/B1

Zusammenspiel, das (nur Sing.)
    K 6, S. 99/D2

zusammenstellen (+ A1) K 1,
    S. 22/A2

Zusammenstellung, die, -en K 8,
    S. 135/D1

Zusatzleistung, die, -en K 5,
    S. 78/B2

zusätzlich K 5, S. 87/B3

Zusatzmenge, die, -n K 9,
    S. 148/B2

Zuschlag, der, ̈e K 6, S. 102/C1

zuschlagpflichtig K 6, S. 102/C1

zuschneiden (auf + A) K 5,
    S. 76/A

Zustand, der, ̈e K 5, S. 83/E1

zuständig (für + A) K 3, S. 46

Zuständigkeit, die, -en K 8,
    S. 133/D3

zustimmen (+ D) K 7, S. 112/B1

zutreffen K 5, S. 86/B2

zuzüglich K 7, S. 115/D2

zwar ... aber K 5, S. 85/C1

Zweck, der (nur Sing.) K 3,
    S. 51/GK

Zweigniederlassung, die, -en
    K 2, S. 39/D1

Zweigstelle, die, -n K 10, S. 156/
    A2

zweistufig K 10, S. 158/B2

zweitägig K 4, S. 69/E1

zweiter, zweite, zweites K 4,
    S. 71/D1

Zwischenevaluierung, die, -en
    K 5, S. 87/C

Zwischenhandel, der, - K 7,
    S. 111/B4

Zwischenüberschrift, die, -en
    K 8, S. 125/B1

Zwischenzeugnis, das, -se K 6,
    S. 92/A1

Quellenverzeichnis

Wir danken den in *Unternehmen Deutsch Aufbaukurs* genannten Firmen für ihre Unterstützung.

Trotz intensiver Bemühungen konnten wir nicht alle Rechteinhaber ausfindig machen. Für Hinweise ist der Verlag dankbar.

Textquellenverzeichnis

S. 21: Das Städel © Städelsches Kunstinstitut und Städtische Galerie, Frankfurt • S. 25: Herzlich willkomen in der Eventstadt Hannover! © Hannover Tourismus Service e.V. • S. 41: Umsatz und Ergebnis 2004 © BASF, Ludwigshafen • S. 57: Die europäische Kommision informiert © Europäisches Verbraucherzentrum, Kiel • S. 71: Bedienungsanleitung Philips SOPHO Ergoline © Philips Business Communications GmbH, Eschborn • S. 74: Festlegung der Mautsätze, hrsg. v. der SVG Straßenverkehrs Genossenschaft Württemberg e. V., Stuttgart • S. 89: Der Unterschied zwischen Gewährleistung und Garantie © URL • S. 99: Gute Zusammenarbeit, Führungsgrundsätze ≠ Praxis, aus: Ziele vereinbaren, Leistung bewerten © 2000 by Wirtschaftsverlag Langen Müller Herbig in F. A. Herbig Verlagsbuchhandlung GmbH, München • S. 120: Rabatte und Preisnachlässe © IHK, Dortmund • S. 146: Allgemeine Geschäftsbedingungen, aus: Artur Woll (Hrsg.): Wirtschaftslexikon © Oldenbourg Verlag, München • S. 147: Liefer- und Geschäftsbedingungen © Logona, Salzhemmendorf • S. 153: Reklamationen, aus: eXXperts. Der richtige Umgang mit Reklamationen © Schlütersche GmbH +Co. KG, Hannover • S 160: Europass Lebenslauf © Internationale Weiterbildung und Entwicklung, Köln • S. 165: Beurteilungsbogen zum Bewerbungsgespräch © Jochen Maigatter, www.bewerbe.de • S 166: Willkommen bei EURES © Europäische Gemeinschaften 1995 - 2005 • S. 168: Die schriftliche Bewerbung © Gerhard Winkler, www.karriereführer.de

Bildquellenverzeichnis

Umschlag 1: Deutsche Bahn, Berlin • Umschlag 2: Avenue Images GmbH (Bananastock), Hamburg • S. 11: Klett-Archiv (EKS), Stuttgart • S. 12.1: Corbis (Yang Liu), Düsseldorf; S. 12.2: Corbis (Michael Price), Düsseldorf • S. 13: Tourismus und Congress GmbH, Frankfurt am Main • S. 14.1: www.hotel-sonne.org • S. 14.2: www.hotel-sonne.org • S. 14.3: Foto search RF (PhotoDisc), Waukesha, WI • S. 14.4: Picture-Alliance (Frank May), Frankfurt • S. 14.5: Queens Moat Houses Hotel GmbH, Frankfurt • S. 14.6: Queens Moat Houses Hotel GmbH, Frankfurt • S. 15: Queens Moat Houses Hotel GmbH, Frankfurt • S. 16.1: Goethe Museum, Düsseldorf • S. 16.2: MEV, Augsburg • S. 16.3: BASF AG, Ludwigshafen • S. 16.4: DaimlerChrysler, Stuttgart • S. 16.5: MEV, Augsburg • S. 16.6: MEV, Augsburg • S. 18.1: BASF AG, Ludwigshafen • S. 18.2: BASF AG, Ludwigshafen • S. 18.3: Merck KGaA, Darmstadt • S. 18.4: Merck KGaA, Darmstadt • S. 18.5: Merck KGaA, Darmstadt • S. 20.1: Messe Frankfurt GmbH, Frankfurt • S. 20.2: Städel Kunstinstitut, Frankfurt • S. 20.3: Zoo Frankfurt, Frankfurt am Main • S. 20.4: Deutsches Filmmuseum • S. 20.5: Frankfurter Buchmesse GmbH, Frankfurt • S. 21: Städel Kunstinstitut, Frankfurt • S. 22.1: Getty Images (PhotoDisc), München • S. 22.2: Getty Images (PhotoDisc), München • S. 22.3: Klett-Archiv, Stuttgart • S. 22.4: MEV, Augsburg • S. 22.5: Corel Corporation, Unterschleissheim • S. 22.6: Avenue Images GmbH (RM Index IPS), Hamburg • S. 24.1: MEV, Augsburg • S. 24.2: Messe Frankfurt GmbH, Frankfurt • S. 24.3: RB-Deskart Ralf Brennemann, Hamburg • S. 25.1: Hannover Tourismus Service e.V., Hannover • S. 25.2: Hannover Tourismus Service e.V., Hannover • S. 25.3: Hannover Tourismus Service e.V., Hannover • S. 25.4: Hannover Tourismus Sevice e.V., Hannover • S. 27: iStockphoto (RF), Calgary, Alberta • S. 28.1: Roche Diagnostics GmbH, Mannheim • S. 28.2: BASF AG, Ludwigshafen • S. 28.3: E.ON AG, Düsseldorf • S. 28.4: Nestle Deutschland AG, Frankfurt am Main • S. 28.5: Siemens AG, München • S. 28.6: DaimlerChrysler AG, Stuttgart • S. 28.7: Heidelberger Druckmaschinen AG, Heidelberg • S. 28.8: HKM Hüttenwerke Krupp Mannesmann GmbH, Duisburg-Huchingen • S. 28.9: LOGONA Naturkosmetik, Salzhemmendorf • S. 28.10: Brauerei Beck und Co, Bremen • S. 28.11: IBM Deutschland GmbH, Stuttgart • S. 28.12: Adidas-Salomon AG, Herzogenaurach • S. 30.1: Queens Moat Houses Hotel GmbH, Frankfurt • S. 30.2: Getty Images (PhotoDisc), München • S. 30.3: Deutsche Bahn, Berlin • S. 30.4: Getty Images (PhotoDisc), München • S. 30.5: Getty Images (PhotoDisc), München • S. 30.6: BMW AG, München • S. 30.7: MEV, Augsburg • S. 30.8: Fotosearch RF (Brand X Pictures), Waukesha, WI • S. 31: DaimlerChrysler AG, Stuttgart • S. 32.1: MEV, Augsburg • S. 32.2: Merck KGaA, Darmstadt • S. 32.3: Putzmeister AG, Aichtal; • S. 32.4: Merck KGaA, Darmstadt: Transparent 2005 • S. 32.5: Merck KGaA, Darmstadt: Geschäftsbericht 2004 • S. 32.6: Merck KGaA, Darmstadt: Transparent 2005 • S. 33: Merck KGaA, Darmstadt: Geschäftsbericht 2004 • S. 34.1: DaimlerChrysler AG, Stuttgart: DaimlerChrysler Business Units • S. 34.2: DaimlerChrysler AG, Stuttgart: Geschäftsbericht 2004 • S. 36.1: Merck KGaA, Darmstadt • S. 36.2: Merck KGaA, Darmstadt • S. 38.1: Siemens AG, München • S. 38.2: Ernst Klett Sprachen, Stuttgart • S. 38.3: Siemens AG, München • S. 38.4: MEV, Augsburg • S. 38.5: Siemens AG, München • S. 38.6: Siemens AG, München • S. 38.7: Deutsche Bahn, Berlin • S. 38.8: Picture-Alliance, Frankfurt • S. 38.9: Bosch und Siemens Hausgeräte GmbH, München • S. 39: Siemens AG, München: Geschäftsbericht 2004 • S. 40: MEV, Augsburg • S. 40: MEV, Augsburg • S. 41: BASF AG, Ludwigshafen • S. 43: Vario-Press(Fotofinder), Bonn • S. 44.1: Image Source, Köln • S. 44.2: MEV, Augsburg • S. 44.3: BASF AG, Ludwigshafen • S. 44.4: Getty Images (PhotoDisc), München • S. 44.5: Suisse Eole, Bubendorf • S. 44.6: Klett-Archiv, Stuttgart • S. 45.1: MEV, Augsburg • S. 45.2: MEV, Augsburg • S. 48.1: Getty Images (PhotoDisc), München • S. 48.2: MEV, Augsburg • S. 48.3: Fotosearch RF (Digital Vision), Waukesha, WI • S. 48.4: Getty Images, München • S. 48.5: Picture-Alliance (Patrick Pleul), Frankfurt • S. 48.6: Schuler Systems + Services GmbH, Göppingen • S. 48.7: GLOBUS Infografik, Hamburg • S. 49: aus: Mein Rückenbuch, v. Prof. Dr. Dietrich Grönemeyer, erschienen im ZS • S. 50.1: DaimlerChrysler, Stuttgart • S. 50.2: BMW AG, München • S. 50.3: Bosch, Gerlingen-Schillerhöhe • S. 50.4: Putzmeister AG, Aichtal • S. 50.5: BMW AG, München • S. 50.6: Klett-Archiv, Stuttgart • S. 50.7: Putzmeister AG, Aichtal • S. 51.1: Putzmeister AG, Aichtal • S. 51.2: Internet/Screenshot • S. 51.3: Internet/Screenshot • S. 51.4: Internet/Screenshot • S. 51.5: Internet/Screenshot • S. 51.6: Internet/Screenshot • S. 54.1: Wiener Gebietskrankenkasse, Wien • S. 54.2: Klett-Archiv, Stuttgart • S. 54.3: Klett-Archiv, Stuttgart • S. 54.4: Klett-Archiv, Stuttgart • S. 54.5: SWICA Gesundheitsorganisation, Winterthur • S. 54.6: MEV, Augsburg • S. 55.1: MEV, Augsburg • S. 55.2: MEV, Augsburg • S. 56: Gymnastikübungen 1-4: Nachdruck mit Genehmigung der Verwaltungs-Berufsgenossenschaft, Deelbögenkamp 4, 22297 Hamburg • S. 57: Klett-Archiv, Stuttgart • S. 59: Avenue Images GmbH (Image Source), Hamburg • S. 60.1: Volkswagen AG, Wolfsburg • S. 60.2: DaimlerChrysler, Stuttgart • S. 60.3: DaimlerChrysler, Stuttgart • S. 60.4: MAN Nutzfahrzeuge Gruppe, München • S. 64.1: DaimlerChrysler, Stuttgart • S. 64.2: Picture-Alliance (KPA), Frankfurt • S. 64.3: Avenue Images GmbH (Index), Hamburg • S. 66.1: Fotosearch RF (Digital Vision), Waukesha, WI • S. 66.2: MEV, Augsburg • S. 66.3: Fotosearch RF (Digital Vision), Waukesha, WI • S. 68.1: Klett-Archiv, Stuttgart • S. 68.2: MEV, Augsburg • S. 68.3: MEV, Augsburg • S. 70: obs (Snom), Hamburg • S. 72: iStockphoto, Calgary, Alberta • S. 73.1: iStockphoto, Calgary, Alberta • S. 73.2: GLOBUS Infografik, Hamburg • S. 73.3: ADAC, München • S. 75: Picture Press (Wartenberg), Hamburg • S. 76: Profitex GmbH, Trossingen • S. 77.1: Profitex GmbH, Trossingen • S. 77.2: Profitex GmbH, Trossingen • S. 77.3: Profitex GmbH, Trossingen • S. 77.4: Profitex GmbH, Trossingen • S. 78.1: Klett-Archiv, Stuttgart • S. 78.2: Profitex GmbH, Trossingen • S. 79.1: Profitex GmbH, Trossingen • S. 79.2: Profitex GmbH, Trossingen • S. 79.3: Profitex GmbH, Trossingen • S. 79.4: Profitex GmbH, Trossingen • S. 80.1: Getty Images (PhotoDisc), München • S. 80.2: Profitex GmbH, Trossingen • S. 81: Corbis (RF), Düsseldorf • S. 84.1: Getty Images (PhotoDisc), München • S. 84.2: Image Source, Köln • S. 84.3: Klett-Archiv, Stuttgart • S. 84.4: MEV, Augsburg • S. 84.5: Getty Images (PhotoDisc), München • S. 84.6: Comstock, Luxemburg • S. 85: Avenue Images GmbH (Brand X Pictures), Hamburg • S. 86.1: Ford-Werke AG, Köln • S. 86.2: Ford-Werke AG, Köln • S. 86.3: Corbis (Schenectady Museum; Hall of Electrical H), Düsseldorf • S. 86.4: MEV, Augsburg • S. 88: www.leasing.de • S. 89: MEV, Augsburg • S. 91: Mauritius (Grasser), Mittenwald • S.99: Wirtschaftsverlag Langen Müller Herbig in F.A. Herbig • S. 100.1: Bananastock RF, Watlington/Oxon • S. 100.2: Avenue Images GmbH, Hamburg • S. 100.3: Bananastock RF, Watlington/Oxon • S. 101: PhotoAlto, Paris • S. 102: Getty Images (PhotoDisc), München • S. 103: GLOBUS Infografik, Hamburg • S. 104: Fotex, Hamburg • S. 105.1: GLOBUS Infografik, Hamburg • S. 105.2: MEV, Augsburg • S. 107: Avenue Images GmbH (Banana Stock), Hamburg • S. 108.1: Obi, Wermelskirchen • S. 108.2: Ernst Klett Sprachen, Stuttgart • S. 110: Ernst Klett Sprachen, Stuttgart • S. 111.1: Ernst Klett Sprachen, Stuttgart • S. 111.2: Ernst Klett Sprachen, Stuttgart • S. 112.1: Linnigpublic, Koblenz • S. 112.2: Linnigpublic, Koblenz • S. 115.1: IKEA, Hofheim • S. 115.2: IKEA, Hofheim • S. 115.3: Ingram Publishing (RF), Tattenhall Chester • S. 115.4: Bauer Versand, Berlin • S. 115.5: IKEA, Hofheim • S. 115.6: Ingram Publishing (RF), Tattenhall Chester • S. 120: Picture-Alliance (ZB - Fotoreport), Frankfurt • S. 121: Deutsche Post World Net, Bonn • S. 123: Teamwork GmbH (Karwasz), Essen • S. 124.1: msg medien-service-gmbh, Frankfurt am Main • S. 124.2: Kölnmesse GmbH, Köln • S. 124.3: Mack Brooks Exhibitions Ltd, St. Albans Herts • S. 124.4: Internet/Screenshot (www.hh-online.de) • S. 124.5: Messe Berlin GmbH, Berlin • S. 124.6: Messe Düsseldorf GmbH, Düsseldorf • S. 124.7: Reed Messe Wien GmbH, Wien • S. 124.8: Mack Brooks Exhibitions Ltd, St. Albans Herts • S. 125: Klett-Archiv, Stuttgart • S. 126: Messe Frankfurt GmbH, Frankfurt • S. 127: Messe Berlin GmbH, Berlin • S. 128: Kölnmesse GmbH, Köln • S. 129: Klett-Archiv, Stuttgart • S. 130.1: SALEWA Deutschland, Aschheim • S. 130.2: Messe München GmbH, München • S. 132: MEV, Augsburg • S. 134.1: Auma, Berlin • S. 134.2: Auma, Berlin • S. 135.1: Auma, Berlin • S. 135.2: Auma, Berlin • S. 136.1: Auma, Berlin • S. 136.2: Messe Stuttgart • S. 137.1: Messe München GmbH, München • S. 137.2: Auma, Berlin • S. 139: DaimlerChrysler, Stuttgart • S. 140.1: LOGONA Naturkosmetik, Salzhemmendorf • S. 140.2: Klett-Archiv, Stuttgart • S. 140.3: LOGONA Naturkosmetik, Salzhemmendorf • S. 140.4: LOGONA Naturkosmetik, Salzhemmendorf • S. 141.1: LOGONA Naturkosmetik, Salzhemmendorf • S. 141.2: Image Source, Köln • S. 141.3: LOGONA Naturkosmetik, Salzhemmendorf • S. 142.1: Deutsche Post World Net, Bonn • S. 142.2: Das Fotoarchiv (Arslan), Essen • S. 142.3: Flughafen Frankfurt-Hahn GmbH, Hahn-Flughafen • S. 142.4: Deutsche Lufthansa AG, Frankfurt • S. 142.5: Getty Images RF (Photodisc), München • S. 142.6: Image Source, Köln • S. 142.7: Getty Images RF (Photodisc), München • S. 142.8: System Alliance, Niederaula • S. 144.1: Deutsche Bahn (Koch), Berlin • S. 144.2: Klett-Archiv, Stuttgart • S. 147: LOGONA Naturkosmetik, Salzhemmendorf • S. 151: Visum (C&M Fragasso), Hamburg • S. 152.1: Klett-Archiv, Stuttgart • S. 152.2: Bio Suisse, Basel • S. 152.3: Commission européenne, Brüssel • S. 152.4: Öko-Prüfzeichen GmbH, Bonn • S. 152.5: Deutsches Institut für Gütersicherung und Kennzeichnung e.V., St.Augustin • S. 153: Visum (Fotofinder), Hamburg • S. 155: STOCK4B (Stephan Hoeck/fotofinder), München • S. 160: Klett-Archiv, Stuttgart • S. 162: Klett-Archiv, Stuttgart • S. 164: Klett-Archiv, Stuttgart • S. 166: Europäische Gemeinschaften, 1995-2005 • S. 168.1: alle Buchumschläge v. Campus Verlag, Frankfurt • S. 168.2: Klett-Archiv, Stuttgart • S. 169: Fotosearch RF (Image Source/RF), Waukesha, WI